Tailles & pointures

Vêtements de femmes

Europe	38					
Grande-Bretagne	10	12	14	16	18	20
États-Unis	8	10	12	14	16	18

Chaussures de femmes

Europe	37½	38	39	39½	40	40½
Grande-Bretagne	4½	5	5½	6	6½	7
États-Unis	6	6½	7	7½	8	8½

Costumes, vestes, pulls d'hommes

Europe	46	48	50	52	54	56
Grande-Bretagne / États-Unis	36	38	40	42	44	46

Chaussures d'hommes

Europe	40½	41	42	43	44½	46
Grande-Bretagne	7	71/2	8	9	10	11
États-Unis	7½	8	8½	9½	10½	11½

Poids & mesures

Poids

1 ounce (once) (oz)	28,35 grammes
1 pound (livre) (lb)	453 grammes
1 stone (st)	6,3 kilogrammes

Mesures

1 inch (pouce)	2, 54 centimètres
1 foot (pied) = 12 inches	30,48 centimètres
1 yard (yard) = 3 feet	91,44 centimètres
1 mile	1,609 kilomètres

Capacités (liquides)

Système britannique	Système métrique	Système américain	Système métrique
1 pint (pt)	0, 568 litre	1 US pint	0, 473 litre
1 quart (qt) = 2 pints	1, 136 litres	1 US quart = 2 pints	0, 946 litre
1 gallon (g / gal / gall)	4, 546 litres	1 US gallon	3, 785 litres

Sommaire

GRAMMAIRE

COMMUNIQUER

COMMENT LE DIRE ?

MIEUX PRONONCER

VOCABULAIRE

TRADUCTION : trouver le mot juste

CONJUGAISON

INDEX p. 427

PAGES DE GARDE

PRÉSENTATION

L'anglais pour tous (niveaux B1-B2 du CECR) est un ouvrage de **référence** accessible à tous ceux qui veulent **progresser en anglais** pour des raisons professionnelles, scolaires ou personnelles. Dans sa nouvelle édition, une partie est **consacrée à l'oral**.

Un ouvrage en cinq parties

- Grammaire
Chaque chapitre traite le point concerné **de façon claire et synthétique.**
– De nombreux exemples prennent le relais de l'explication dans un anglais vivant et facile à mémoriser.
– «Traduction express» permet de vérifier qu'on a compris. «Notez bien» vise les erreurs fréquentes et les particularités de l'anglais américain.

- Communiquer
Cette nouvelle partie est doublement **consacrée à l'oral** :
– «Comment le dire?» propose des dialogues, les structures clés à mémoriser pour savoir s'exprimer dans les situations de la vie courante et un exercice pour s'entraîner oralement («À vous de parler!»).
– «Mieux prononcer» résume les caractéristiques de la prononciation anglaise et cible les erreurs fréquentes.

- Vocabulaire
Organisé en 20 chapitres thématiques, le **vocabulaire essentiel** avec, pour chaque chapitre :
– Un test de prononciation («Vous les connaissez. Savez-vous les prononcer?»).
– Des listes de mots regroupés par sous-thèmes et une série d'énoncés pour les apprendre en contexte («Un peu de conversation»).
– Un «mini quiz» pour réactiver les mots clés.

- Traduction : trouver le mot juste
  - Classées par ordre alphabétique,
  215 entrées en français avec, pour chacune,
  les solutions et leurs exemples.
  - En annexe, une liste de faux amis
  et les principales différences
  entre anglais britannique et américain.

- Conjugaison
  - Quinze tableaux types.
  - La liste des verbes irréguliers.

Un site nomade pour s'entraîner à l'oral

Sur le site www.bescherelle.com/langues/
anglais/pourtous, vous trouverez tous les
fichiers mp3 liés à l'ouvrage et des **exercices
supplémentaires** pour mieux vous exprimer
à l'oral et mémoriser les mots et expressions
de la vie courante :
- Dans la partie **Communiquer,** les dialogues,
les structures clés, le corrigé de l'exercice et
tous les exemples des fiches de prononciation.
- Dans la partie **Vocabulaire,** la prononciation
des mots difficiles, une sélection de mots
à mémoriser, tous les exemples de « Un peu
de conversation » et des exercices interactifs.

Ce flash code vous permet
d'accéder au site directement
à partir de votre smartphone
ou de votre tablette.

Sommaire

GRAMMAIRE

COMMUNIQUER

COMMENT LE DIRE ?

MIEUX PRONONCER

VOCABULAIRE

Grammaire

1 Verbe *be*

▷ Quand utiliser *be* pour traduire « avoir » ?
▷ Comment dit-on « il y a » en anglais ?

CONJUGAISON

Présent : *am / is / are*

AFFIRMATION	NÉGATION	INTERROGATION
I **am**	I **am not**	**am** I?
he / she / it **is**	he / she / it **is not**	**is** he / she / it?
we / you / they **are**	we / you / they **are not**	**are** we / you / they?

Formes contractées très fréquentes : *am not* → *'m not,*
are not → *aren't* ou *'re not*, *is not* → *isn't* ou *'s not*

À la forme interro-négative, on utilise la forme contractée. À la 1re personne du singulier, c'est *aren't* (ou *am I not* en anglais formel).

- Aren't you happy?   I'm clever, aren't I?
  N'es-tu pas heureux?   Je suis malin, hein?

Prétérit : *was / were*

AFFIRMATION	NÉGATION	INTERROGATION
I / he / she / it **was**	I / he / she / it **was not**	**was** I / he / she / it?
we / you / they **were**	we... **were not**	**were** we / you / they?

Formes contractées très fréquentes : *was not* → *wasn't*, *were not* → *weren't*

Participe passé : *been*

EMPLOIS

Be = « être » en français

- I'**m** in London.
  Je **suis** à Londres.

- She **was** furious.
  Elle **était** furieuse.

- They'**ve been** very kind.
  Ils **ont été** très gentils.

Be + adjectif = « avoir » + nom

be hungry / thirsty avoir faim / soif	be afraid avoir peur	be lucky avoir de la chance
be cold / warm / hot avoir froid / chaud / très chaud	be right / wrong avoir raison / tort	be witty avoir de l'esprit

Be + mesure

- I **am** 20 (years old), I**'m** 1 m 78 tall and I**'m** 72 kilos.
  J'ai vingt ans, je **mesure** 1,78 m et je **pèse** 72 kg.

- This room **is** 3 metres long.
  Cette pièce **fait** trois mètres de long.

- How **are** you?
  Comment **vas-tu** ?

There is / there are = « il y a »

Lorsque « il y a » signifie « il existe quelque chose », il se traduit par *there* + *be* conjugué. *Be* s'accorde avec ce qui suit : *there is / was* + singulier, *there are / were* + pluriel.

- There**'s** a fly in my soup.
  Il y a une mouche dans ma soupe.

- There **were** three patients in the waiting room.
  Il y avait trois patients dans la salle d'attente.

▸ IL Y A P. 355

Be auxiliaire

Be **auxiliaire** sert dans la conjugaison des **temps en *be* + -*ing*** et de la **voix passive**.

- I must go now. It**'s** gett**ing** late.
  Il faut que je parte. Il se fait tard.

- All flights **were** cancelled.
  Tous les vols ont été annulés.

▸ EXERCICE P. 14

2 *Have* et *have got*

▷ Est-ce que *have* et *have got* se conjuguent de la même façon ?
▷ Dans quel cas peut-on remplacer *have* par *have got* ?
▷ Comment dit-on « prendre des vacances » ?

HAVE AUXILIAIRE

Have auxiliaire sert à former le present perfect et le past perfect. Dans ce cas, il se conjugue **sans** *do*.

- I haven't seen that film.
  Je n'ai pas vu ce film.

- Have you seen that film?
  As-tu vu ce film ?

HAVE LEXICAL : CONJUGAISON

Have est aussi un verbe lexical (il a des sens propres).
Dans ce cas, il se conjugue **avec** l'auxiliaire *do*.

● Présent

AFFIRMATION	NÉGATION	INTERROGATION
I **have** it	I **do not have** it	**do** I have it?
he / she / it **has** it	he... **does not have** it	**does** he... have it?
we / you / they **have** it	we... **do not have** it	**do** we... have it?

Formes contractées très fréquentes : *do not have → don't have*, *does not have → doesn't have*

● Prétérit

AFFIRMATION	NÉGATION	INTERROGATION
I / you... **had** it	I... **did not have** it	**did** I... have it?

Forme contractée très fréquente : *did not have → didn't have*

● Participe passé : *had*

HAVE LEXICAL : EMPLOIS

Have = « avoir, posséder »

- I **have** a car but I don't **have** a driving licence.
  J'ai une voiture mais je n'ai pas le permis de conduire.
- I didn't **have** time.
  Je n'ai pas eu le temps.

Have ou *have got* ?
Avec le sens de « **avoir, posséder** », *have*, au **présent**, peut être remplacé par ***have got***. Dans *have got*, *have* est un auxiliaire et se conjugue **sans** *do*.

AFFIRMATION	NÉGATION	INTERROGATION
I**'ve got** it	I **haven't got** it	**have** I got it?
he…**'s got** it	he… **hasn't got** it	**has** he… got it?
we / you / they**'ve got** it	we… **haven't got** it	**have** we… got it?

Have got est considéré comme plus oral que *have*.

- I don't have / I haven't got much money.
  Je n'ai pas beaucoup d'argent.
- Does she have / Has she got your phone number?
  Est-ce qu'elle a ton numéro de téléphone ?

Have = « prendre, consommer, obtenir »
Dans ce cas, *have* **ne peut pas** être remplacé par *have got*. Il peut prendre la forme *be + -ing*.

- Did you **have lunch** with your new colleagues?
  Tu as déjeuné avec tes nouveaux collègues ?
- I can't answer the phone. I**'m having a shave**.
  Je ne peux pas répondre au téléphone. Je suis en train de me raser.

EXPRESSIONS EN *HAVE* AU SENS DE « PRENDRE, CONSOMMER, OBTENIR »		
have a beer prendre une bière	have a good trip faire un bon voyage	have a shower prendre une douche
have a breakdown faire une dépression	have a look jeter un coup d'œil	have a swim se baigner
have lunch déjeuner	have a rest se reposer	have a good time se payer du bon temps
have a dream faire un rêve	have a sandwich manger un sandwich	have a try / a go essayer
have a holiday prendre des vacances	have a bath prendre un bain	have a walk se promener

▸ *HAVE (GOT) TO* P. 41
▸ FAIRE + VERBE P. 349

TRADUCTION EXPRESS

1. Il a raison de s'inquiéter *(worry / be worried)*.

2. « Tu as l'air contrarié *(upset)*. – Non, j'ai mal à la tête. »

3. Vous avez fait bon voyage ?

4. J'ai très faim. J'ai juste mangé une pizza à midi *(for lunch)*.

5. J'ai reçu un courriel ce matin. Elle dit qu'elle s'amuse bien.

6. « Vous avez l'heure ? – Oui, il est midi cinq. »

7. Il y a deux nouveaux traiteurs *(takeaway)* japonais dans ma rue.

8. Ne le dérange pas, il se repose.

CORRIGÉ

1. He is right to be worried (to worry).

2. "You look upset." "No, I am not. I have ('ve got) a headache."

3. Did you have a good trip?

4. I am terribly hungry, I had only a pizza for lunch.

5. I got an email this morning. She says she is having a good time.

6. "Do you have the time?" ("Have you got the time?") "Yes, it's five past twelve."

7. There are two new Japanese takeaways in my street.

8. Don't disturb him, he is having a rest.

③ Verbe *do*

▷ À quoi sert *do* dans *I don't like it* ?
▷ « Faire » se traduit souvent par *do* ou *make*.
 Comment savoir lequel employer ?

DO AUXILIAIRE

Il sert à construire les formes **négatives** et **interrogatives** du présent et du prétérit simples.

AFFIRMATION	NÉGATION	INTERROGATION
I like it	I **don't** like it	**do** you like it?
he like**s** it	he **doesn't** like it	**does** she like it?
I lik**ed** it	they **didn't** like it	**did** he like it?

▸ CONJUGAISONS P. 421

DO EMPHATIQUE

Do est aussi utilisé pour **insister** sur ce que l'on dit, exprimer un **contraste** ou **confirmer** quelque chose. Il est accentué dans la phrase.

- I **do** like that car, but it's too expensive.
 J'aime beaucoup cette voiture, mais elle est trop chère.

▸ *DO* À L'IMPÉRATIF P. 55

- "You should have called." "I **did** call."
 « Tu aurais dû téléphoner. – Mais j'ai bien téléphoné. »

- I expected her to pass and she **did** pass!
 Je m'attendais à ce qu'elle réussisse et elle a bel et bien réussi !

> **NOTEZ BIEN**
> *Do* **ne s'emploie pas avec** les auxiliaires *be* et *have* ni avec les modaux.
> Pour insister avec *be* et *have* et avec les modaux, on les <u>souligne</u> à l'écrit et on les **accentue** à l'oral.
> "I thought you were single." "I <u>am</u> single."
> « Je croyais que tu étais célibataire. – Mais je suis bien célibataire. »
> I can't dive but I <u>can</u> swim.
> Je ne sais pas plonger mais je sais nager.

DO DE REPRISE

Do permet de reprendre un verbe ou un groupe verbal.

- You always say you'll stop smoking but you never **do**.
  Tu dis toujours que tu vas arrêter de fumer mais tu ne le fais jamais.

On peut aussi utiliser *do it* ou *do that* (*do so* dans un style formel) pour reprendre un verbe qui décrit une action volontaire.

- I'd love to travel to space. I'll **do that** some day.
  J'adorerais voyager dans l'espace. Je le ferai un jour.

Avec les auxiliaires *be* et *have* et les modaux, la reprise se fait sans *do*.

- She's better at maths than I **am**.
  Elle est meilleure en maths que moi.

- You'll do it before I **can**.
  Tu le feras avant que je ne puisse le faire.

▸ *SO DO I* (MOI AUSSI) P. 144

« FAIRE » : *DO* OU *MAKE* ?

Do désigne l'action de « faire » en général. *Make* exprime une idée de fabrication, de création.

- I'm bored. I don't know what to **do**.
  Je m'ennuie. Je ne sais pas quoi faire.

- If you **make** a cake, I'll **make** some tea.
  Si tu fais un gâteau, je ferai du thé.
  ▸ FAIRE P. 348-349

Lorsque *do* signifie « faire », il se conjugue avec l'auxiliaire *do*.

- I **don't do** the cooking every night.
  Je ne fais pas la cuisine tous les soirs.

- **Do** you **do** a lot of sport?
  Tu fais beaucoup de sport?

TRADUCTION EXPRESS

1. Une semaine de vacances te fera du bien.
2. J'ai bien peur que tu aies fait une erreur.
3. Cette société *(company)* fait seulement des produits haut de gamme *(top-of-the-range)*.
4. Que fais-tu ce soir?
5. Il faudrait faire quelque chose pour l'aider.

▸ CORRIGÉ P. 348-349

4 Présent

> Quelle est la différence entre *I live in Tokyo* et *I'm living in Tokyo* ?
> La forme en *be + -ing* est-elle possible avec tous les verbes ?

CONJUGAISON

Présent simple : *-s* à la 3e personne du sg

On trouve toujours un **-s** à la troisième personne du singulier. Il s'ajoute au verbe (*works*) ou à l'auxiliaire *do* (*does*).

AFFIRMATION	NÉGATION	INTERROGATION
I work	I **do not** work	**do** I work?
he / she / it works	he... **does not** work	**does** he... work?
we / you / they work	we... **do not** work	**do** we... work?

Formes contractées très fréquentes : *do not* → *don't*, *does not* → *doesn't*

Orthographe

On ajoute **-es** à la 3e personne après *-s, -sh, -ch, -x, -z, -o* : *she passes, he catches, she faxes, he goes, it does.*
Le *-y* se transforme en *-ies* après « consonne + *y* » : *cry* → *he cries, carry* → *she carries* mais *he plays* (voyelle + *y*).

Prononciation de *do* : *do* se prononce /duː/ et *does* /dʌz/.

Prononciation du *-s* de la 3e personne
/s/ après /f/, /k/, /p/, /t/ : *laughs* /lɑːfs/, *thinks* /θɪŋks/, *sips* /sɪps/, *cuts* /kʌts/
/ɪz/ après /s/, /ʃ/, /z/, /dʒ/ : *kisses* /ˈkɪsɪz/, *catches* /ˈkætʃɪz/, *buzzes* /ˈbʌzɪz/, *rages* /ˈreɪdʒɪz/
/z/ dans tous les autres cas et en particulier après une voyelle : *says* /sez/, *cares* /keəz/, *pays* /peɪz/.

NOTEZ BIEN
Aux formes négatives et interrogatives, on a recours à *do* ou *does* avec **tous** les verbes sauf avec les auxiliaires *be*, *have* et les modaux.

Présent en *be* + *-ing* («présent continu»): *am / is / are* + *-ing*

AFFIRMATION	NÉGATION	INTERROGATION
I **am** work**ing**	I **am not** work**ing**	**am** I work**ing**?
he… **is** work**ing**	he… **is not** work**ing**	**is** he… work**ing**?
we… **are** work**ing**	we… **are not** work**ing**	**are** we…work**ing**?

Formes contractées très fréquentes : *I am (not)* → *I'm (not)*,
are (not) → *'re (not)*, *are not* → *aren't*, *is (not)* → *'s (not)*, *is not* → *isn't*

Changements orthographiques dus à *-ing*

Disparition du *-e* final sauf après *-ee* :
hope → *hoping* ; *make* → *making* **mais** *see* → *seeing*

Doublement de la consonne finale :
– après un verbe d'une syllabe en «consonne + voyelle + consonne» :
win → *winning* ; *star* → *starring*
– après un verbe de plusieurs syllabes, accentué sur la dernière syllabe :
begin → *beginning* ; *prefer* → *preferring*
mais *enter* → *entering* (accent sur la première syllabe)

> **NOTEZ BIEN**
> Ces changements orthographiques **valent pour tous les mots** auxquels
> on ajoute un suffixe (*-able, -ed, -er, -ous, -y…*) : *fame* (nom) → *famous* ;
> *big* (adjectif) → *bigger* ; *prefer* (verbe) → *preferred* ; *shade* (nom)
> → *shady*.

PRÉSENT SIMPLE : EMPLOIS

Le présent simple exprime une **vérité générale**, une **habitude**,
un **fait** (plus ou moins) **permanent**.

- **Women live longer than men.** [vérité générale]
  Les femmes vivent plus longtemps que les hommes.

- **I always travel by train and I often sleep during the journey.**
  [habitude]
  Je voyage toujours en train et je dors souvent pendant le voyage.

- **We work and live in New Jersey.** [fait plus ou moins permanent]
  Nous travaillons et nous vivons dans le New Jersey.

Il s'emploie aussi dans les cas suivants :

Commentaires à la radio ou à la télévision (actions ponctuelles)

- **Smith passes the ball to Owen. He goes forward.**
  He shoots and scores!
  Smith passe le ballon à Owen. Il s'avance. Il tire et marque !

Titres de journaux

● Prime Minister visits new station.
Le Premier ministre visite la nouvelle gare.

Scripts de film, indications scéniques, récits (surtout à l'oral), blagues

● Waiter appears at the door. He knocks. Lou rises, pauses a moment. She crosses the room to open the door.
[indication scénique]
Un serveur se présente à la porte. Il frappe. Lou se lève, s'arrête un moment. Elle traverse la pièce pour ouvrir la porte.

● Four expectant fathers are in a hospital waiting room. The nurse arrives and announces to the first man…
[début d'une blague]
Quatre futurs papas sont dans la salle d'attente d'un hôpital. L'infirmière arrive et annonce au premier homme…

PRÉSENT EN *BE* + *-ING* : EMPLOIS

Le présent en *be* + *-ing* exprime une action ou un fait **en cours au moment où on parle** (sous-entendu : « en ce moment »).

● Careful! You're going through a red light!
Attention ! Tu es en train de brûler un feu rouge !

● "What are you doing, Liz?" "I'm revising for exams."
« Qu'est-ce que tu fais, Liz ? – Je révise mes examens. »

Certains verbes ne s'emploient presque jamais avec *be* + *-ing* car ils décrivent plutôt un résultat qu'une action en cours.

agree : être d'accord	matter : avoir de l'importance
believe : croire	mean : vouloir dire
belong : appartenir	need : avoir besoin
consist : consister	own / possess : posséder
contain : contenir	prefer : préférer
depend : dépendre	recognize : reconnaître
deserve : mériter	remember : se souvenir
doubt : douter	seem : sembler
hate : détester	suppose : supposer
include : inclure	understand : comprendre
know : savoir	want : vouloir
like, love : aimer	wish : souhaiter

▸ PARLER DE L'AVENIR P. 51

PRÉSENT SIMPLE OU EN *BE + -ING* ?

PRÉSENT SIMPLE	PRÉSENT EN *BE + -ING*
I work here. I teach English. Je travaille ici. J'enseigne l'anglais. [de manière plus ou moins permanente]	I'm working here. I'm teaching English. Je travaille ici. J'enseigne l'anglais. [« en ce moment », de manière temporaire]
They are silly. Ils sont idiots. [attribution d'une qualité, souvent durable, au sujet]	They are being silly. Ils font les idiots. [comportement temporaire]
We have a new car. Nous avons une nouvelle voiture. [have = possession]	We're having lunch. Nous sommes en train de déjeuner. [have lunch = eat]
I see what they mean. Je vois ce qu'ils veulent dire. [see = « comprendre »]	I'm seeing Pat tomorrow. Je vois Pat demain. [see = « avoir rendez-vous »]
It tastes nice. Ça a bon goût. [fait intrinsèque]	I'm tasting it to see if it's OK. Je le goûte pour voir si c'est bon. [action de goûter en cours]
I weigh 58 kilos. Je pèse 58 kg. [donnée chiffrée]	I'm weighing the baby. Je pèse le bébé. [action en cours]
I think you're wrong. Je crois que tu as tort. [activité mentale]	Don't disturb me. I'm thinking. Ne me dérange pas. Je suis en train de réfléchir. [action de réfléchir]
The train leaves at 10:35. Le train part à 10 h 35. [programme objectif : emplois du temps, horaires]	We're going to Japan in June. Nous allons au Japon en juin. [programme personnel]

EXERCICES

A Doubler la consonne lorsque c'est nécessaire.

listen...ing / stoop...ing / abandon...ed / commit...ed /
forget...ing / ban...ed / develop...ed / equip...ed

B Traduction express

1. Les végétariens ne mangent pas de viande.

2. Je le vois ce soir vers 20 heures.

3. « Que fait-il ? – Il est en train de préparer le dîner. »

4. Je ne me souviens pas de son nom.

5 Prétérit

▷ Comment se prononce le -*ed* du prétérit ?
▷ Le prétérit renvoie-t-il toujours à du passé ?

CONJUGAISON

Prétérit simple : -*ed* à toutes les personnes
À la forme affirmative, on ajoute -*ed* aux verbes réguliers (*work*
→ *worked*, *play* → *played*). Mais certains verbes ont un prétérit
irrégulier.

▸ Prétérits irréguliers p. 425-426

Affirmation	Négation	Interrogation
I / she / they work**ed**	I / she… **did not** work	**did** I / she / they work?

Forme contractée très fréquente : *did not* → *didn't*

Orthographe
Si le verbe se termine par -*e*, on ajoute seulement -*d* : *like* → *liked*.
Si le verbe se termine par «**consonne + y**», -*y* devient -*i* : *cry* → *cried*
mais *played* (voyelle + *y*).

▸ Doublement de la consonne finale p. 18

Prononciation du -*ed*
/ɪd/ après /t/ et /d/ : *waited, succeeded*
/t/ après /f/, /k/, /p/, /s/, /ʃ/ : *laughed, packed, capped, passed, pushed*
/d/ dans tous les autres cas et en particulier après les voyelles : *killed,
played*

> **Notez bien**
> Aux formes négatives et interrogatives, on emploie *did*, sauf avec les
> auxiliaires *be, have* et les modaux.

Prétérit en *be* + -*ing* : *was* / *were* + -*ing*

Affirmation	Négation	Interrogation
I / he **was** work**ing**	I / he **was not** working	**was** I / he working?
we / you / they **were** working	we… **were not** working	**were** we… working?

Formes contractées très fréquentes : *was not* → **wasn't**, *were not* → **weren't**

■ EMPLOIS

◗ **Le prétérit simple** est la forme la plus employée pour parler d'un passé révolu. Il exprime une **rupture** par rapport au présent.

- My grandmother worked on a farm.
  Ma grand-mère travaillait dans une ferme.

- Mozart died young.
  Mozart est mort jeune.

◗ Le prétérit simple est **obligatoire** avec un marqueur du passé : adverbe, date, *ago* (il y a), proposition en *when*... Le present perfect est donc **exclu** dans les exemples qui suivent.

- I saw him **yesterday**.
  Je l'ai vu hier.

- He resigned **three years ago**.
  Il a démissionné il y a trois ans.   ▸ I L Y A P. 355

- She laughed **when** he told her the truth.
  Elle a ri quand il lui a dit la vérité.

◗ On l'emploie dans un récit pour décrire une **succession d'actions**.

- He got home and went straight to his bedroom. He looked around him, sat down on the bed. When he heard the bell...
  Il rentra chez lui et alla directement dans sa chambre. Il regarda autour de lui, s'assit sur le lit. Quand il entendit la sonnerie...

◗ Le prétérit simple exprime aussi des **habitudes** ou un **état passés**.

- We always went to the sea when I was young. I swam every day.
  Nous allions toujours à la mer quand j'étais jeune. Je nageais tous les jours.

◗ Après *if, it's time, I'd rather, I wish*, le prétérit ne renvoie pas au passé. Il décrit une situation hypothétique.

- If only I knew what to do.
  Si seulement je savais quoi faire.

- It's time they paid their debts.
  Il est temps qu'ils paient leurs dettes.

- I'd rather you came later.
  Je préférerais que tu viennes plus tard.   ▸ *I'D BETTER, I'D RATHER* P. 48

◗ **Le prétérit en *be* + *-ing*** décrit une action ou un fait **en cours à un moment du passé** (sous-entendu : « à ce moment-là »). Il se traduit presque toujours par un imparfait.

- "What were you doing at 8?" "I was cooking for my wife."
  « Que faisiez-vous à 8 heures ? – Je faisais la cuisine pour ma femme. »

PRÉTÉRIT SIMPLE ≠ EN *BE + -ING*

▬ **Action terminée ≠ action en cours à un moment du passé**

● They **crossed** the street fast.
Ils ont traversé la rue rapidement.
[Action terminée. Ils ont traversé la rue.]

● They **were crossing** the street when the police saw them.
Ils traversaient la rue quand la police les a vus.
[Action en cours à un moment du passé. Ils ont pu rebrousser chemin.]

▬ **Les deux prétérits dans une même phrase**
L'action décrite par le prétérit en *be + -ing* sert de cadre à une autre action, rapportée au prétérit simple.

● I **was writing** an email when the computer **crashed**.
J'étais en train d'écrire un mail quand l'ordinateur a planté.
[*I was writing...* a été interrompu par *the computer crashed.*]

TRADUIRE UN VERBE À L'IMPARFAIT

▬ L'imparfait ne se traduit par *be + -ing* que s'il signifie « était **en train de** ».

● I **was daydreaming** when she called me.
Je rêvassais quand elle m'a téléphoné.

▬ Autrement, il se traduit par le **prétérit simple**.

● I **swam** a lot when I was ten. [habitude passée]
Je **nageais** beaucoup quand j'avais dix ans.

● My grandmother **spoke** five languages. [état du passé]
Ma grand-mère **parlait** cinq langues.

● I would tell you if I **knew**. [imparfait après si]
Je te le dirais si je le **savais**.

─**TRADUCTION EXPRESS**

1. Qu'est-ce que tu as fait hier soir ?
2. Il avait vingt ans et il se levait à cinq heures tous les matins.
3. Il n'est pas arrivé très tôt ce matin.
4. Elle commençait à en avoir assez *(get tired of)* d'être assise là et de ne rien avoir à faire.
5. Sa mère lui a appris à conduire.
6. Que faisais-tu hier matin à huit heures ?

CORRIGÉ
1. What did you do last night?
2. He was twenty and got up at five every morning.
3. He didn't arrive very early this morning.
4. She was beginning to get tired of sitting there and of having nothing to do.
5. His (Her) mother taught him (her) how to drive.
6. What were you doing yesterday morning at eight?

6 Present perfect

▷ **Peut-on traduire le present perfect par un présent ?**
▷ **Comment dire : « Je viens de l'appeler » ?**

CONJUGAISON

Present perfect simple : *have / has* + participe passé
Pour former le participe passé, on ajoute *-ed* au verbe : *open → opened* ;
play → played. Mais certains verbes ont un participe passé **irrégulier**.

▸ PARTICIPES PASSÉS IRRÉGULIERS P. 425-426

AFFIRMATION	NÉGATION	INTERROGATION
I **have seen**	I **have not seen**	**have** I **seen**?
he / she / it **has seen**	he... **has not seen**	**has** he... **seen**?
we / you / they **have seen**	we... **have not seen**	**have** we... **seen**?

Formes contractées très fréquentes : *have not → haven't* ;
has not → hasn't ; *I've* ; *you've* ; *he's, she's, it's* ; *we've* ; *they've*

Present perfect en *be + -ing* : *have / has been + -ing*

AFFIRMATION	NÉGATION	INTERROGATION
I **have been** lying	I **have not been** lying	**have** I **been** lying?
he **has been** lying	he **has not been** lying	**has** he **been** lying?
we **have been** lying	we **have not been** lying	**have** we **been** lying?

PRESENT PERFECT SIMPLE : EMPLOIS

Très souvent, le present perfect simple exprime le **résultat présent**
d'une action passée. On peut le paraphraser par un **présent**.

- Rick can't come with us because he has broken his leg.
  Rick ne peut pas venir avec nous car il s'est cassé la jambe.
  [*His leg **is** broken.*]

Dans les **bulletins d'information**, il sert à rapporter des faits récents.

- A plane has crashed in the Amazonian jungle.
  Un avion s'est écrasé dans la jungle amazonienne.

On le trouve après *this is the first time* et avec *already* (déjà), *not yet* (pas encore), *ever* (jamais), *never* (ne jamais), car ces adverbes sont associés au présent.

- This is the first time **I've seen** Trafalgar Square.
  C'est la première fois que je **vois** Trafalgar Square.
  [Notez le présent en français.]

- I**'ve** already **told** Lawrence about the job.
  J'ai déjà parlé de cet emploi à Lawrence.

NOTEZ BIEN
En anglais américain, le prétérit est fréquent avec *already*, *never* et *ever*.
I already told Lawrence about the job.

Employé avec *just*, il correspond à « venir de ».

- I've just talked to your mother.
  Je viens de parler à ta mère.
  ▸ IL Y A... QUE P. 355
  ▸ VENIR DE P. 409
  ▸ VOICI / VOILÀ QUE... P. 410

PRESENT PERFECT EN *BE* + *-ING* : EMPLOIS

Le present perfect en *be* + *-ing* signale qu'on voit encore des **traces** d'une activité passée.

- It's been raining.
  Il a plu. [traces présentes : chaussée mouillée]

- I'm tired. I've been running.
  Je suis fatigué. J'ai couru. [traces présentes : la fatigue]

On l'utilise aussi pour dire qu'une activité **vient de** se terminer.

- "You've been watching the nine o'clock news."
  « Vous venez de voir le journal de 21 heures. »

- I've been thinking. Maybe we should sell the house.
  J'y ai réfléchi. On devrait peut-être vendre la maison.

PRESENT PERFECT + COD

- I've eaten your cake.
  J'ai mangé ton gâteau.
  [On s'intéresse au résultat présent : le gâteau est mangé, il n'y en a plus.]

- I've been eating your cake.
  J'ai mangé de ton gâteau.
  [On s'intéresse à l'activité « manger du gâteau ». Il peut en rester.]

NOTEZ BIEN
Present perfect simple : on s'intéresse au **résultat**.
Present perfect en *be* + *-ing* : on s'intéresse à l'**activité**.

PRESENT PERFECT AVEC *FOR* ET *SINCE* (DEPUIS)

⬤ Combinés avec le present perfect, *for* et *since* traduisent « **depuis** ».

> *for* + durée souvent chiffrée : *for (ten) years*, *for (six) months*
> *since* + point de départ : *since 20 June*, *since the war*

- It's 5. I've been waiting here **since** 4:30 / **for** thirty minutes.
  Il est 5 heures. J'attends depuis 4 h 30 / depuis trente minutes.

  ► **DEPUIS P. 333**

> **NOTEZ BIEN**
> Après une négation ou un superlatif, on peut utiliser *in* à la place de *for*.
> I have**n't** talked to them **in** / for weeks.
> Ça fait des semaines que je ne leur ai pas parlé.

⬤ Avec *for* et *since*, on préfère nettement employer le present perfect en *be + -ing*. Cependant si un verbe n'est pas compatible avec *be + -ing* (voir p. 19), on utilise le present perfect simple.

- Sales have been increasing for some time.
  Ça fait un certain temps que les ventes augmentent.

- I've known her for ten months.
  Je la connais depuis dix mois. [~~I've been knowing...~~]

⬤ Avec des verbes comme *hope, live, stay, wait, work...*, il y a très peu de différence entre le present perfect simple et le present perfect en *be + -ing*.

- She's only worked / She's only been working here for two days.
  Elle ne travaille ici que depuis deux jours.

⬤ « Depuis combien de temps » + présent se traduit par *how long* + **present perfect**. À l'oral, on dit aussi *since when?* (depuis quand ?).

- How long have you been working here?
  Depuis combien de temps est-ce que tu travailles ici ?
  Ça fait combien de temps que tu travailles ici ?

> **NOTEZ BIEN**
> Le present perfect + *for* ou *since* se traduit par un **présent**.
> I've been working in London for twenty years.
> Je travaille à Londres depuis vingt ans. [C'est encore vrai.]
>
> Le prétérit + *for* ou *since* se traduit par un **passé composé**.
> I worked in London for twenty years.
> J'ai travaillé à Londres pendant vingt ans. [C'est une période terminée.]

TRADUCTION EXPRESS

1. Il est déjà parti.
2. Le photocopieur ne marche pas *(be out order)* depuis une semaine.
3. « Tu es essoufflé *(out of breath)*. – Bien sûr, j'ai couru. »
4. Je ne l'ai pas vue depuis le 6 mai.
5. Est-ce que tu as pris des vacances cette année ?
6. Il est grognon *(grumpy)* depuis qu'il est sorti du lit.
7. « Ça sent bon, ici. – Oui, il a fait la cuisine. »
8. Depuis combien de temps est-il hospitalisé *(be in hospital)* ?
9. Elle se sent beaucoup mieux depuis qu'elle vit à la campagne.
10. Il n'a pas oublié de réserver une table.

CORRIGÉ

1. He has already left.
2. The photocopier has been out of order for a week.
3. "You're out of breath." "Of course, I've been running."
4. I haven't seen her since May 6th.
5. Have you had a holiday this year?
6. He has been grumpy since he got out of bed.
7. "It smells good (nice) here." "Yes, he's been cooking."
8. How long has he been in hospital?
9. She has felt far better since she has been living in the country.
10. He has not forgotten to reserve a table.

I've known her for ten months.

7 Past perfect

> Qu'exprime *I wish* suivi du past perfect ?
> Le past perfect se traduit-il toujours par le plus-que-parfait ?

CONJUGAISON

Past perfect simple : *had* + participe passé

AFFIRMATION	NÉGATION	INTERROGATION
I **had told** him	they **had not read** it	**had** you **seen** him?

Formes contractées très fréquentes : *had not* → ***hadn't*** ; *I'd, you'd, he'd, she'd, we'd, they'd*

Past perfect en *be* + *-ing* : *had been* + *-ing*

AFFIRMATION	NÉGATION	INTERROGATION
it **had been** rain**ing**	it **hadn't been** rain**ing**	**had** it **been** rain**ing**?

EMPLOIS

Le **past perfect simple** permet de renvoyer à une action ou un fait antérieur à un moment du passé, comme le plus-que-parfait français. Il exprime souvent un **résultat dans le passé**.

- I didn't want to read *Gone with the Wind* because I **had already seen** the film.
  Je ne voulais pas lire *Autant en emporte le vent*, car j'avais déjà vu le film.

Avec le **past perfect en *be* + *-ing***, on s'intéresse à une activité **en cours** à un moment du passé. Elle est antérieure à un autre moment du passé.

- When I got home I noticed that the kids **had been** bickering.
  Quand je suis rentré, j'ai remarqué que les enfants s'étaient chamaillés.

Après *if, I wish, I'd rather*, le past perfect s'emploie pour parler de quelque chose qui **ne s'est pas réalisé** dans le passé.

- I wouldn't have married him **if you had warned** me.
  Je ne l'aurais pas épousé si tu m'avais prévenue.
  [Tu ne m'as pas prévenue.]

▰ *I'd (would) rather* et *I wish* + past perfect expriment un **regret**.

- I'd rather he had left.
  J'aurais préféré qu'il parte.

- I wish I had thought of that before.
  Je regrette de ne pas y avoir pensé avant. / Si seulement j'y avais pensé avant.

▰ TRADUCTION DU PAST PERFECT

La plupart du temps, le past perfect se traduit par le **plus-que-parfait**.
Toutefois, dans les cas suivants, il se traduit par un **imparfait**.

▰ Avec *for, since* et *how long*

- It happened on Christmas Day. We **had lived** together **since** July / **for** six months.
  Ça s'est passé le jour de Noël. Nous **vivions** ensemble depuis juillet / depuis six mois.

- How long had you been waiting?
  Depuis combien de temps **attendiez-vous** ?

▰ Après *it was the first time*

- It was the first time I **had seen** the sea.
  C'était la première fois que je **voyais** la mer.

▰ Avec *just* (venais, venait... de)

- I **had just mentioned** his name when he called!
  Je **venais** (juste) de citer son nom quand il a appelé !

  ▸ VENIR DE P. 409

┌─ TRADUCTION EXPRESS
│ **1.** Quand je suis arrivé au travail, il avait déjà appelé trois fois.
│ **2.** Il a vite compris qu'il avait fait une gaffe *(make a blunder)*.
│ **3.** Ils étaient très fatigués : ils avaient fait *(fly)* douze heures d'avion.
│ **4.** Depuis combien de temps était-elle envoyée spéciale à Londres ?
│ **5.** C'était la première fois qu'il me demandait mon avis.
│ **6.** Je regrette de lui avoir prêté *(lend)* tant d'argent.
│ **7.** J'aurais préféré qu'ils arrivent plus tôt.

7. I'd rather they had arrived earlier.
6. I wish I had not lent him (ou her) so much money.
5. It was the first time he had asked for my opinion.
4. How long had she been a special correspondent in London?
3. They were exhausted. They had been flying for twelve hours.
2. He soon realized he had made a blunder.
1. When I arrived at work he had already called three times.
─ CORRIGÉ

8 Passif

▷ Est-ce qu'on le traduit toujours par un passif en français ?
▷ Comment traduit-on : « On dit que... » ?
▷ Quelle différence y a-t-il entre *he was killed* et *he got killed* ?

■ FORMATION : *BE* + PARTICIPE PASSÉ

Présent simple : *am / is / are* + p. passé

- English **is spoken** by about a billion people.
  L'anglais est parlé par environ un milliard de personnes.

Présent en *be* + *-ing* : *am being / is being / are being* + p. passé

- My sister **is being operated** on.
  On est en train d'opérer ma sœur.

Prétérit simple : *was / were* + p. passé

- They **were questioned** by the police.
  Ils ont été interrogés par la police.

Prétérit en *be* + *-ing* : *was being / were being* + p. passé

- I **was being followed**.
  On me suivait.

Present perfect simple : *have been / has been* + p. passé

- The match **has been viewed** by millions of people.
  Le match a été vu par des millions de personnes.

Infinitif présent : *be* + p. passé

- He can **be reached** at any time.
  On peut le joindre à tout moment.

Infinitif passé : *have been* + p. passé

- The car may **have been driven** by someone else.
  C'est peut-être quelqu'un d'autre qui a conduit la voiture.

ÉQUIVALENTS EN FRANÇAIS

Le passif s'emploie davantage en anglais qu'en français. Il a donc en français plusieurs équivalents.

PASSIF	This museum was built eighty years ago. Ce musée a été construit il y a quatre-vingts ans.	
« ON »	My car has been stolen. On m'a volé ma voiture.	▸ ON P. 372
« SE + VERBE »	Don't swear. It isn't done. Ne jure pas. Ça ne se fait pas.	▸ SE + VERBE P. 398

COMPLÉMENT D'AGENT

Le plus souvent, le complément d'agent est **omis**.
En effet, dans une phrase passive on ne s'intéresse pas à l'agent, soit parce qu'il est évident, soit parce qu'il n'est pas connu.

- She was re-elected in November.
  Elle a été réélue en novembre. [agent évident : les électeurs]

- My motor scooter has been stolen.
  On m'a volé mon scooter. [agent inconnu]

Quand il est mentionné, le complément d'agent est introduit par **by**. On trouve aussi **with**. On parle dans ce cas de complément de moyen plutôt que de complément d'agent.

- I was arrested **by** four policewomen.
  J'ai été arrêté par quatre policières.

- The safe was opened **with** a screwdriver.
  Le coffre-fort a été ouvert avec un tournevis.

CONSTRUCTIONS DIFFÉRENTES DU FRANÇAIS

Verbes à deux compléments
Bring, give, lend, offer, pay, promise, sell, show, teach, tell...
se construisent de deux façons au passif (voir aussi p. 67).

ACTIF	John gave Laura the keys. [complément 1] [complément 2]
PASSIF	1. Laura was given the keys. [plus fréquent] 2. The keys were given to Laura.

Verbes suivis de *to* + verbe

Ask, *expect*, *forbid*, *tell*... peuvent être au passif.

ACTIF	They've asked me to stay. Ils m'ont demandé de rester.
PASSIF	I've been asked to stay. On m'a demandé de rester.

- You were told not to mention it.
  On vous a dit de ne pas en parler.

- He was expected to give a speech.
  On s'attendait à ce qu'il fasse un discours.

Verbes d'opinion

Avec *believe*, *know*, *report*, *say*, *think*, *understand*..., deux structures sont possibles.

It is + participe passé + *that*

- It is believed that the minister will resign.
  On pense que le ministre va démissionner.

- It is said that the film might be banned.
  On dit que le film pourrait être interdit.

Sujet personnel + verbe au passif + *to*

- She is believed to be about to resign.
  On pense qu'elle est sur le point de démissionner.

- The actress was said to be temperamental.
  On disait de cette actrice qu'elle était capricieuse.

> **NOTEZ BIEN**
> Ces structures servent à exprimer une opinion générale. C'est pourquoi on les traduit par « on ».

Make, hear et see au passif

Ils se construisent sans *to* à l'actif, mais **avec to** au passif. *Hear* et *see* peuvent aussi être suivis de V-*ing* au passif.

ACTIF	They make us work hard. Ils nous font travailler dur.
PASSIF	We are made **to** work hard. On nous fait travailler dur.
ACTIF	They saw him climb (*ou* climbing) over the wall. Ils l'ont vu escalader le mur.
PASSIF	He was seen **to** climb (*ou* seen climbing) over the wall. On l'a vu escalader le mur.

GET AUXILIAIRE DU PASSIF

Le passif se forme parfois avec **get** + participe passé, en particulier lorsque l'action est inattendue ou désagréable.

- They got arrested for drunkenness.
  Ils ont été arrêtés pour ivresse.

- My neighbour got killed in an accident.
  Mon voisin a été tué dans un accident.

Get exprime une idée de passage d'un état à un autre. *Get* + participe passé se traduit souvent par « se + verbe » : *get dressed* (s'habiller), *get drowned* (se noyer), *get lost* (se perdre), *get married* (se marier)…

▸ SE + VERBE P. 398

TRADUCTION EXPRESS

1. Cette entreprise *(firm)* a été fondée en 1901.

2. Quand la marchandise *(the goods)* sera-t-elle livrée *(deliver)* ?

3. On vous donnera les clefs aussitôt que vous aurez payé le premier mois de loyer *(rent)*.

4. On m'a dit que personne n'a été blessé.

5. On dit que la réunion sera annulée *(cancel)*.

6. On lui a fait remplir de nombreux questionnaires *(forms)*.

7. On lui a offert un travail à Houston.

8. Certaines conditions doivent être remplies *(meet)* avant de commencer les discussions *(talks)*.

CORRIGÉ

1. This firm was established / founded in 1901.
2. When will the goods be delivered?
3. You'll be given the keys as soon as you have paid the first month's rent.
4. I was told / I've been told (that) nobody got hurt.
5. It is said that the meeting will be cancelled.
6. He / She was made to fill in lots of forms.
7. He / She has been offered a job in Houston.
8. Some conditions must be met before the talks begin.

9 Modaux : généralités

▷ Qu'est-ce qui distingue les modaux des autres verbes ?
▷ Quels sont leurs principaux sens ?

PARTICULARITÉS

● Les principaux modaux sont *can, may, must, shall, will.*

AFFIRMATION	I / he / she / it / we / you / they **can**
NÉGATION	I / he / she / it / we / you / they **must not**
INTERROGATION	**May** I / he / she / it / we / you / they?

Formes contractées très fréquentes : *cannot* → *can't,*
could not → *couldn't, must not* → *mustn't* /mʌsnt/, *will not* → *won't* /wəʊnt/,
shall not → *shan't* /ʃɑːnt/, *should not* → *shouldn't, would not* → *wouldn't*

> **NOTEZ BIEN**
> *Can + not* s'écrit le plus souvent en un seul mot : *cannot.*

● Quatre modaux ont une forme de prétérit. Ce prétérit se traduit par un temps du passé ou par un conditionnel (voir p. 54).

PRÉSENT	can	may	shall	will
PRÉTÉRIT	could	might	should	would

● À retenir

pas de *-s* à la 3e personne du singulier	She can.
pas de *do* aux formes interrogatives et négatives	I must not smoke.

> **NOTEZ BIEN**
> On ne trouve jamais modal + modal. On ne peut pas ajouter *-ing*
> à un modal. Les modaux ne sont jamais précédés ni suivis de *to.*
> Ils n'ont pas de participe passé.

● Prononciation

	forme forte	forme faible
can	/kæn/	/kən/
must	/mʌst/	/məst/
shall	/ʃæl/	/ʃəl/
may	/meɪ/	–
will	/wɪl/	–

LES PRINCIPAUX SENS DES MODAUX

CAN	
capacité	I can carry my suitcase. Je peux porter ma valise.
permission	"Mum, can I go out now?" "Yes, you can." «Maman, je peux sortir maintenant? – Oui.»

CAN'T	
incapacité	I'm afraid I can't help you. Je suis désolé, mais je ne peux pas vous aider.
interdiction	You can't smoke here. Tu ne peux pas fumer ici.
impossibilité	It can't be true. Ça ne peut pas être vrai.

COULD / COULDN'T	
capacité dans le passé	I couldn't start my car this morning. Je n'ai pas pu faire démarrer ma voiture ce matin.
capacité hypothétique	I could go out but I'm tired. Je pourrais sortir, mais je suis fatigué.
possibilité	Sam could be having lunch. Sam est peut-être en train de déjeuner.

MAY	
possibilité théorique	You may be right. Tu as peut-être raison.
permission	You may borrow up to four DVDs. Vous pouvez emprunter jusqu'à quatre DVD.

MIGHT	
possibilité théorique	Hannah might be in her office. Il se pourrait que Hannah soit dans son bureau.

MUST	
obligation	You must tell me the truth. Tu dois me dire la vérité.
probabilité	You must be tired after such a hard day. Tu dois être fatiguée après une journée si dure.

MUSTN'T	
interdiction	You mustn't lie. Tu ne dois pas mentir.

SHALL	
suggestion	Shall I shut the window? Veux-tu que je ferme la fenêtre?

SHOULD	
conseil / suggestion	You should go out more often. Tu devrais sortir plus souvent.
probabilité	Ask Jane. She should know. Demande à Jane. Elle devrait savoir.

WILL	
volonté	Will you marry me? Veux-tu m'épouser?
renvoi à l'avenir	They will regret it some day. Ils le regretteront un jour.

WOULD	
habitude passée	When I lived with my parents, I would always feed the dog before dinner. Quand je vivais chez mes parents, je donnais toujours à manger au chien avant le dîner.
emploi conditionnel	How would you describe her? Comment la décririez-vous?

10 Can / could / be able to

▷ **Can**, c'est comme le verbe « pouvoir » ?
▷ **Comment dit-on « je pourrais » et « je pourrai » ?**
▷ **Quand emploie-t-on** *be able to* à la place de *can* ?

CAN / CAN'T / COULD / COULDN'T : CAPACITÉ

● *Can* exprime la **capacité,** l'aptitude du sujet. Il se traduit par « pouvoir » ou « savoir ». *Cannot / can't* exprime une **incapacité.**

- Cigarettes **can** damage your health.
  Les cigarettes **peuvent** nuire à votre santé.

- **Can** you pilot a plane?
  Tu **sais** piloter un avion?

- I'm afraid I **can't** help you.
  Je suis désolé, mais je **ne peux pas** vous aider.

● *Could / couldn't* exprime soit une capacité / incapacité **dans le passé,** soit une capacité / incapacité **hypothétique.**

- I couldn't start my car this morning.
  Je **n'ai pas pu** faire démarrer ma voiture ce matin.
  [traduction par un passé composé]

- I could go out with you but I'm tired.
  Je **pourrais** sortir avec vous, mais je suis fatigué.
  [traduction par un conditionnel]

BE ABLE TO : ÊTRE CAPABLE DE

● On emploie *be able to* là où *can* est impossible.

- I'd like to be able to sing.
  J'aimerais pouvoir chanter.
  [to + can impossible → to be able to]

- I've never been able to lie.
  Je n'ai jamais pu mentir.
  [can n'a pas de participe passé → been able to]

- Sorry for not being able to help you.
  Désolé de ne pas pouvoir t'aider.
  [can + -ing impossible → being able to]

- Some day I'll be able to forgive you.
  Un jour je pourrai te pardonner.
  [will + can impossible → will be able to]

Au présent, on emploie parfois **be able to** pour signaler une capacité permanente.

- He is able to read and write.
  Il est capable de lire et d'écrire.

Au passé, si la capacité est limitée à un moment précis, seul **was / were able to** est possible. Mais à la forme négative, on utilise indifféremment *wasn't / weren't able to* ou *couldn't*.

- I **was able** to start my car this morning for a change!
  J'ai pu faire démarrer ma voiture ce matin, pour une fois !

- I **wasn't able to** / I **couldn't** start my car this morning.

NOTEZ BIEN

« Je pourrai… » (je serai capable de) : *I will be able to*…

« Je pourrais… » (je serais capable de) : *I could* (ou *I would be able to*)…

« J'aurais pu… » (j'aurais été capable de) : *I could have*… (ou *I would have been able to*)…

CAN + VERBE DE PERCEPTION

On emploie souvent *can* devant les verbes de perception. Dans ce cas, la plupart du temps, on ne le traduit pas.

- Where are you? I can hear you but I can't see you!
  Où es-tu ? Je t'entends mais je ne te vois pas.

- We could see the beach from our hotel.
  On voyait la plage de notre hôtel.

CAN : PERMISSION / CAN'T : INTERDICTION

On emploie fréquemment *can* pour demander ou accorder une **permission**.

- "Mum, **can** I go out now?" "Yes, you **can**."
  « Maman, je peux sortir maintenant ? – Oui. »

Could est considéré comme plus poli dans une demande. Il se traduit souvent par « pourrais… »

- "**Could** I have some more tea?" "Yes, of course, you can."
  « Est-ce que je pourrais avoir un peu plus de thé ? – Oui, bien sûr. »

Can't exprime une interdiction.

- You **can't** smoke here.
  Tu ne peux pas fumer ici.

▸ *MAY* ET LA PERMISSION P. 40

COULD : « ÇA SE POURRAIT »

■ *Could* peut signifier que quelque chose **pourrait se réaliser** ou **être vrai**.

- Don't go away. They could arrive anytime now.
  Ne t'éloigne pas. Ils pourraient arriver à tout moment maintenant.

- Sam could be having lunch.
  Sam est peut-être en train de déjeuner.

■ *Could have* + participe passé signifie que quelque chose **aurait pu se réaliser** dans le passé.

- You could have hurt yourself.
  Tu aurais pu te blesser.

CAN'T / COULDN'T : « ÇA NE SE PEUT PAS »

■ Avec *can't / couldn't*, on ne croit vraiment pas que quelque chose soit vrai.

- It can't / couldn't be true.
  Ça ne peut pas être vrai. / C'est impossible.

- You can't / couldn't be thirsty. You've just had some tea.
  Tu ne peux pas avoir soif. Tu viens de boire du thé.

■ Avec *can't / couldn't* suivi de **be + -ing**, on doute de la réalité d'une action en cours.

- Ross can't be joking. He's always serious.
  Ce n'est pas possible que Ross plaisante. Il est toujours sérieux.

■ Avec *can't / couldn't* suivi de **have + participe passé**, on doute de la réalité d'une action passée.

- You can't have seen Liz. She's in Australia!
  Tu ne peux pas avoir vu Liz. Elle est en Australie !

TRADUCTION EXPRESS
1. C'est un très bon nageur : il peut faire trois longueurs en 1 minute 30.
2. Il se pourrait que ce soit une bonne solution.
3. Est-ce que je pourrais vous emprunter votre appareil photo ?
4. Il n'avait pas ses clefs mais il a pu rentrer.

► CORRIGÉ P. 382-383

11 *May / might / be allowed to*

▷ Comment traduit-on *might* la plupart du temps ?
▷ Quelle différence y a-t-il entre *They may play football*
et *They may be playing football* ?
▷ Quand faut-il employer *be allowed to* à la place de *may* ?

MAY / MIGHT : « C'EST POSSIBLE »

● *May* permet de dire que quelque chose est possible. On le traduit alors par « **peut-être** » ou « il se peut que ».

- You may be right.
  Tu as peut-être raison.

- Hannah may be in her office.
  Il se peut que Hannah soit dans son bureau.

● *Might* exprime une possibilité atténuée et correspond le plus souvent à un conditionnel. Dans ce sens il est très proche de *could*.

- Hannah might be in her office.
  Il se pourrait que Hannah soit dans son bureau.

  ▸ *COULD* P. 38

● *May* suivi de *be + -ing* signale qu'une action est peut-être en cours. Comparez :

- They may play rugby.
  Ils jouent peut-être au rugby.
  [Ils sont peut-être rugbymen.]

- They may be playing rugby.
  Ils jouent peut-être au rugby.
  [Ils jouent peut-être en ce moment.]

● *May have* + participe passé permet de dire que quelque chose a été possible dans le passé.

- They may have won.
  Ils ont peut-être gagné.

● *Might have* + participe passé signifie que quelque chose aurait pu se réaliser.

- I'm glad you didn't go. You might have hurt yourself.
  Je suis content que tu n'y sois pas allé. Tu aurais pu te blesser.
  [Hypothèse concernant le passé.]

- You might have phoned me!
  Tu aurais pu me téléphoner !
  [Reproche.]

On peut employer *may* pour demander ou accorder une permission, mais *can* est plus courant.

- May I have (*ou* Can I have) a look at your newspaper?
  Je peux jeter un coup d'œil à ton journal?

- You may borrow up to four DVDs. (You can borrow…)
  Vous pouvez emprunter jusqu'à quatre DVD.

Pour parler d'une **permission passée**, on emploie *could* ou *was / were allowed to*. Si la permission est ponctuelle, seul *was / were allowed to* est possible.

- I **could** go / was allowed to go to the cinema once a week when I was a child.
  [permission permanente]
  Je pouvais aller au cinéma une fois par semaine quand j'étais petit.

- I **was allowed** to watch TV until midnight yesterday!
  [permission ponctuelle]
  J'ai pu regarder la télé jusqu'à minuit hier!

On emploie aussi *be allowed to* (être autorisé à) là où *may* est impossible.

- You will be allowed to stop once.
  Vous aurez le droit de vous arrêter une seule fois.
  [*will + may* impossible → *will be allowed to*]

- I've never been allowed to meet the judge.
  Je n'ai jamais eu le droit de rencontrer le juge.
  [*may* n'a pas de participe passé → *have been allowed to*]

NOTEZ BIEN

« Je pourrai… » (j'aurai le droit de) : *I will be allowed to*…
« Je pourrais… » (j'aurais le droit de) : *I would be allowed to*…
« J'aurais pu… » (j'aurais eu le droit de) : *I would have been allowed to*…

TRADUCTION EXPRESS

1. Il se peut que j'aie tort.
2. « Puis-je prendre votre assiette ? – Oui, merci. »
3. Il se pourrait que ce soit une bonne solution.
4. Ils ne peuvent pas veiller tard le soir.

▸ CORRIGÉ P. 382-383

12 *Must*

▷ Quand utilise-t-on *have to* à la place de *must* ?
▷ Quelles sont les deux traductions de : « Ils ont dû partir » ?

MUST / *MUSTN'T* : OBLIGATION / INTERDICTION

Must est toujours au présent et se traduit le plus souvent par « je dois… ».

- You must tell me the truth. You mustn't lie.
  Tu dois me dire la vérité. Tu ne dois pas mentir.

Must peut être remplacé par **have to**. Avec *have to* (ou *have got to*), l'obligation ne provient pas de celui qui parle mais par exemple de règles ou d'une autre personne. Comparez.

- I must stop drinking coffee.
  Je dois arrêter de boire du café. [Je m'impose d'arrêter.]

- I have to / I've got to stop drinking coffee.
  Il faut que j'arrête de boire du café. [C'est le médecin qui me l'ordonne.]

NOTEZ BIEN
Have got to ne s'emploie qu'au **présent**.

Must n'existe qu'au présent. On emploie *have to* dans tous les autres cas. En anglais américain, *have to* remplace *must* même au présent.

- I had to quit my job.
  J'ai dû quitter mon emploi. [pour parler du passé → had to]

- We'll have to rent a smaller house.
  Nous devrons louer une maison plus petite. [pour parler du futur → will have to]

- You would have to get a job if I left mine.
  Tu devrais trouver un emploi si je quittais le mien. [comme équivalent du conditionnel → would have to]

À la forme négative, il ne faut pas confondre *mustn't* (c'est interdit) et *don't have to* (ce n'est pas obligé).

- You're rich. You don't have to work.
  Tu es riche. Tu n'es pas obligé de travailler. [Ce n'est pas obligé.]

- You're sick. You mustn't work.
  Tu es malade. Tu ne dois pas travailler. [C'est interdit.]

MUST : « C'EST TRÈS PROBABLE »

▶ *Must* peut aussi exprimer une très forte probabilité.
Dans ce cas, il se traduit aussi le plus souvent par « devoir ».
Le contraire du *must* de probabilité est *can't* (ça ne peut pas être vrai).

- You **must** be tired after such a hard day.
  Tu **dois** être fatiguée après une journée si dure.

- Come on, you **can't** be tired. You've been sleeping all day.
  Allons, tu **ne peux pas** être fatigué. Tu as dormi toute la journée.

▶ Cet emploi de *must* se rencontre également en anglais américain, en parallèle avec *have (got) to*.

- You must be kidding. / You have (got) to be kidding.
  Tu plaisantes, j'en suis sûr.

▶ Avec *must have*, la probabilité concerne le passé (a dû).

- I can't see them. They **must have** missed their train.
  Je ne les vois pas. Ils **ont dû** rater leur train.

▶ À la forme négative, on emploie *can't have* + participe passé (n'a pas dû).

- They **can't have seen** me. They would have said hello.
  Ils **n'ont pas dû** me voir. Ils m'auraient dit bonjour.

NOTEZ BIEN
Ne confondez pas !

Ils **ont dû** partir car il y avait trop de bruit. [obligation]
They **had to** leave because there was too much noise.

Ils **ont dû** partir : je ne vois plus leur voiture. [très probable]
They **must have** left : I can't see their car any more.

TRADUCTION EXPRESS
1. Vous ne devez pas baisser les bras *(give up)*.
2. Ils doivent être en train de regarder le match.
3. Ils doivent porter un masque anti-pollution.
4. J'ai dû laisser mon portable chez toi.
5. Tu devras parler anglais tout le temps.

13 *Shall / should / ought to*

> ▷ *Should* se traduit-il toujours par « devrais, devrait... » ?
> ▷ Que signifie *should* dans *If you should arrive before me...* ?

SHALL : SUGGESTION

Shall s'emploie dans une question à la première personne pour faire une suggestion. C'est le seul emploi courant de *shall*.

- Shall I shut the window?
  Veux-tu que je ferme la fenêtre ?

- Shall we go?
  On s'en va ?   ▸ *SHALL* ET LE RENVOI À L'AVENIR P. 50

SHOULD : CONSEIL / SUGGESTION

Should permet d'exprimer un conseil, de faire une suggestion.
Il correspond très souvent à « devrais... ».

- You should go out more often.
  Tu devrais sortir plus souvent.

- I shouldn't listen to this type of music at full blast.
  Je ne devrais pas écouter ce genre de musique à fond.

> **NOTEZ BIEN**
> Pour exprimer une obligation, on utilise *would have to* et non *should*.
>
> If my wife was elected I would have to quit my job. [obligation]
> Si ma femme était élue, je devrais quitter mon emploi.
>
> I had a great time. I should come more often. [conseil à soi-même]
> Je me suis bien amusé. Je devrais venir plus souvent.

Should have + **participe passé** s'emploie quand le conseil porte sur le passé (aurais dû).

- Don't you think we should have taken another train?
  Tu ne crois pas qu'on aurait dû prendre un autre train ?

Une nuance de **reproche** est souvent perceptible avec cette forme, qui est alors proche de *could / might have* + participe passé.

- You should have called me. / You could have called me.
  Tu aurais dû me téléphoner. / Tu aurais pu me téléphoner.

SHOULD : ASSEZ GRANDE PROBABILITÉ

■ **Should** exprime une probabilité qui concerne le présent. On le traduit, ici aussi, souvent par « devrais... ».

● Ask Jane. She should know.
Demande à Jane. Elle devrait savoir.

● That should be Bonnie at the door.
Ça doit être Bonnie (qui sonne ou qui frappe).

■ Quand la probabilité concerne le passé, on emploie **should have + participe passé** (devrais avoir / être...).

● It's five o'clock, they should have arrived by now.
Il est cinq heures, ils devraient être arrivés maintenant.

OUGHT TO

■ **Ought to** peut comme *should* exprimer un conseil, une suggestion ou bien une probabilité. Cependant *should* est beaucoup plus courant.

● You ought to go out more often.
You ought to have called me.
Ask Jane. She ought to know.

■ Sa forme négative *ought not to (oughtn't to)* et sa forme interro-négative *oughtn't you to...?* sont assez recherchées.

AUTRES EMPLOIS DE SHOULD

■ **Après un adjectif d'opinion**
Tous les adjectifs qui expriment une réaction personnelle peuvent être suivis de *should* : *amazing* (incroyable), *odd* (bizarre), *shocking* (choquant), *surprising* (surprenant), *wonderful* (merveilleux)...

● It is surprising that you should say that.
Il est surprenant que tu dises ça.

> **NOTEZ BIEN**
> En anglais américain, on préfère un présent ou un prétérit simple.
> It is surprising that you **say** / **said** that.
> Il est surprenant que tu **dises** / que tu **aies dit** ça.

➡ **Après un verbe ou un adjectif exprimant un ordre, une demande**

● I insist that we should all send her a postcard. [anglais britannique]
J'insiste pour que nous lui envoyions tous une carte postale.

● They demanded / ordered / requested that we should apologize.
Ils ont exigé / ordonné / demandé qu'on s'excuse.

● It is important / essential / vital that you should be present.
Il est important / essentiel / vital que tu sois présent.

NOTEZ BIEN

En anglais britannique, on peut aussi utiliser le présent ou le prétérit :
it is important that you are present.
En anglais américain, on emploie la base verbale (voir p. 56) :
it is important that you be present.

➡ **Après *why* et *how* (exprime l'agacement)**

● "Could you lend me 50 pounds?" "Why should I?"
« Tu pourrais me prêter 50 livres ? – En quel honneur ? »

● "What did she say?" "How should I know?"
« Qu'est-ce qu'elle a dit ? – Comment veux-tu que je le sache ? »

➡ **Après *if* et *in case* (si jamais)**

● If you should miss your plane, call me immediately.
Si jamais tu ratais ton avion, appelle-moi immédiatement.

● Here's the key, in case they (should) want to see the house.
Voici la clé au cas où ils voudraient voir la maison.

TRADUCTION EXPRESS

1. Il est tard, tu devrais aller te coucher.
2. Que suggère-t-il que nous fassions ?
3. Tu aurais dû leur envoyer un courriel.
4. Tu devrais lui dire le plus vite possible.
5. Il devrait y en avoir assez pour tout le monde.

CORRIGÉ
1. It's late, you should go to bed.
2. What does he suggest we (should) do?
3. You should have emailed them.
4. You should tell him (*ou* her) as soon as possible.
5. There should be enough for every one.

14 Will / would / used to

▷ **Will** peut-il signifier «vouloir»?
▷ Que signifie *This car will hold six passengers*?
▷ Comment choisir entre *would* et *used to*?

WILL / WILL NOT

Will est parfois proche de «**vouloir**». C'est surtout le cas dans des questions / réponses et après *if*.

- "Will you marry me?" "Yes, I will."
  «Veux-tu m'épouser? – Oui, je le veux.»

- If you will follow me...
  Si vous voulez bien me suivre...

> ▸ *WILL* ET LE RENVOI À L'AVENIR P. 50
> ▸ *WILL* APRÈS UN IMPÉRATIF P. 56

Will not / *won't* peut signifier un **refus**. Pour parler d'un refus dans le passé, on peut utiliser *would not*.

- My car won't start.
  Ma voiture refuse de démarrer.

- Ava wouldn't open the door.
  Ava ne voulait pas / refusait d'ouvrir la porte.

Will est proche de *must* pour exprimer une forte probabilité, mais avec *will* on est encore plus sûr de ce qu'on avance.

- Did you hear that horn? That'll be your taxi.
  Tu as entendu ce coup de Klaxon? Ça doit être ton taxi.

Will peut exprimer une caractéristique, une habitude. Dans ce cas, il peut se traduire par «pouvoir».

- This machine will wash 4 kilos. [caractéristique de la machine]
  Cette machine peut laver 4 kg de linge.

- Sean will watch TV alone for hours. [habitude de Sean]
  Sean peut rester tout seul devant la télé pendant des heures.

- I will call her Liz even if her name is Lisa.
  Il faut toujours que je l'appelle Liz alors que son nom est Lisa!

- Boys will be boys. [proverbe]
  Il faut bien que jeunesse se passe.

WOULD ET *USED TO* : HABITUDE PASSÉE

Pour parler d'une habitude passée, on utilise souvent *would* ou *used to* /juːstə/.

- When I was a child I used to / I would walk to school every day.
  Quand j'étais enfant, j'allais à l'école à pied tous les jours.

Would ou **used to** ?

Pour parler d'un **état**, on a recours à *used to* et non à *would*. *Used to* insiste sur le fait que les choses ont bien changé. On le traduit souvent par « autrefois / avant + imparfait ».

- We used to have a house by the seaside.
  Avant, nous avions une maison au bord de la mer.

NOTEZ BIEN

INTERROGATION	NÉGATION
Did you use to have a house here?	We **didn't use to** live here.

TRADUCTION EXPRESS

1. Il avait l'habitude de fumer un cigare après un bon repas.
2. Les jeans amples *(baggy)* étaient très à la mode *(trendy)* à ce moment-là.
3. Les choses ne sont plus ce qu'elles étaient.
4. Il buvait vraiment autant de bière quand il était jeune ?

CORRIGÉ
1. He would (*ou* used to) smoke a cigar after a good meal.
2. Baggy jeans used to be very trendy in those days.
3. Things are no longer what they used to be.
4. Did he really use to drink that much beer when he was young?

We used to have a house by the seaside.

15 Autres expressions de la modalité

▷ Connaissez-vous une autre façon de dire *I would prefer...* ?
▷ Comment dire : « Il est probable qu'il vienne » ?
It is likely that he'll come ou *He's likely to come* ?

I HAD BETTER / I WOULD RATHER

➤ *I had ('d) better* + verbe : « je **ferais bien de** / il vaudrait mieux que je... »
Bien que *had* soit un prétérit, on emploie *had better* pour donner un conseil **présent ou futur.** *Had better* s'emploie très peu à la forme interrogative.

- We'd better tell her. / We'd better not tell her.
  On ferait bien de le lui dire / de ne pas le lui dire.

➤ *I would ('d) rather* + verbe : « je **préférerais,** j'aimerais mieux... »

- I'd rather stay here. [pas de *to* devant le verbe]
  Je préférerais rester ici.

- Would you rather eat here or outside ?
  Vous aimeriez mieux manger ici ou dehors ?

- They'd rather not go now.
  Ils préféreraient ne pas partir maintenant.

➤ *I would rather... than* : « je **préférerais... (plutôt) que...** »

- I'd rather be on a beach than in my kitchen.
  Je préférerais être sur une plage (plutôt) que dans ma cuisine.

➤ *I would rather* + sujet + **prétérit** : « je **préférerais que...** »

- I'd rather you **came** tonight.
  Je préférerais que tu viennes ce soir.   ▸ PRÉTÉRIT P. 22

NOTEZ BIEN
« Préférer » se traduit aussi par *prefer to.* Ne confondez pas.
I'd rather_leave now. / I'd prefer **to leave** now.
Je préférerais partir maintenant.

NEED : AVOIR BESOIN DE

➤ *Need* peut se comporter comme un **modal.** Dans ce cas, il s'emploie à la forme négative et à la première personne de la forme interrogative.

- You needn't call. She already knows about it.
  Tu n'as pas besoin de téléphoner. Elle est déjà au courant.

- Need I fill in this form ?
  Ai-je besoin de remplir ce formulaire ?

▬ Dans les autres cas, *need* s'emploie comme un verbe lexical.

- He needs to see a doctor every week.
  Il a besoin de voir un médecin toutes les semaines.

▬ *Need* + V-*ing* se traduit par «avoir besoin d'être» + participe passé.

- The windows **need (don't need)** clean**ing**.
  Les fenêtres ont (n'ont pas) besoin d'être nettoyées.

> ▸ *DIDN'T NEED TO* ≠ *NEEDN'T HAVE* P. 318

BE LIKELY TO | BE SURE TO

▬ *She is (un)likely to...* : « il est (im)probable qu'elle... »
On préfère souvent utiliser un sujet personnel (*John*, *my teachers*, *they*) avec *likely*.

- Vicky is likely to come with us.

- It is likely that Vicky will come with us.
  Il est probable que Vicky vienne avec nous.

▬ *She is sure to...* : « il est sûr qu'elle... »
Be sure peut s'employer avec le sujet impersonnel *it*: *It is sure that she will succeed*. Mais on préfère la tournure personnelle.

- She is sure to succeed.
  Il est sûr / C'est sûr qu'elle réussira.

NOTEZ BIEN
Ne pas confondre :

She is sure to succeed. **C'est sûr** qu'elle réussira.	She is sure that she will succeed. **Elle est sûre** qu'elle réussira.

TRADUCTION EXPRESS

1. Tu ferais mieux de ne pas le déranger.
2. Est-ce que vous préféreriez le voir lundi ?
3. Vous n'avez pas besoin de réserver *(make reservations)*.
4. Il est probable qu'il sera en retard.
5. C'est sûr qu'il va oublier de m'appeler.
6. L'avion a du retard. Ce n'était pas la peine de se dépêcher.

Corrigé
1. You'd better not disturb him.
2. Would you rather see him on Monday?
3. You don't need to make reservations. (You need not make reservations.)
4. He is likely to be late.
5. He is sure to forget to call me.
6. The plane is late. We needn't have rushed.

16 Parler de l'avenir

▷ Peut-on toujours employer *will* pour parler de l'avenir ?
▷ Peut-on employer le présent pour parler de l'avenir ?

WILL

Contrairement au français, il n'existe pas de temps «futur» en anglais. On a recours à un certain nombre d'outils de renvoi à l'avenir, notamment *will*.

● *Will* + verbe s'emploie fréquemment comme le futur français. Il est souvent accompagné d'un marqueur temporel (***tonight**, **next month**...*) ou de lieu (***in London**...*).

- They will regret it some day.
  Ils le regretteront un jour.   ▸ AUTRES EMPLOIS DE *WILL* P. 46

> **NOTEZ BIEN**
> *Will* s'emploie à toutes les personnes. À la 1re personne, on rencontre parfois ***shall*** : *I shall regret it* (emploi de plus en plus archaïque).

● *Will have* + participe passé correspond souvent à un futur antérieur («aurai» + participe passé).

- I'll have finished my exams then.
  J'aurai fini mes examens à ce moment-là.

BE GOING TO

● Quand on prédit quelque chose à partir **d'indices visibles,** on utilise la forme *be going to* et non *will*.

- Paul looks so pale. He's going to faint.
  Paul est si pâle. Il va s'évanouir.
  [indice visible : la pâleur]

- Look at the satellite pictures. The heat wave is going to last.
  Regarde les images satellites. La vague de chaleur va durer.
  [indice visible : les images satellites]

● On utilise aussi *be going to* pour formuler une **intention, une décision déjà prise.** Il correspond souvent dans ce cas à «aller» + infinitif.

- I need the car. I'm going to visit my parents.
  J'ai besoin de la voiture. Je vais rendre visite à mes parents.

- What are you going to do when you're old?
Qu'est-ce que tu feras / comptes faire quand tu seras grand?

NOTEZ BIEN
Quand on prend une décision sur le champ, on a recours à *will*.
"It's the phone again." "I'll get it."
« C'est encore le téléphone. – Je vais répondre. »
[La décision de répondre est prise au moment où je parle.]

PRÉSENT SIMPLE / EN *BE + -ING*

Le présent simple s'emploie pour un programme **objectif** : des horaires ou des emplois du temps réguliers.

- Our train leaves at 10:15.
Notre train part à 10 h 15.

- My gym class starts at 5 on Mondays.
Mon cours de gym commence à 17 h 00 le lundi.

Le présent en *be + -ing* s'utilise pour quelque chose qu'on a déjà organisé ou prévu **personnellement.**

- My parents are coming for dinner tomorrow.
Mes parents viennent dîner demain.

Comparaison présent en *be + -ing* / *be going to*

- I'm cooking lunch tomorrow.
[C'est prévu.]

- I'm going to cook lunch tomorrow.
[J'en ai pris la décision.]

BE + TO ET *BE ABOUT TO*

Be conjugué + *to* s'emploie pour parler d'un **projet officiel.**

- The minister is to visit his counterpart in Washington.
Le ministre doit rencontrer son homologue à Washington.

Parfois, cette forme exprime un **ordre** (souvent adressé à des enfants). L'obligation est moins forte qu'avec *have to* et *must*.

- You're not to touch it, OK?
Tu ne touches pas, d'accord?

Was / were to a souvent le sens de « être destiné à ».

- They had been born in the same hospital and **were to** meet twenty years later.
Ils étaient nés dans le même hôpital et devaient se rencontrer vingt ans plus tard.

Avec **be about to**, l'action est imminente.

- Hurry up! We're about to start.
  Dépêche-toi! On va commencer.

WILL BE + -ING

Avec *will be* + *-ing*, l'action sera en cours.

- This time next week I'll be swimming in the Mediterranean.
  À cette heure-ci la semaine prochaine, je serai en train de nager dans la Méditerranée.

On emploie aussi *will be* + *-ing* pour dire qu'une action est le résultat d'une décision antérieure et qu'elle se réalisera. On sous-entend : « C'est inévitable ; ça se fera. »

- Errol will be helping us to organize the party.
  Errol nous aidera à organiser la fête.

Comparez ces trois questions.

- Will you be coming to the party, Mary?
  Tu viens à la fête, Mary?
  [question neutre sur ce que Mary a déjà prévu de faire]

- Will you come to the party, Mary?
  Tu viens à la fête, Mary?
  [question qui porte sur la volonté de Mary : ça peut être une invitation]

- Are you going to come to the party, Mary?
  As-tu l'intention d'aller à la fête, Mary?
  [question qui porte sur l'intention de Mary : je lui demande de se décider]

___TRADUCTION EXPRESS

1. Je pense qu'il appréciera de la connaître.
2. L'usine *(factory)* ferme au mois d'août.
3. Nous ne serons pas ici lundi.
4. « Ted t'a appelé. – Oui, je sais, je vais le rappeler. »
5. Je peux leur dire, je les vois ce soir.
6. La réunion doit reprendre *(reconvene)* à 14 heures.
7. Le concert va commencer.

17 Expression du conditionnel

▷ **Le conditionnel français se traduit-il toujours par *would* + verbe ?**

WOULD + VERBE

Très souvent, ***would* + verbe** traduit le **conditionnel** français.

> I / you / he / she / it / we / you / they **would** (ou **'d**) **be**
> je serais / tu serais / il (elle) serait / nous serions / vous seriez / ils seraient

- I'd do it if you asked me.
  Je le ferais si tu me le demandais.

- How would you describe her?
  Comment la décririez-vous ?

***Would* s'emploie :**

Avec les propositions en *if* + prétérit

- We **would live** in London **if** we **were** British.
  Nous habiterions à Londres si nous étions britanniques.

Pour demander ou proposer quelque chose

- I'd like some advice.
  Je voudrais des conseils.

- Would you like some tea?
  Voudriez-vous du thé ?

Au discours indirect

- Tom said that he would arrive late.
  Tom a dit qu'il arriverait tard.   ▸ **DISCOURS INDIRECT P. 168**

AUTRES ÉQUIVALENTS

Le conditionnel en français correspond parfois à « il semble que / on dit que ». Dans ce cas, il **ne se traduit pas** par *would*.

- Three prisoners **are said to** have escaped.
  Trois prisonniers **auraient** pris la fuite.

- **According to** the British press, the actor is on holiday in Florida.
  Selon la presse britannique, l'acteur **serait** en vacances en Floride.

▶ «Devrais, devrait, devrions» se traduisent souvent par **should** pour exprimer un **conseil**.

- You should walk more often.
  Tu devrais marcher plus souvent. ▸ *SHOULD* P. 43

▶ «Pourrais, pourrait, pourrions» se traduisent souvent par **could** ou **might** pour exprimer une **possibilité**.

- I could meet you on Monday morning.
  Je pourrais vous rencontrer lundi matin.

- Ask him. He might know.
  Demande-lui, il se pourrait qu'il sache. ▸ *COULD* P. 38, *MIGHT* P. 39

WOULD HAVE + PARTICIPE PASSÉ

C'est l'équivalent du conditionnel passé.

> I would have sung / you would have wanted / they would have thought
> j'aurais chanté / tu aurais voulu / elles auraient pensé

- We **would have preferred** a more humane approach.
  Nous **aurions préféré** une approche plus humaine.

TRADUCTION EXPRESS

1. Que ferais-tu si tu égarais *(mislay)* ta carte de crédit ?

2. Si j'avais su, je l'aurais prévenue.

3. Je ne pourrais pas m'en passer *(do without sth)*.

4. Tu devrais t'excuser, ça arrangerait bien les choses *(go a long way)*.

5. Il se pourrait que le prix de l'essence augmente.

CORRIGÉ
1. What would you do if you mislaid your credit card?
2. If I had known, I would have warned her.
3. I couldn't do without it.
4. You should say sorry, it would go a long way.
5. The price of petrol might increase.

We would have preferred a more humane approach.

18 Impératif et subjonctif

▷ Comment dit-on : « Partons ! » ?
▷ La phrase *I demand that she be heard* est-elle correcte ?
▷ Dit-on *if I were you* ou *if I was you* ?

⬛ IMPÉRATIF

● À la deuxième personne (« Mange ! », « Mangez ! »), on utilise simplement le verbe, sans *to*.

AFFIRMATION	NÉGATION
Open the letter. Ouvre / Ouvrez cette lettre.	Don't read the letter. Ne lis pas / Ne lisez pas cette lettre.
Be happy. Sois / Soyez heureux.	Don't be shy. Ne sois pas / Ne soyez pas timide.

Pour renforcer la valeur de l'impératif, on peut le faire précéder de *do* ou du pronom *you*.

Tell him I miss him. Dis-lui qu'il me manque.	**Do** tell him I miss him. Dis-lui **bien** qu'il me manque.
Help yourself. Sers-toi.	**Do** help yourself. Sers-toi, **je t'en prie**.
Sit down and listen to me. Assieds-toi et écoute-moi.	**You** sit down and listen to me. **Toi**, tu t'assieds et tu m'écoutes.

▸ *DO* EMPHATIQUE P. 15

NOTEZ BIEN
Attention, *never* et *always* se placent **avant** le verbe.

Never say that again.
Ne dis plus jamais ça.

Always look right and left before crossing.
Regarde toujours à droite et à gauche avant de traverser.

● À la première personne du pluriel (« Mangeons ! »), on emploie *Let's* devant le verbe.

AFFIRMATION	NÉGATION
Let's go straight away. Partons immédiatement.	**Let's not talk** about it. N'en parlons pas.

L'impératif, en anglais comme en français, peut exprimer un **ordre**, une **suggestion**, ou une **consigne**.

ORDRE	SUGGESTION	CONSIGNE
Hang up immediately. Raccroche immédiatement.	Open the window if you want. Ouvre la fenêtre si tu veux.	Put the verbs in brackets into the correct tense. Mettez le verbe entre parenthèses au temps qui convient.

Question tags après un impératif

À la deuxième personne, on peut ajouter le *question tag **will you*** après un impératif.

- Don't tell my parents, will you?
  Tu ne dis rien à mes parents, d'accord?

À la première personne du pluriel, *let's* est repris par ***shall we?***

- Let's forget about it, shall we?
  Oublions ça, tu veux bien?   ▸ *QUESTION TAGS* P. 143

SUBJONCTIF

Pour former le subjonctif, on emploie la base verbale (l'infinitif sans *to*) à toutes les personnes.

- We insist that Paula read_ the contract aloud. [pas de -s à *read*]
  Nous insistons pour que Paula lise le contrat à voix haute.

- The protesters demand that the mine **be** closed.
  Les manifestants exigent que la mine soit fermée.

On rencontre le subjonctif :

Après des verbes exprimant un ordre ou une demande, comme *command*, *demand*, *order*, *insist*, *request*, *suggest*.

Après des expressions comme *it is crucial / essential / important / vital that...*

- It is vital that children **be** vaccinated before they leave the country.
  Il est essentiel que les enfants soient vaccinés avant qu'ils ne quittent le pays.

NOTEZ BIEN
Cet emploi du subjonctif est plus américain que britannique. En anglais britannique, on préfère *should* + verbe ou le présent (voir p. 45).
It is vital that children should be vaccinated / that children are vaccinated.

Dans des expressions figées

Long **live** the King! Vive le Roi!	God **bless** America! Que Dieu bénisse l'Amérique!
Be that as it may... Quoi qu'il en soit...	If need **be**... Si nécessaire...

Le subjonctif passé *were* peut s'employer à la place de *was*, après *if* et *I wish*.

- If I **were** / was you...
  Si j'étais toi...

- That's what he would say if he **were** / was here.
  C'est ce qu'il dirait s'il était là.

- I wish someone **were** / was waiting for me somewhere.
  J'aimerais que quelqu'un m'attende quelque part.

TRADUIRE LE SUBJONCTIF FRANÇAIS

Le subjonctif est très fréquent en français. On le rencontre surtout dans des subordonnées, lorsque le verbe de la principale exprime la **volonté**, le **désir**, le **refus**, la **crainte**, le **souhait**. Ses équivalents anglais sont très divers.

- I want him to leave now. [*want sb to* ; ~~want that~~ est impossible]
  Je veux qu'il parte maintenant.

- I'd like you to call me. [*would like to* + verbe]
  J'aimerais que tu m'appelles.

- I'm afraid (that) she might be ill. [*afraid* + modal *might*]
  Je crains qu'elle (ne) soit malade.

- I'd rather you came tomorrow. / I would prefer you to come tomorrow. [*would rather* + prétérit / *would prefer to* + verbe]
  Je préférerais que tu viennes demain.

Le subjonctif français peut aussi exprimer la **possibilité** ou l'**obligation**. Dans ce cas on utilise un **modal** en anglais.

- He **may** propose to you.
  Il se peut qu'il te demande en mariage.

- You **must** be there early.
  Il faut que tu y sois tôt.

Il s'emploie aussi après des **adjectifs d'opinion**. On utilise le **présent** ou le **prétérit** en anglais.

- I'm glad you're here.
  Je suis content que vous soyez là.

- I'm surprised that he **said** that.
  Je suis étonnée qu'il ait dit ça.

Le subjonctif s'emploie après certaines **conjonctions**, comme « avant que », « bien que », « pour que », « afin que », « pourvu que », « de peur que ». En anglais, on a un présent ou un prétérit.

- before it's too late
  avant qu'il ne soit trop tard [*before* + présent]

- even though she was young
  bien qu'elle ait été jeune [*even though* + prétérit]   ▸ **CONJONCTIONS P. 163**

TRADUCTION EXPRESS

A 1. N'oublie pas de leur envoyer un courriel, d'accord ?

2. Soyez prudents, je vous en prie.

3. Allons-nous-en d'ici.

4. Ne dites jamais qu'il est trop tard.

B 1. Sortons avant qu'il (ne) pleuve.

2. J'aimerais que ce soit possible.

3. Est-ce que tu veux qu'il vienne avec toi ?

4. J'aimerais mieux qu'elle ne sache pas.

5. Il se pourrait que ce ne soit pas vrai.

6. Je suis heureuse que vous puissiez venir.

7. Elle a fermé la porte pour que personne n'entende leur conversation.

8. Que suggères-tu qu'on fasse ?

9. Il est essentiel que nous répondions rapidement.

10. Il faut que j'aille le chercher *(pick up)* à 6 heures.

CORRIGÉ

A 1. Don't forget to email them, will you?

2. Do be careful!

3. Let's get out of here!

4. Never say it's too late.

B 1. Let's go out before it rains.

2. I wish it were (was) possible.

3. Do you want him to come with you?

4. I'd rather she didn't know. (I'd prefer her not to know.)

5. It might not be true.

6. I'm glad you can come.

7. She closed the door so that nobody could hear their conversation.

8. What do you suggest we (should) do?

9. It is essential that we (should) give a fast answer.

10. I must pick him up at 6.

19 Verbes transitifs et intransitifs

▷ Quelles prépositions utiliser après *wait* (attendre), *pay* (payer), *depend* (dépendre) ?

▷ Comment dit-on : « Réponds à ta mère » ?

DÉFINITIONS

Un verbe intransitif n'admet pas de complément. Un verbe transitif est suivi d'un <u>complément</u>.

It's raining.	I've bought <u>a new phone</u>.
Il pleut.	J'ai acheté <u>un nouveau téléphone</u>.

Certains verbes peuvent être intransitifs dans une phrase et transitifs dans une autre.

I drink too much.	I drank four cups of tea.
Je bois trop.	J'ai bu quatre tasses de thé.
[Emploi intransitif, pas de complément.]	[Emploi transitif : le verbe est suivi du complément *four cups of tea*.]

Parfois, une préposition s'intercale entre le verbe transitif et le complément.

- You can count **on** me.
  Tu peux compter **sur** moi.

PRÉPOSITION EN ANGLAIS, PAS EN FRANÇAIS

account for sth expliquer qqch.	listen to sth / sb écouter qqch. / qqn	stare at sth / sb regarder qqch. / qqn fixement
aim at sth viser qqch.	look after sth / sb surveiller qqch. / qqn	pay for sth payer qqch.
deal with sth traiter qqch.	look at sth / sb regarder qqch. / qqn	wait for sth / sb attendre qqch. / qqn
hope for sth espérer qqch.	look for sth / sb chercher qqch. / qqn	

- How can you account **for** his behaviour?
  Comment pouvez-vous expliquer __ sa conduite ?

answer sth / sb répondre à qqch. / qqn	enter sth entrer dans qqch.	phone sb téléphoner à qqn
ask sb demander à qqn	forgive sb pardonner à qqn	remember sth / sb se souvenir de qqch. / qqn
deny sb sth refuser qqch. à qqn	lack sth manquer de qqch.	remind sb of sth rappeler qqch. à qqn
discuss sth discuter de qqch.	obey sb obéir à qqn	tell sb dire à qqn
doubt sth douter de qqch.	play rugby jouer au rugby	trust sb faire confiance à qqn

- Come on, answer ___ your brother!
  Allez, réponds à ton frère!

QUELQUES VERBES + PRÉPOSITION

Verbes + *about* + complément

care about sth / sb s'intéresser à qqch. / bien aimer qqn	dream about sth / sb rêver de qqch. / qqn	think about sth / sb penser à qqch. / qqn

Verbes + *after* + complément

look after sth / sb s'occuper de qqch. / qqn	take after sb ressembler à qqn, tenir de qqn

Verbes + *at* + complément

aim at sth / sb viser qqch. / qqn	shout at sb crier après qqn	smile at sb sourire à qqn

Verbes + *for* + complément

hope for sth espérer qqch.	look for sth chercher qqch.	pay for sth payer qqch.

Verbes + *from* + complément

borrow sth from sb emprunter qqch. à qqn	escape from sth s'échapper de qqch.	prevent sb from doing sth empêcher qqn de faire qqch.

Verbes + *in* + complément

believe in sth croire à qqch.	take part in sth participer à qqch.	succeed in sth réussir dans qqch.

Verbes + *into* + complément

break into sth	run into sb	translate into
entrer par effraction	rencontrer qqn par	traduire en
dans qqch.	hasard	

Verbes + *of* + complément

approve of sth / sb	think of sth / sb	warn sb of sth
approuver qqch. / qqn	penser à qqch. / qqn	prévenir qqn de qqch.

Verbes + *on* + complément

comment on sth	depend on sth / sb	rely on sth / sb
commenter qqch.	dépendre de qqch. / qqn	compter sur qqch. / qqn

Verbes + *to* + complément

describe sth to sb	listen to sth / sb	point out to sb
décrire qqch. à qqn	écouter qqch. / qqn	faire remarquer à qqn

Verbes + *with* + complément

agree with sb	provide sb with sth	trust sb with sth
être d'accord avec qqn	fournir qqch. à qqn	confier qqch. à qqn

▸ QUELQUES ADJECTIFS + PRÉPOSITION P. 127-128

__TRADUCTION EXPRESS

1. Espérons des jours meilleurs.
2. Je lui ai pardonné il y a longtemps.
3. Pourquoi n'est-elle jamais d'accord avec ses collègues?
4. Il cherche les ennuis.
5. Il faudrait que tu t'occupes de toi maintenant.
6. Je ne fais pas du tout confiance à ce type.
7. Qui a payé les boissons?
8. Pouvez-vous nous décrire la situation?

CORRIGÉ
1. Let's hope for better days.
2. I forgave him (ou her) long ago.
3. Why does she never agree with her colleagues?
4. He's looking for trouble.
5. You should look after yourself now.
6. I don't trust this guy at all.
7. Who paid for the drinks?
8. Can you describe the situation to us?

20 Prépositions et particules

> Quelle différence y a-t-il entre *drink* et *drink up* ?
> Que signifie *by* dans *by the end of the month* ?

DÉFINITIONS

● Une préposition introduit un complément. En général, elle ne modifie pas le sens du verbe. S'il n'y a pas de complément, la préposition n'apparaît pas.

- Look at me.   Look!
  Regarde-moi.   Regarde !

● Une particule **fait partie du verbe**. Elle modifie le sens du verbe. Elle apparaît donc même s'il n'y a pas de complément.

- Stand up!   Don't look down!
  Lève-toi !   Ne baisse pas les yeux !

PLACE

● La place de la préposition est souvent la même en anglais et en français. Mais dans les questions et les relatives, elle apparaît le plus souvent à la **fin de la proposition**.

- What did you talk about?
  De quoi avez-vous parlé ?

- He's the one I was talking about.
  C'est de lui que je parlais.

● Deux places sont possibles pour la particule : **après** le verbe et son complément ou **entre** le verbe et son complément.

- Turn the lights off. / Turn off the lights.
  Éteins la lumière.

- Shall I fill this form in? / Shall I fill in this form?
  Dois-je remplir ce formulaire ?

Mais si le complément est un **pronom**, un seul ordre est possible : verbe + pronom + particule.

- Turn them off. [Turn off them.]

  Shall I fill it in? [Shall I fill in it?]

PRINCIPALES PARTICULES

PARTICULE	SENS GÉNÉRAL	EXEMPLE
about	dans différentes directions	walk **about**: se promener
across	à travers [espace à deux dimensions]	walk **across**: traverser
along	idée d'avancer le long de qqch.	move **along**: avancer
around / round	idée de circularité	look **round**: regarder autour de soi
away	idée d'éloignement	move **away**: s'éloigner
back	idée de retour	come **back**: revenir
down	mouvement vers le bas	go **down**: descendre
in	idée d'intérieur	come **in**: entrer
off	idée de séparation	take **off**: décoller
on	mouvement vers une surface	try clothes **on**: essayer des habits
out	mouvement vers l'extérieur	move **out**: déménager
over	mouvement au-dessus de qqch.	lean **over**: se pencher en avant
through	à travers [espace à trois dimensions]	go **through**: traverser
up	vers le haut / idée d'achèvement	look **up**: lever les yeux; drink **up**: vider son verre

VERBES + PARTICULE

Comparez le sens de base d'un verbe et son sens lorsqu'il est modifié par une particule.

VERBE DE BASE	VERBE + PARTICULE
break: casser	break down: tomber en panne; break out [guerre]: éclater
bring: apporter	bring back: rapporter, ramener; bring up: élever
get: obtenir	get back: revenir; get in: entrer; get up: se lever
give: donner	give back: rendre; give up: abandonner, arrêter
put: mettre	put off: remettre à plus tard; put on: enfiler [un vêtement]; put sb up: héberger qqn
take: prendre	take away: emporter; take back: reprendre; take down: noter; take sth off: enlever qqch.

VERBES + PARTICULE + PRÉPOSITION

Voici quelques verbes fréquents suivis d'une particule puis d'une préposition.

be up to sth être à la hauteur de qqch.	feel up to sth se sentir le courage de faire qqch.	put up with sth / sb tolérer qqch. / qqn
catch up with sb rattraper qqn	get on with sb s'entendre avec qqn	run out of sth venir à manquer de qqch.
do away with sth se débarrasser de qqch.	go on with sth continuer qqch.	stand up to sth / sb résister à qqch. / qqn
fall back on sth avoir recours à qqch.	look down on sth / sb mépriser qqch. / qqn	watch out for sth faire attention à qqch.

PRÉPOSITIONS DE LIEU

above au-dessus de	close to tout près de	opposite en face de
across [deux dimensions] de l'autre côté de, à travers	down en bas de	out of hors de
along le long de	from [point de départ] de	outside à l'extérieur de
among parmi	in dans	over [sens dynamique] par dessus, au-dessus de
at à, dans	in front of devant	past devant
behind derrière	inside à l'intérieur de	round autour de
below au-dessous de	into [sens dynamique] dans	through [trois dimensions] à travers
beside à côté de	near près de	to [sens dynamique] à, en
between entre	next to à côté de	towards vers
by près de	off au large de, séparé de	under sous
	on sur	up en haut de

- I'm from Hong Kong.
  Je suis de Hong Kong.

- I'm going **to the airport**. ≠ I'm **at the airport**.
  Je vais à l'aéroport. ≠ Je suis à l'aéroport.

PRÉPOSITIONS DE TEMPS

On + jour de la semaine, date

- on Sunday, on February 12, on my arrival (à mon arrivée)

At + heure, nom de fête

- at 8 o'clock (à 8 heures), at Christmas (à Noël)

In

In + mois, saisons, années, siècles

- in June (en juin), in winter (en hiver), in 2020 (en 2020), in the twentieth century (au vingtième siècle)

In + moment de la journée

- in the morning (le matin), in the afternoon (l'après-midi) mais at night (la nuit), during the day (dans la journée)

In + période de temps dans l'avenir

- in two months ou in two months' time (dans deux mois)

By + heure, date, période (pas plus tard que)

- by 8 (à 8 heures au plus tard), by the end of the week (avant la fin de la semaine)

During : durant, pendant (à l'intérieur d'une période de temps)

- during the war (pendant la guerre), during our holidays (durant nos vacances)

For

For : **pendant** quand on parle du passé ou de l'avenir

- I lived there for two years.
  J'y ai vécu (pendant) deux ans.

For : **depuis** quand l'action décrite n'est pas terminée

- I've been working here for four months.
  Je travaille ici depuis quatre mois.

> **NOTEZ BIEN**
> **For** répond à la question *How long...?* (Depuis combien de temps ?)
> et *during* à *When...?* (Quand ?).

▸ DEPUIS P. 333

Until / up to

- until now, up to now, so far (jusqu'à présent), until / till 1999 (jusqu'en 1999), up to the age of 20 (jusqu'à l'âge de 20 ans)

AUTRES PRÉPOSITIONS

Cause
because of (à cause de) ; *owing to* (en raison de) ; *considering / given* (étant donné)

Contraste
contrary to / unlike (contrairement à) ; *in spite of / despite* (malgré) ; *instead of* (au lieu de)

Argumentation
according to (selon) ; *as for* (quant à) ; *as regards / regarding* (en ce qui concerne) ; *about* (à propos de)

> **NOTEZ BIEN**
>
> « Selon » se dit *according to*, mais « selon moi » se dit *in my opinion*, *to me* ou *to my mind*.
> *Before* et *after* peuvent être préposition ou conjonction (avant / avant que ; après / après que).
>
> I did it before you.   I did it before you were born.
> Je l'ai fait avant toi.   Je l'ai fait avant que tu ne sois né.

TRADUCTION EXPRESS

1. Can't we put off the meeting until tomorrow?
2. Our competitors will soon catch up with us.
3. Do you feel up to finishing the work today?
4. I'll see you off at the airport.

CORRIGÉ
1. Est-ce qu'on ne peut pas remettre la réunion à demain ?
2. Nos concurrents vont bientôt nous rattraper.
3. Est-ce que te te sens le courage de finir le travail aujourd'hui ?
4. Je l'accompagnerai à l'aéroport.

I've been working here for four months.

Verbes à deux compléments

▷ Dit-on *I gave John ten dollars* ou *I gave ten dollars to John* ?
▷ Comment traduire : « J'ai acheté un sac à mon fils » ?
▷ Comment dit-on : « Explique-moi ton problème » ?

GIVE SOMEBODY SOMETHING

En anglais, on nomme d'abord la **personne** à qui on donne l'objet, puis l'objet. En français, c'est l'inverse : objet puis personne.

- I gave **John** the keys.
  J'ai donné les clés à John.

Verbes qui se construisent comme *give*

bring	offer	promise	send	teach
apporter	offrir	promettre	envoyer	enseigner
feed	pay	read	show	tell
nourrir	payer	lire	montrer	raconter, dire
lend	present	sell	take	write
prêter	présenter	vendre	apporter	écrire

- I teach my son maths. / I teach him maths.
  J'enseigne les maths à mon fils. / Je lui enseigne les maths.

On rencontre, plus rarement, une structure proche du français.

- I gave the keys to John.

Mais si le complément d'objet direct est un pronom, la structure en *to* s'impose.

- I gave them **to** John. [*I gave John them.*]

  I gave them **to** him. [*I gave him them.*]

BUY SOMEBODY SOMETHING

Le verbe *buy* se construit comme *give*. Mais si on utilise une préposition, c'est *for* (et non *to*).

- I bought **my parents** a poodle.

  I bought a poodle **for** my parents. [*to my parents*]
  J'ai acheté un caniche à mes parents.

Verbes qui se construisent comme *buy*

book réserver	cook cuisiner	find trouver	leave laisser	play jouer
build construire	do faire	get obtenir	make faire	reserve réserver
choose choisir	fetch aller chercher	keep garder	order commander	save mettre de côté

PRÉPOSITION OBLIGATOIRE

Certains verbes sont obligatoirement suivis d'une préposition. Retenez en particulier ***describe to, explain to, hide from, open to, suggest to***. Il est impossible de calquer la structure française.

- Describe your house **to** me. [~~Describe me your house~~]
  Décris-moi ta maison.

- I've already explained the problem **to** you. [*To* est obligatoire.]
  Je t'ai déjà expliqué le problème.

- Don't hide the truth **from** me. [~~Don't hide me the truth~~]
  Ne me cache pas la vérité.

- Could you suggest a nice restaurant **to** me? [~~Could you suggest me...~~]
  Pourriez-vous me suggérer un bon restaurant?

TRADUCTION EXPRESS

1. Tu peux nous réserver *(book)* deux places pour le concert de demain?
2. Pouvez-vous nous suggérer une exposition *(exhibition)* intéressante?
3. Il a prêté 500 euros à Sally.
4. Pour Noël, je lui ai commandé un nouvel appareil photo.
5. J'ai envoyé une lettre à ce client hier.
6. Tu peux me trouver leur adresse sur Internet?

CORRIGÉ

1. Can you book us two seats for us for tomorrow's concert?
2. Can you suggest an interesting exhibition to us?
3. He has lent Sally 500 euros.
4. I have ordered a new camera for him for Christmas.
5. I sent this customer a letter yesterday.
6. Can you find me their address on the Internet?

22 Adverbes : généralités

▷ Comment dit-on « un peu », « presque », « à peine », « plutôt » ?
▷ Que signifie *eventually* ?

FORMATION

■ De nombreux adverbes sont formés en **adjectif + -ly** : *slow → slowly*, *quick → quickly, easy → easily* (notez le changement de *-y* en *-i*).

■ Les adjectifs en **-ic** font leur adverbe en **-ically** : *symbolic → symbolically*.

■ Certains adjectifs comme *deadly* (mortel), *lonely* (solitaire), *lovely* (beau), *silly* (stupide) se terminent en *-ly* ; on **ne peut pas** les transformer en adverbes : *friendly → in a friendly way* (amical → amicalement).

■ Mots en *-ly* pouvant être adjectifs ou adverbes

	ADJECTIF	ADVERBE
early	matinal	de bonne heure
fast	rapide	rapidement
late	tardif	en retard
hard	dur	durement, fort
daily	quotidien	quotidiennement
weekly	hebdomadaire	chaque semaine
monthly	mensuel	chaque mois
yearly	annuel	annuellement

● These are hard times.
  Les temps sont durs.

● They're working hard.
  Ils travaillent beaucoup.

● It's probably the world's most famous weekly magazine.
  C'est probablement le magazine hebdomadaire le plus connu dans le monde.

● I'm paid weekly.
  Je suis payé à la semaine.

■ Autres adverbes

Ce sont des mots autonomes (sans suffixe) : *never* (jamais), *often* (souvent), *perhaps* (peut-être), *soon* (bientôt)…

PRINCIPAUX ADVERBES

Adverbes de lieu

above	here	there
plus haut	ici	là, là-bas
behind	upstairs	
derrière	en haut	

Adverbes de temps

afterwards	eventually	soon
après, par la suite	finalement, en fin de compte	bientôt
already		still
déjà	now	encore
at the moment	maintenant	then
en ce moment	nowadays	alors
the day before	de nos jours	today
le jour d'avant	once	aujourd'hui
	autrefois, une fois	weekly
		chaque semaine

Adverbes de fréquence

always	never	often
toujours	ne... jamais	souvent
hardly ever	sometimes	rarely, seldom
presque jamais	parfois	rarement
now and then	occasionally	usually
de temps à autre	de temps en temps	d'habitude

Adverbes de phrase

admittedly	hopefully	possibly
certes, il faut le reconnaître	je l'espère	peut-être
certainly	maybe, perhaps	probably, presumably
certainement	peut-être	vraisemblablement
clearly	naturally	simply
de toute évidence	naturellement	simplement, absolument
definitely	obviously	surely
sans aucun doute	manifestement	sûrement
frankly	of course	surprisingly
franchement	bien sûr	de manière surprenante
	personally	(un)fortunately
	à mon avis	(mal)heureusement

Adverbes de degré

a little, a bit, slightly un peu	hardly, scarcely, barely à peine	rather plutôt
absolutely extrêmement	highly grandement	so si, tellement
almost, nearly presque	(very) little (très) peu	somewhat quelque peu
enough assez	most très	that [+ adjectif] si
even même	much / far [+ comparatif] beaucoup	too trop
fairly relativement	pretty assez	utterly complètement
fully entièrement	quite tout à fait, [parfois] plutôt	very [+ adjectif] très
greatly extrêmement		very much beaucoup

Adverbes d'ajout

also, too aussi	also [en début de phrase] en outre	in addition de plus
as well également	else d'autre	

▸ AUTRE P. 314-315

Adverbes de liaison

actually en fait	firstly premièrement	so ainsi
and then ensuite	secondly deuxièmement	somehow d'une manière ou d'une autre
anyway de toute façon	incidentally à propos	therefore par conséquent
besides d'ailleurs, en plus	moreover de plus	thus ainsi

Adverbes de contraste

all the same quand même	nevertheless néanmoins	though [en fin de phrase] pourtant
(and) yet (et) pourtant	otherwise sinon	
however cependant	still cependant	

▷ Si on ajoute *probably* à la phrase *They won't like it*, où faut-il le placer ?

▷ Comment dit-on « beaucoup mieux » et « un peu mieux » ?

GÉNÉRALITÉS

Dans les propositions affirmatives et négatives

Dans les propositions affirmatives et négatives, l'adverbe se place souvent **juste avant le** verbe.

- I **never** go to the opera.
  Je ne vais jamais à l'opéra.

Exception : l'adverbe se place **après** le verbe *be* conjugué.

- They are **often** at home.
  Ils sont souvent à la maison.

S'il y a un auxiliaire, l'adverbe se place entre l'auxiliaire et le verbe.

- I have **always** wanted to visit Singapore.
  J'ai toujours voulu visiter Singapour.

- I would **certainly** have warned you.
  Je vous aurais certainement prévenu.
  [*Certainly* se place après le premier auxiliaire.]

Dans les reprises, lorsque l'auxiliaire apparaît seul, l'adverbe se place **avant** l'auxiliaire.

- "Do you ever watch TV?" "I **sometimes do**. / I **never can**."
  « Ça t'arrive de regarder la télé ? – Parfois. / Je ne peux jamais. »

Dans les propositions interrogatives

Dans les propositions interrogatives, l'adverbe se place **après** le sujet.

- Do you **never** dream?
  Tu ne rêves jamais ?

- Are you **sometimes** in your office?
  Vous êtes parfois dans votre bureau ?

■ CAS PARTICULIERS

● **Adverbes de fréquence** (voir p. 70)

À la forme négative, ils se placent le plus souvent **après la négation**.

- I don't **often** go out at night.
  Je ne sors pas souvent le soir.

● **Expressions qui expriment la fréquence**

every day : tous les jours	once a month : une fois par mois
on Mondays : le lundi	twice a year : deux fois par an
every other week : une semaine sur deux	three times a day : trois fois par jour

Ces expressions se placent soit en début, soit en fin de phrase.

- We go to Ireland once a year.
  Nous allons en Irlande une fois par an.

● **Adverbes de phrase** (voir p. 70)

À la forme négative, ces adverbes se placent avant la négation.

- I **probably** won't like it.
  Je n'aimerai probablement pas ça.

Certains adverbes de phrase peuvent se placer en début de phrase, notamment *admittedly, frankly, honestly, surprisingly. Perhaps* et *maybe* se placent le plus souvent en début de phrase.

- **Admittedly**, it's only a theory.
  Il faut reconnaître que ce n'est qu'une théorie.

- **Maybe** you're right.
  Tu as peut-être raison.

● **Adverbes de degré** (voir p. 71)

Ces adverbes se placent **avant** les mots qu'ils modifient.

- The table is **too** big for here. [*too* + adjectif]
  La table est trop grande pour ici.

- I'm **a little** tired. [*a little* + adjectif]
  Je suis un peu fatigué.

Exception : *enough* se place **après** l'adjectif qu'il modifie.

- You're not good **enough** to play with us.
  Tu n'es pas assez bon pour jouer avec nous.

Seuls quelques adverbes peuvent modifier des adjectifs au **comparatif** : *much / far / a lot better* (beaucoup mieux), *so much better* (tellement mieux), *rather better* (plutôt mieux), *a little / slightly / a little bit better* (un peu mieux).

Si l'adverbe de degré modifie un **verbe**, il se place **entre** le sujet et le verbe.

- I **hardly** know her.
  Je la connais à peine.

Very well, *a lot* et *at all* se placent généralement en fin de phrase.

- You speak French **very well**.
  Tu parles très bien français.

- I don't like chemistry **at all**.
  Je n'aime pas du tout la chimie.

Very much se place en fin de phrase ou entre le sujet et le verbe.

- I **very much** like cooking. / I like cooking **very much**.
  J'aime beaucoup cuisiner. [*I like very much cooking.*]

Adverbes de lieu et de temps (voir p. 70)

Ils se placent **souvent en fin** de phrase. D'une manière générale, on énonce d'abord le lieu puis le temps.

- I'll meet you at the station tomorrow.
  Je te retrouverai demain à la gare.

On peut mettre l'adverbe de temps en début de phrase, s'il ne constitue pas l'information essentielle du message.

- Today I'm staying home.
  Aujourd'hui, je reste à la maison.

TRADUCTION EXPRESS

1. Il ne boit pas souvent du café.
2. Elle ne viendra probablement pas.
3. Tu as assez chaud ?
4. Elle n'a jamais mangé de viande et ne le fera jamais.
5. Je n'ai pas beaucoup aimé ce film.
6. Je vous entends à peine.

CORRIGÉ
1. He doesn't often drink coffee.
2. She probably won't come.
3. Are you warm enough?
4. She has never eaten meat and never will.
5. I didn't like this film very much.
6. I can hardly hear you.

24 Dénombrables et indénombrables

▷ Comment dire « un fruit » en anglais puisqu'on ne peut pas dire *a fruit* ?

▷ Quelle différence y a-t-il entre *business* et *a business* ?

DÉFINITIONS

- En français, on peut mettre l'article « un, une » devant pratiquement n'importe quel nom. Ce n'est pas le cas de l'anglais, qui distingue nettement les noms **dénombrables** (*count.* pour *countable* dans le dictionnaire) et les noms **indénombrables** (*uncount.* ou *non-count.*).

- Les noms **dénombrables** peuvent être comptés à l'aide de *a*, *two*, *many*.

  - a house   two houses   many houses
    une maison   deux maisons   beaucoup de maisons

- Les noms **indénombrables** ne peuvent pas être comptés. Ils ne peuvent pas être précédés de *a*, *two*, *many*. Ils n'ont pas de pluriel.
  Advice (conseil) est indénombrable. On ne peut donc pas dire *an advice*, mais on peut dire *a piece of advice* ou *some advice* pour traduire « un conseil ».

INDÉNOMBRABLES

- Des indénombrables à connaître

PAS *A* DEVANT LE NOM	POUR DIRE « UN... »
accommodation : le logement	un logement : a place to live
advertising : la publicité	une publicité : an advertisement
bread : du pain	un pain : a loaf of bread
fruit : des fruits	un fruit : a piece of fruit, some fruit
furniture : des meubles	un meuble : a piece of furniture
homework : les devoirs	un devoir : an exercise
information : des renseignements	un renseignement : a piece of information
luck : la chance	une chance : a piece / a stroke of luck
luggage : des bagages	un bagage : a piece of luggage
news : des nouvelles	une nouvelle : a piece of news
progress : le progrès	un progrès : a step forward
travel : les voyages	un voyage : a journey, a trip
work : le travail	un travail : a job

Autres indénombrables

La plupart des noms d'aliments, de matières : *glass* (le verre), *milk* (le lait), *steel* (l'acier), *wool* (la laine) et les noms qui désignent des pâtes.

- The spaghetti **isn't** cooked yet.
  Les spaghettis ne sont pas encore cuits.

La plupart des noms abstraits : *courage* (le courage), *life* (la vie), *love* (l'amour), *philosophy* (la philosophie), *wisdom* (la sagesse)...

Les noms décrivant une activité humaine : *cooking* (la cuisine), *cricket*, *football*, *tennis*...

Les noms de langues : *Chinese*, *English*, *French*, *German*...

Les noms de couleurs : *black* (le noir), *blue* (le bleu), *green* (le vert), *yellow* (le jaune)...

Les noms en *-ics* : *athletics* (l'athlétisme), *mathematics*, *physics*, *politics* (la politique), *statistics* (la statistique)...

Certains noms de maladies : *cancer*, *cholera*, *flu* (la grippe), *measles* (la rougeole), *AIDS* (le sida). On dit toutefois *a cold* (un rhume), *a sore throat* (un mal de gorge), *a headache* (un mal de tête).

DÉNOMBRABLE OU INDÉNOMBRABLE ?

EMPLOI INDÉNOMBRABLE	EMPLOI DÉNOMBRABLE
business : les affaires	a business : un commerce, une affaire
chicken : le poulet	a chicken : un poulet
chocolate : le chocolat	a chocolate : un chocolat
coffee : le café	a coffee : un café
glass : le verre	a glass : un verre
hair : les cheveux	a hair : un cheveu, un poil
paper : le papier	a paper : un journal
stone : la pierre	a stone : une pierre
work : le travail	a work (of art) : une œuvre (d'art)

- Your hair looks great.
  Tes cheveux sont magnifiques.
  [Quand on parle des cheveux de quelqu'un, *hair* est indénombrable (toujours au singulier).]

- There were two grey hairs on your pillow.
  Il y avait deux cheveux gris sur ton oreiller.

TRADUCTION EXPRESS

1. Cette publicité s'adresse *(aim at)* aux adolescents.

2. Tes bagages sont trop encombrants *(bulky)*.

3. Tu veux un fruit ou un yaourt ?

4. Laisse-moi te donner un conseil : n'y va pas.

5. Il a un travail intéressant et très bien payé.

6. Les affaires sont les affaires.

7. Elle a gagné un voyage en Australie.

8. Nous avons fait peu de progrès.

9. Il est mort d'un cancer.

10. J'aimerais de plus amples renseignements sur ce projet.

25 Genre et nombre du nom

> ▷ Comment dit-on « un policier » et « une policière » ?
> ▷ Comment dit-on « un pantalon » ?
> ▷ Dit-on *The government wants to resign* ou *want to resign* ?

■ GENRE DU NOM

● On parle très peu du genre des noms anglais, car ils ont un genre dit « naturel » : les noms de personne sont repris par *he* (sexe masculin) ou par *she* (sexe féminin) et les objets par *it* (pronom neutre).

● Certains noms ont une forme différente au masculin et au féminin.

actor / actress	brother / sister	hero / heroine
acteur / actrice	frère / sœur	héros / héroïne
prince / princess	husband / wife	widower / widow
prince / princesse	mari / femme	veuf / veuve
waiter / waitress	uncle / aunt	bridegroom / bride
serveur / serveuse	oncle / tante	marié / mariée
father / mother	king / queen	bull / cow
père / mère	roi / reine	taureau / vache

● On peut préciser le genre d'un nom à l'aide de *male* / *female* (ou *boy* / *girl*, *man* / *woman*).

a male nurse	a boyfriend	a policeman
un infirmier	un (petit) ami	un policier
a female nurse	a girlfriend	a policewoman
une infirmière	une (petite) amie	une policière

▶ **GENRE AVEC *HE*, *SHE* ET *IT*** P. 111

■ PLURIELS RÉGULIERS

● Le pluriel régulier se forme en ajoutant *-s* au nom : *a street* → *two streets*.

Noms en consonne + *-y* → pluriel en *-ies* :
a lady → *two ladies*, *a country* → *two countries*
mais *boy* / *day* / *guy* → *boys* / *days* / *guys* (voyelle + *y* et non consonne + *y*).

Noms se terminant par *-o* / *-ch* / *-s* / *-sh* / *-x* / *-z* → pluriel en *-es* :
a tomato → *two tomatoes*, *a match* → *two matches*, *a boss* → *two bosses*, *a brush* → *two brushes*, *a box* → *two boxes*, *a quiz* → *two quizzes*
mais *piano* / *photo* → *pianos* / *photos*.

Certains noms en *-f* ou *-fe* → pluriel en *-ves* :
half (moitié) → *halves*, *knife* (couteau) → *knives*, *leaf* (feuille) → *leaves*,
life (vie) → *lives*, *shelf* (étagère) → *shelves*, *thief* (voleur) → *thieves*,
wife (épouse) → *wives*, *wolf* (loup) → *wolves*.

Noms composés :
en général, c'est le deuxième élément du nom qui porte la marque
du pluriel, sauf si le premier élément se termine par *-er* ;
a teacup → *teacups* (des tasses à thé),
a grown-up → *grown-ups* (des adultes)
mais *passer-by* → *passers-by* (des passants),
hanger-on → *hangers-on* (des parasites, des profiteurs).

Prononciation du -s du pluriel
/s/ après les consonnes sourdes /f/, /k/, /p/, /t/ : *cliffs*, *cooks*, *groups*,
cats

/z/ après les autres consonnes et toutes les voyelles : *bells* /belz/, *kids* /kɪdz/,
bags /bægz/, *cars* /kɑːz/, *flowers* /flaʊəz/, *ideas* /aɪˈdɪəz/, *bunnies* /ˈbʌniz/

Prononciation du -es du pluriel
/ɪz/ après les sons /s/, /z/, /ʃ/ et /ʒ/ : *bus* → *buses* /ˈbʌsɪz/,
rose → *roses* /ˈrəʊzɪz/, *house* → *houses* /ˈhaʊzɪz/, *brush* → *brushes* /ˈbrʌʃɪz/,
peach → *peaches* /ˈpiːtʃɪz/, *garage* → *garages* /gəˈrɑːʒɪz/,
badge → *badges* /ˈbædʒɪz/

PLURIELS IRRÉGULIERS

Les noms *aircraft* (avion), *data* (donnée), *fish* (poisson), *deer* (cerf),
salmon (saumon), *sheep* (mouton), *trout* (truite) sont **invariables**.

- four aircraft
  quatre avions
- twenty sheep
  vingt moutons

Les noms qui se terminent par un *-s* au singulier ne changent pas au
pluriel : *barracks* (caserne), *crossroads* (carrefour), *means* (moyen),
series (série), *species* (espèce).

- a means
  un moyen
- two means
  deux moyens
- The barracks was built in 2006.
  La caserne a été construite en 2006.
- Modern barracks look indestructible.
  Les casernes modernes paraissent indestructibles.

Autres pluriels irréguliers

man (homme) ➜ men	ox (bœuf) ➜ oxen
woman (femme) ➜ women /'wɪmɪn/	criterion (critère) ➜ criteria
child /tʃaɪld/ (enfant)	phenomenon (phénomène)
➜ children /'tʃɪldrən/	➜ phenomena
foot (pied) ➜ feet	analysis (analyse) ➜ analyses
tooth (dent) ➜ teeth	basis (base) ➜ bases
goose (oie) ➜ geese	crisis (crise) ➜ crises
mouse (souris) ➜ mice	hypothesis (hypothèse) ➜ hypotheses
louse (pou) ➜ lice	penny ➜ pence

NOTEZ BIEN
Le singulier en *-is* se prononce /ɪs/ ; le pluriel en *-es* /iːz/.

NOMS TOUJOURS AU PLURIEL

Vêtements : *jeans* (un jean), *pants* (un pantalon [US]),
pyjamas (un pyjama), *shorts* (un short), *Bermuda shorts* (un bermuda),
trousers (un pantalon [GB]), *tights* (un collant). Si on veut parler
d'une unité, on peut utiliser *a pair of.*

- I want to buy a new pair of jeans and three pairs of shorts.
  Je veux acheter un nouveau jean et trois shorts.

Instruments : *binoculars* (des jumelles), *glasses* (des lunettes),
pliers (une pince), *scales* (une balance), *scissors* (des ciseaux).

Et aussi : *clothes* (les vêtements), *contents* (le contenu), *customs*
(la douane), *goods* (les marchandises), *groceries* (les provisions),
looks (la beauté), *the Middle Ages* (le Moyen Âge),
outskirts (la périphérie), *savings* (les économies), *stairs* (l'escalier),
surroundings (les environs).

Tous ces noms s'emploient avec un **verbe au pluriel.**

- Looks aren't everything.
  La beauté n'est pas tout.

- The Middle Ages are fascinating.
  Le Moyen Âge est fascinant.

NOTEZ BIEN
Le nom **brain** a un sens différent au singulier et au pluriel.
I know he has a brain, but has he got brains?
Je sais qu'il a un cerveau, mais a-t-il une intelligence?

■ NOMS COLLECTIFS

➥ Ces noms désignent un **groupe** d'individus. Voici les plus courants :
army (armée), *audience* (public, auditeurs), *club* (club), *committee*
(comité), *crew* (équipage), *crowd* (foule), *family* (famille), *government*
(gouvernement), *jury* (jury), *orchestra* (orchestre), *press* (presse), *staff*
(personnel), *team* (équipe), *union* (syndicat)...

➥ Ils sont suivis d'un **verbe au singulier ou au pluriel** en anglais
britannique (au singulier en anglais américain).

● My family **have** / **has** moved out.
Ma famille a déménagé.

➥ Ils peuvent être suivis de *who* (+ verbe au pluriel) ou de *which* (+ verbe
au singulier).

● Our team, who win every time, are by far the best.

● Our team, which wins every time, is by far the best.
Notre équipe, qui gagne à chaque fois, est de loin la meilleure.

➥ Ils peuvent être repris par *it* ou par *they.*

● My family **have** moved out. **They** didn't like the
neighbourhood.

● My family **has** moved out. **It** didn't like the neighbourhood.

■ *PEOPLE* ET *POLICE*

➥ Les noms *people* et *police* sont **toujours** suivis d'un **verbe au pluriel.** Ils
sont repris par le pronom *they.* Le nom *cattle* (bétail) fonctionne de la
même façon.

● The police **have** arrived. **They**'re talking to my brother.
La police est arrivée. Elle parle à mon frère.

On peut dire *many police* (de nombreux policiers) et *many people*
(beaucoup de gens) mais pas ~~much police~~, ~~much people~~.

▶ MONDE P. 367

➥ Ces noms peuvent s'employer avec un numéral.

● 5,000 people attended the concert.
5 000 personnes ont assisté au concert.

● Twenty police were present.
Vingt policiers étaient présents.

> **NOTEZ BIEN**
> Les noms *staff* et *crew* peuvent également être précédés d'un numéral.
>
> five crew (five crew members)   twelve staff (twelve members of staff)
> cinq membres d'équipage   douze employés

DIFFÉRENCES ANGLAIS / FRANÇAIS

▶ Les noms de famille prennent un **-s** au pluriel.

- The **Browns** have invited the **Martins**.
  Les Brown_ ont invité les Martin_.

▶ Les noms de pays au pluriel sont suivis d'un verbe au singulier.

- The United States **is** 17 times as big as France.
  Les États-Unis **sont** 17 fois plus grands que la France.

▶ On emploie souvent un pluriel après un déterminant possessif au pluriel.   ▶ **POSSESSIFS P. 111**

- Raise your hand**s**.
  Levez la main.

TRADUCTION EXPRESS

1. Ils ont risqué leur vie pour sauver les enfants.
2. Les gens se conduisent souvent comme des moutons.
3. Ferme le robinet *(tap)* quand tu te brosses les dents.
4. Je crois que j'ai trouvé le bon moyen de résoudre le problème.
5. J'ai besoin de nouvelles lunettes.
6. La police a arrêté un terroriste suisse.
7. Beaucoup de gens ont arrêté de fumer.
8. Elle est tombée dans l'escalier.
9. Il portait un jean délavé *(bleached)*.
10. Connaissais-tu le contenu de sa lettre ?

CORRIGÉ

1. They risked their lives to save the children.
2. People often behave like sheep.
3. Turn off the tap when you brush your teeth.
4. I think I've found the good means to solve (*ou* of solving) the problem.
5. I need a new pair of (*ou* some new) glasses.
6. The police have arrested a Swiss terrorist.
7. Many people have given up smoking.
8. She fell down the stairs.
9. He wore bleached jeans.
10. Did you know the contents of his (*ou* her) letter?

26 Noms composés

▷ Peut-on former les noms composés comme on veut ?
▷ Quelle différence y a-t-il entre *a cup of coffee* et *a coffee cup* ?

NOM + NOM

Formation

a beach towel une serviette de plage	the city centre le centre-ville
a weather report un bulletin météo	the office hours les heures de bureau

Remarquez que l'ordre des mots est souvent l'inverse de l'ordre français : *city centre* → centre-ville.

C'est habituellement le premier nom qui porte l'accent principal du nom composé : *'beach towel*.

Les noms composés s'écrivent parfois en un seul mot, parfois avec un trait d'union (mais moins souvent) : *policeman* (policier), *teacup* (tasse à thé), *tablemat* (set de table), *taxpayer* (contribuable), *car-maker* (constructeur automobile), *horse-race* (course de chevaux).

On peut aussi trouver trois noms qui se suivent : *school-age child* (enfant d'âge scolaire), *job creation scheme* (plan de création d'emplois).

Emploi

Le premier nom joue un rôle d'adjectif. C'est pourquoi il s'emploie au **singulier** : *a shoe shop* (un magasin de chaussures) → *shoe shops* (des magasins de chaussures). *Shoe* est singulier bien qu'il y ait forcément plusieurs chaussures.

a fifty-euro note un billet de cinquante euros	a six-foot dancer un danseur d'un mètre 83
a three-course meal un repas de trois plats	a three-month course un cours de trois mois
[*euro, course, foot* et *month* au singulier, même après *fifty, three, six*]	

Dans de rares cas, le premier nom apparaît au **pluriel**.

an arm**s** cache une cache d'armes	a custom**s** officer un douanier
a sport**s** car une voiture de sport	a career**s** adviser un conseiller d'orientation professionnelle

D'autre part, quand le premier nom est *man* ou *woman*, il se met au **pluriel**.

a woman driver une conductrice	two wom**en** driver**s** deux conductrices

AUTRES COMBINAISONS

Le premier élément n'est pas un nom.

Adjectif + nom : *a blackbird* (un merle), *fast food* (de la restauration rapide), *Central London* (le centre de Londres).

V-*ing* + nom : *a swimming pool* (une piscine), *a dining room* (une salle à manger).

Particule + nom : *an in-patient* (un malade hospitalisé), *overbooking* (surréservation).

Le deuxième élément n'est pas un nom.

Nom + particule : *a breakdown* (une panne), *a grown-up* (un adulte), *a check-out* (une caisse dans un supermarché).

Nom + V-*ing* : *window-shopping* (du lèche-vitrines).

NOM + PRÉPOSITION + NOM

Les noms composés renvoient à une catégorie bien connue, répertoriée dans le dictionnaire : *car keys*, des clés de voiture (il s'agit d'un type de clé). Lorsqu'on ne parle pas d'une catégorie connue, on emploie **nom + préposition + nom**.

- a grammar book
  un livre de grammaire

- a policeman
  un policier

- an electricity strike
  une grève des employés
  de l'électricité

a book **about** an astronaut
un livre sur un astronaute

a man **from** the job centre
un homme de l'ANPE

a strike **against** staff cuts
une grève contre les compressions
de personnel

▸ GÉNITIF ET NOM + NOM P. 115-116

🢂 D'autre part, on utilise **nom + *of* + nom** avec :

Un contenant : *a glass of milk* (un verre de lait), *a cup of coffee* (une tasse de café) ≠ *a coffee cup* (une tasse à café).

Une quantité : *a piece of cake* (une tranche de gâteau), *a slice of bread* (une tranche de pain), *a group of students* (un groupe d'étudiants), *a flock of sheep* (un troupeau de moutons).

Un terme qui permet de localiser : *the top of the page* (le haut de la page), *the back of the car* (l'arrière de la voiture), *the front of the house* (l'avant de la maison).

Autres termes : *bottom* (bas), *beginning* (début), *end* (fin), *inside* (intérieur), *outside* (extérieur), *side* (côté).

─ TRADUCTION EXPRESS

1. Je n'aime pas le chocolat au lait.

2. Je voudrais un verre de vin rouge.

3. Elle lui donne trop d'argent de poche.

4. Je vais suivre un stage *(course)* d'anglais de quatre semaines.

5. J'ai oublié le numéro de ma chambre.

6. La fin de la pièce m'a beaucoup déçue.

7. Les hôtels du centre de Londres sont très chers.

─ CORRIGÉ

1. I don't like milk chocolate.
2. I'd like a glass of red wine.
3. She gives him (ou her) too much pocket money.
4. I am going to follow a four-week English course.
5. I have forgotten my room number.
6. I was very disappointed by the end of the play.
7. Central London hotels are very expensive.

A man from the job centre

27 Article zéro («absence d'article»)

▷ Comment dit-on : « La nature est plus forte que l'homme » ?
▷ Dit-on *go to bed* ou *go to the bed* ?
▷ Dit-on *watch television* ou *watch the television* ?

POUR EXPRIMER UNE GÉNÉRALITÉ

Quand on généralise, on emploie le nom **sans article** (∅) en anglais. On a recours aux noms **indénombrables au singulier** ou aux noms **dénombrables au pluriel**. On utilise « le, la, les » en français.

- _Life is beautiful.
  La vie est belle.

- _Computers drive me crazy.
  Les ordinateurs me rendent fou.

- I can't stand _big crowds.
  Je ne supporte pas les grandes foules.

Même avec un adjectif, on reste dans le général.

- I prefer _German cars to _Korean cars.
  Je préfère les voitures allemandes aux voitures coréennes.

CAS PARTICULIERS

Les noms *man, society* et *space* s'emploient sans article pour parler d'une généralité (alors qu'ils peuvent être dénombrables).

- Man is stronger than nature, but society is stronger than man.
  L'homme est plus fort que la nature, mais la société est plus forte que l'homme.

Les noms de repas s'utilisent sans article, sauf s'ils sont précédés d'un adjectif.

- Dinner's ready!
  Le dîner est servi !

- I usually have _breakfast at 7.
  Habituellement, je prends mon petit déjeuner à 7 heures.

- I had **a** wonderful breakfast this morning.
  J'ai pris un petit déjeuner merveilleux ce matin.

Les noms de langues et de sports s'emploient sans article.

- English is spoken in Australia.
  On parle anglais en Australie.

- Do you play tennis?
  Tu joues au tennis ?

- Les noms de continents et de pays s'emploient sans article : *America* (l'Amérique), *Africa* (l'Afrique), *Algeria* (l'Algérie), *China* (la Chine), *France* (la France), *Britain* (la Grande-Bretagne), *Quebec* (le Québec).

Toutefois, les noms de pays au pluriel ou qui incluent un nom commun s'emploient avec *the* : *the United States* (les États-Unis), *the United Kingdom* (le Royaume-Uni), *the United Arab Emirates* (les Émirats Arabes Unis), *the Netherlands* (les Pays-Bas), *the West Indies* (les Antilles).

- Les noms de lacs, de montagnes et de rues s'utilisent sans article : *Lake Victoria* (le lac Victoria), *Mount Everest* (l'Everest), *Oxford Street*.

On trouve *the* devant des noms de chaînes de montagnes : *the Alps* (les Alpes), *the Atlas* (l'Atlas), *the Rockies* (les Rocheuses).

- Les autres noms géographiques ont recours à *the* : *the Seine* (la Seine), *the Thames* (la Tamise), *the Saint Lawrence* (le Saint-Laurent), *the Atlantic Ocean* (l'océan Atlantique), *the Mediterranean* (la Méditerranée).

- Pour les instruments de musique, on préfère *the*. Dans un contexte de jazz ou de musique très récente, on l'omet parfois.

- She plays the violin.
  Elle joue du violon.

- Do you want to learn how to play _electric guitar?
  Tu veux apprendre à jouer de la guitare électrique ?

- On n'emploie pas d'article devant un titre suivi d'un nom propre.

- Queen Elizabeth
  la reine Élizabeth

- President Obama
  le Président Obama

Sans le nom propre, on a recours à *the* : *the Queen*, *the President*.

- «Le lundi, le mardi» : *on Mondays, on Tuesdays*.

- I always go to work on Sundays!
  Je vais toujours au travail le dimanche !

- Expressions à retenir

go to bed, *to school, to university, to prison, to hospital, to war, to work* : aller au lit, à l'école, à l'université, en prison, à l'hôpital, à la guerre, au travail

be in bed, *at school, at university, in prison, in hospital, at war, at work* : être au lit, à l'école, à l'université, en prison, à l'hôpital, en guerre, au travail

- **go** home
  rentrer chez soi

  be (at) home
  être à la maison

- **be** on holiday
  être en vacances

  by train, **by** car
  en train, en voiture

- **watch** television
  regarder la télévision

  on television
  à la télévision

mais :

- listen to **the** radio, go to **the** cinema / **the** movies
  écouter la radio, aller au cinéma

NOTEZ BIEN

Tous les noms contenus dans ces expressions s'emploient aussi avec *the* pour désigner un élément particulier.

Could you turn on the television?
Tu pourrais allumer la télévision ?

This is the school I'd like to go to.
Voici la fac où j'aimerais aller.

▸ DE, DE LA, DU, DES P. 330

TRADUCTION EXPRESS

1. « L'homme est condamné à être libre. »
2. Les États-Unis ont acheté la Louisiane à la France en 1803.
3. Le Prince William va-t-il bientôt devenir roi ?
4. Le mont Snowdon est la plus haute montagne du pays de Galles.
5. Elle commence à 10 heures le vendredi.
6. Les voitures américaines sont moins grandes qu'il y a 40 ans.

CORRIGÉ

1. "Man is condemned to be free."
2. The United States purchased (*ou* bought) Louisiana from France in 1803.
3. Will Prince William soon become king?
4. Mount Snowdon is the highest mountain in Wales.
5. She starts at 10 on Fridays.
6. American cars are smaller than 40 years ago.

28 Articles *a* et *the*

▷ Met-on *a* ou *an* devant *university* ?
▷ L'article *a* n'a pas de pluriel. Comment traduire « des » ?
▷ « Le » se traduit-il toujours par *the* ?

A OU *AN* ?

A /ə/ DEVANT UN SON DE CONSONNE	AN /ən/ DEVANT UN SON DE VOYELLE
a nice meal : un bon repas	an incredible meal : un repas incroyable
a human being : un être humain	
a university : une université	an honest person : une personne honnête
a European country : un pays européen	an hour : une heure
[*University* et *European* commencent par le son /j/ qui est une consonne.]	[On ne prononce pas le **h** dans *hour, honest, honour* (honneur) et *heir* (héritier).]

A *(AN)* : « UN, UNE »

L'article *a* / *an* s'emploie souvent comme « un, une ».

- I'd like **a** glass of water, please.
  Je voudrais **un** verre d'eau, s'il vous plaît.

- **A** child requires affection.
  Un enfant a besoin d'affection.

A *(AN)* MAIS PAS D'ARTICLE EN FRANÇAIS

➡ Devant les noms de métier et de fonction

- My mother is **a** judge.
  Ma mère est _juge.

NOTEZ BIEN

Si la fonction n'est occupée que par une personne, on n'emploie pas *a*.
She's _head of the language department.
Elle est directrice du département des langues.

Dans les négations et les appositions

- I have**n't** got **a** mobile phone.
  Je n'ai pas de téléphone portable.

- John Camm, **a** political analyst, has published an article on it.
  John Camm, politologue, a publié un article sur ce sujet.

Après *what* et les prépositions suivis d'un dénombrable singulier

- What **a** genius!
  Quel génie!

- Don't go out without **an** umbrella.
  Ne sors pas sans parapluie.

> **NOTEZ BIEN**
>
> What _awful weather! [nom indénombrable]
> Quel temps atroce!
>
> **mais**
>
> What a pity! What a shame! [noms indénombrables mais précédés de a]
> Quel dommage!

A (AN) MAIS « LE » EN FRANÇAIS

Devant une unité de temps, de mesure

- 60 kilometres an hour $10 a litre
  60 kilomètres à l'heure   dix dollars le litre

Notez aussi : *twice a week* (deux fois par semaine), *once a month*
(une fois par mois), *€500 a month* (500 € par mois).

Dans quelques expressions

- I have **a** sense of humour, too.
  Moi aussi, j'ai le sens de l'humour.

- I hope you have **a** clear conscience.
  J'espère que tu as la conscience tranquille.
  ▸ *A* AVEC *QUITE, RATHER, AS, TOO* ET *HOW* P. 126
  ▸ *SUCH A* P. 148 / *HALF A* P. 118 / *NOT A* P. 96

COMMENT TRADUIRE « DES » ?

A / an n'a pas de pluriel. « Des » (ou « de ») se traduit principalement par :

Some + nom au pluriel quand « des » signifie « quelques », c'est-à-dire
une quantité un peu vague (mais pas très importante).

- I need **some** shelves for my bedroom.
  Il me faudrait des étagères pour ma chambre.

Quand la quantité est importante, on **n'emploie pas** *some*.

- There will be mini-bars in the 500 rooms of the hotel.
  Il y aura des minibars dans les 500 chambres de l'hôtel.

Article zéro + nom au pluriel quand « des » ne signifie pas « quelques ».

- You've got _beautiful eyes.
  Tu as de beaux yeux. [≠ Tu as quelques beaux yeux !]

THE : PRONONCIATION

The se prononce /ðə/ devant un son de consonne et /ði/ devant un son de voyelle.

/ðə/	/ði/
the school	the earth
the universe	the hour
the one o'clock news	the honest neighbour
[*Universe* /'juːnɪvɜːs/, *one* /wʌn/ : les sons /j/ et /w/ sont des consonnes.]	[On ne prononce pas le **h** dans *hour, honest, honour, heir*.]

THE : EMPLOIS

Renvoi à un élément connu

The (comme « le, la, les ») **renvoie à un élément connu**. Le sous-entendu est : « Vous savez de quoi je parle. »

- Could you pass me the salt?
  Tu pourrais me passer le sel ?
  [le sel qui est sur la table, devant toi]

- Where's the cat?
  Où est le chat ?
  [le chat de la maison, que nous connaissons toi et moi]

Autres emplois

Devant un élément unique (culturellement connu) : *the sun* (le soleil), *the Earth* (la Terre), *the world* (le monde), *the sea* (la mer), *the war* (la guerre), *the mass media* (les médias), *the future* (l'avenir), *the cinema* (le cinéma), *the telephone* (le téléphone), *the environment* (l'environnement), *the country* (la campagne), *the Queen* (la Reine), *the President* (le Président), *the Pope* (le Pape).

Pour exprimer une généralité.

- The spider has four pairs of legs.
  L'araignée a quatre paires de pattes.

Devant des groupes humains connus désignés par un adjectif : *the rich* (les riches), *the unemployed* (les chômeurs), *the blind* (les aveugles), *the young* (les jeunes), *the elderly* (les personnes âgées), *the English*, *the Americans*, *the French*. ► **ADJECTIFS ET NOMS DE NATIONALITÉ P. 129**

Devant un adjectif substantivé désignant une notion abstraite : *the absurd* (l'absurde), *the necessary* (le nécessaire), *the sublime* (le sublime), *the unexpected* (l'inattendu), *the unknown* (l'inconnu).

NOTEZ BIEN

the important point (*ou* the important thing)
l'important

DIFFÉRENCES ENTRE *THE* ET « LE »

The se traduit par « le, la, les » mais « le, la, les » ne se traduit pas toujours par *the*. Quand « le, la, les » renvoie à une généralité, on n'emploie pas l'article en anglais. Comparez :

● Money doesn't grow on trees.
L'argent ne tombe pas du ciel.
[l'argent en général : pas d'article en anglais]

● You can keep the money you owe me.
Tu peux garder l'argent que tu me dois.
[une somme particulière : celle que je t'ai donnée]

► **ARTICLE ZÉRO P. 86**

TRADUCTION EXPRESS

1. Il vous faudra attendre une heure et demie.
2. Son mari est médecin.
3. Je peux facilement me passer de *(do without)* téléphone portable.
4. « Je voudrais des roses. – Vous voulez des roses rouges ou jaunes ? »
5. L'important, c'est de participer *(take part)*.
6. Les arbres sont un des poumons *(lungs)* de notre planète.
7. Les arbres que j'ai plantés ne poussent pas vite.
8. J'ai entendu ça à la radio.

CORRIGÉ
1. You'll have to wait (for) an hour and a half.
2. Her husband is a doctor.
3. I can easily do without a mobile phone.
4. "I'd like some roses." "Do you want red or yellow roses?"
5. The important point (*ou* thing) is taking part.
6. Trees are one of our planet's lungs.
7. The trees I've planted do not grow fast.
8. I heard (*ou* I've heard) it on the radio.

Démonstratifs *this* et *that*

▷ **Comment dit-on « cette nuit », « ces jours-ci », « en ce temps-là », « cet été » ?**

FORMES

SINGULIER	PLURIEL
this	these /ðiːz/
that	those /ðəʊz/

Notez aussi :

SINGULIER	PLURIEL
this one (celui-ci / celle-ci)	these (ceux-ci / celles-ci)
that one (celui-là / celle-là)	those (ceux-là / celles-là)
that of (celui de / celle de)	those of (ceux de / celles de)
the one that (celui qui / celle qui)	those that / the ones that (ceux qui / celles qui)
the one who (celui qui / celle qui) [personne]	those who / the ones who (ceux qui / celles qui) [personnes]

- Take **these**. They are fresher. [*These ones* est très oral.]
  Prends **celles-ci**, elles sont plus fraîches.

- My task is more difficult than **that of** my colleagues.
  Ma tâche est plus difficile que **celle de** mes collègues.

- **The ones that / Those that** are at the back are better.
  Ceux qui sont derrière sont meilleurs.

THIS : PROCHE / *THAT* : NON PROCHE

L'opposition *this* / *that* est relative : c'est **celui qui parle** qui se sent proche ou non de quelque chose ou de quelqu'un.

Dans l'espace

- Do you want to taste this soup?
  Tu veux goûter cette soupe ?

- Did you see those stars?
  Tu as vu ces étoiles ?

- [au téléphone] Hi. This is Paul. Is that Liz?
  Bonjour. Ici Paul. C'est Liz ?

Dans le temps

- Listen to this. It's a new song.
  Écoute ça. C'est une nouvelle chanson.

- That was interesting. What was the name of the journalist again?
  C'était intéressant. Comment il s'appelait déjà, le journaliste ?

EXPRESSIONS TEMPORELLES AVEC « CE »		
tonight cette nuit (prochaine)	in **those** days en ce temps-là	**this** time cette fois-ci
last night cette nuit (la nuit dernière)	**this** morning ce matin	**this** summer cet été (prochain)
these days ces jours-ci	**that** morning ce matin-là	**last** summer cet été (l'été dernier)
these past few days ces derniers jours	the 15th of **this** month le 15 de ce mois	at **that** moment à ce moment-là

Parfois, *this* témoigne d'un **intérêt** pour un sujet et *that* d'un **rejet**.

- I'm really into this kind of music.
  Ce genre de musique me branche vraiment.

- Let's not go into that again!
  Ne revenons pas là-dessus !

Pour **présenter** quelqu'un, on utilise *this*. Inversement, *that* a parfois valeur de **conclusion**.

- This is Sophie.
  Voici Sophie.

- That's it. / And that's that!
  C'est tout. / Un point c'est tout !

THIS ET *THAT* : RENVOI À DES PAROLES

This et *that* peuvent **reprendre les paroles** d'autrui. *It* est impossible dans ce cas.

- "We're getting married!" "That's / This is great!"
  « On va se marier. – C'est génial ! »

NOTEZ BIEN

It **ne peut pas** reprendre les paroles d'autrui, mais peut renvoyer à ce que je viens de dire.

So, she decided to shave her hair. But it / this / that didn't bother her parents.
Et donc elle a décidé de se raser la tête. Mais ça n'a pas dérangé ses parents.

THIS ET *THAT* ADVERBES

This et *that* peuvent modifier un adjectif. Ils signifient alors « si, tellement ». *That* dans ce cas s'emploie surtout dans les phrases négatives et interrogatives.

- I didn't think it would be this (*ou* so) cold.
  Je ne pensais pas qu'il ferait si froid.

- Come on, it's not that bad.
  Allons, ce n'est pas si mauvais (que ça).

  ▸ *THAT FRIEND OF YOURS* P. 112

TRADUCTION EXPRESS

1. Cette nuit, j'ai entendu un drôle de bruit au grenier *(attic)*.

2. Il va neiger cette nuit.

3. Ceux qui ont fait ça vont le regretter.

4. À cette époque, la télévision n'existait pas.

5. Ça, c'est une bonne nouvelle !

6. Je ne savais pas que c'était si facile.

CORRIGÉ

1. Last night, I heard a strange noise in the attic.
2. It's going to snow tonight.
3. Those (*ou* The ones) who have done that are going to regret it.
4. In those days there was no television.
5. That's good news!
6. I didn't know it was that easy.

Listen to this.
It's a new song.

30 No, none, not any, (a) little, (a) few

▷ Comment dit-on « ne... plus » : *not any more* ou *no more* ?
Et « nulle part » ?

▷ Comment traduire « pas mal de » et « presque pas » ?

NO, NONE

No + nom : « aucun » + nom.

- **No** problem!
Aucun problème !

- **No** comment.
Sans commentaire.

- **No** vacancies. [dans un hôtel]
Complet.

- You, liar. You have **no** proof.
Menteur ! Tu n'as aucune preuve.

None : « aucun » pronom (sans nom).

- "How many of these DVDs have you watched?" "**None**."
« Combien de ces DVD as-tu regardés ? – Aucun. »

- **None** of them know(s) the truth.
Aucun d'entre eux ne connaît la vérité.

NOT... ANY, NO, NOT... A

La façon la plus courante de dire « ne... pas de » est **not... any**. On rencontre aussi **no** + nom (verbe à la forme affirmative). Le ton est plus catégorique qu'avec *not... any*.

- I have**n't** got **any** problems. / I've got **no** problems.
Je n'ai pas de problèmes.

- In the end, I did**n't** get **any** money / I got **no** money.
Je n'ai finalement pas eu d'argent.

Avec un nom dénombrable au singulier, on préfère **not... a** à **not... any**, en particulier si le pluriel est peu envisageable.

- I haven't got an office.
Je n'ai pas de bureau. [On a rarement plusieurs bureaux.]

- I haven't got a credit card / any credit cards.
Je n'ai pas de carte de crédit. [~~any credit card~~]

NOT... ANY MORE / ANY LONGER, NO MORE

«Ne... plus» peut toujours se traduire par **not... any more**. Parfois, *any more* s'écrit en un seul mot, notamment en anglais américain.

- I don't like it **any more** / anymore.
  Ça ne me plaît plus.

- We have**n't** got **any more** bread.
  Nous n'avons plus de pain.

- Unfortunately, she does**n't** want to see me **any more** / anymore.
  Malheureusement, elle ne veut plus me voir.

Quand «ne... plus» signifie que quelque chose **n'est plus vrai**, on peut aussi utiliser *no longer* + verbe à la forme affirmative ou *not... any longer*.

- I **no longer** like it.
- I do**n't** like it **any longer**.

Quand «ne... plus + nom» signifie qu'on n'a plus **une certaine quantité**, on peut aussi employer *no more* + nom (verbe à la forme affirmative).

- We've got **no more** bread.

▶ NE... PLUS P. 369

LES COMPOSÉS EN *NO*-

nothing	no one / nobody	nowhere
not... anything	not... any one /	not... anywhere
ne... rien	not... anybody	nulle part
	ne... personne	

La forme en *not... any* est plus fréquente.

- I didn't see anything.
  [verbe à la forme négative + *anything*]

  I saw nothing.
  [verbe à la forme affirmative + *nothing*]
  Je n'ai rien vu.

- I haven't got anywhere to go.

  I've got nowhere to go.
  Je n'ai nulle part où aller.

NOTEZ BIEN

Never est un adverbe négatif. Il s'emploie donc avec un verbe à la forme affirmative et *any*.

I've **never** seen **any**one so helpful.
Je n'ai jamais vu quelqu'un d'aussi serviable.

LITTLE ET FEW

▸ *Little* + singulier / *few* + pluriel : « peu (de) ».

- He paid **little** attention to what I was saying.
  Il a prêté peu d'attention à ce que je disais.

- **Few** people come to see him.
  Peu de gens viennent le voir.

▸ *Little* et *few* s'emploient peu à l'oral. On préfère utiliser *not... much* et *not... many*.

- He did **not** pay **much** attention to what I was saying.

- **Not many** people come to see him.

▸ *Very little* / *very few* (très peu) est plus fréquent.

- I have **very little** time / **very few** friends.
  J'ai très peu de temps / très peu d'amis.

> **NOTEZ BIEN**
> Notez l'expression *hardly* / *scarcely any* (presque pas).
> She's hardly drunk any water.
> Elle n'a presque pas bu d'eau.

A LITTLE ET A FEW

▸ *A little* + singulier : « un peu (de) » (ne pas confondre avec *little* : « peu (de) »).

A few + pluriel : « quelques » (ne pas confondre avec *few* : « peu (de) »).

- Could I have a little more coffee?
  Est-ce que je pourrais avoir un peu plus de café?

- He'll call you back in a few minutes.
  Il vous rappellera dans quelques minutes.

▸ Quand *a little* et *a few* ne sont pas suivis d'un nom, ils se traduisent par « un peu » et « quelques-uns ».

- I'm a little angry.
  Je suis un peu fâché.

- We did eat cakes, but just a few.
  On a bien mangé des gâteaux, mais juste quelques-uns.

▸ À l'oral, on rencontre *a (little) bit (of)* à la place de *a little*.

- a bit angry
  un peu fâché

- a bit of money
  un peu d'argent

Notez **quite** *a bit (of)* + singulier, **quite** *a few* + pluriel, **quite** *a lot (of)* :
« pas mal (de) ».

- quite a bit of / quite a lot of money
  pas mal d'argent
- quite a few / quite a lot of people
  pas mal de monde

TRADUCTION EXPRESS

A 1. Je n'en ai aucune idée.

2. Je n'ai pris (absolument) aucune photo.

3. « Y a-t-il un message ? – Aucun. »

4. Aucun homme n'a jamais mis les pieds sur *(set foot on)* Mars.

5. Aucun de ces régimes ne lui convient.

B 1. Je l'ai vue il y a quelques jours.

2. Il y a peu de bâtiments anciens dans cette ville.

3. « Vous voulez de la glace ? – Juste un peu, s'il vous plaît. »

4. Pas mal de gens sont partis avant la fin.

5. Elle n'a presque pas de temps libre.

CORRIGÉ
A Voir p. 311
B 1. I saw her a few days ago.
2. There are few ancient buildings in this town.
3. "Would you like some ice?" "Just a little, please."
4. Quite a few people left before the end.
5. She's hardly got any free time. / She hardly has any free time.

Could I have a little more coffee?

31 *Some* et *any*

▷ *Some* et *any* sont-ils interchangeables ?
▷ Comment dit-on « n'importe qui » ?

DANS LES PHRASES AFFIRMATIVES ET NÉGATIVES

■ *Some* s'emploie dans les phrases **affirmatives**, *any* dans les phrases **négatives**. Ils se traduisent par « du, de la, des, de ».

- "I'd like **some butter** with my meal." "I'm sorry, we have**n't** got **any butter**."
  « J'aimerais **du** beurre avec mon repas. – Désolé, nous n'avons pas **de** beurre. »

■ Avec *never* et *without*, qui ont un sens négatif, on utilise *any* (voir p. 97).

- You **never** sent me **any** postcards.
  Tu ne m'as jamais envoyé de cartes postales.

- He managed to make himself understood **without any** help.
  Il s'est débrouillé pour se faire comprendre sans aucune aide.

■ Le nom après *some* et *any* peut être **sous-entendu**, s'il est évident.

- "I bought too many stamps. Would you like **some**?"
  "No, I don't need **any**."
  « J'ai acheté trop de timbres. Tu en voudrais ? – Non, je n'en ai pas besoin. »

  ▸ DE, DE LA, DU, DES P. 330

DANS LES PHRASES INTERROGATIVES

■ Avec *some*, on s'attend plutôt à une réponse positive. *Any* est plus neutre.

- Did we get some mail today? [Je m'attends plutôt à une réponse positive.]

- Did we get any mail today? [Je ne présuppose aucune réponse.]
  On a reçu du courrier aujourd'hui ?

Quand on **offre quelque chose** dans une interrogative, on utilise *some*.

- Would you like some more tea?
  Tu voudrais un peu plus de thé ?

■ *Some* devant un nom se prononce généralement /səm/. Dans les autres cas, il se prononce /sʌm/.

EMPLOIS PARTICULIERS

■▶ *Some* + nom : « un certain » / « il y a... qui »

● **Some child** is asking for you.
Il y a un enfant qui veut te voir.

● **Some people** are obsessed with diets, others with games.
Certaines personnes sont obsédées par les régimes, d'autres par les jeux.

■▶ *Some* + nombre : « environ »

● I live **some** (*ou* about) **forty** miles from here. [prononciation /sʌm/]
J'habite à environ soixante kilomètres d'ici.

■▶ *Any* : « n'importe quel » (dans les phrases affirmatives)

● Call me (at) **any** time.
Appelle-moi à n'importe quelle heure.　　　　　　　▸ N'IMPORTE P. 356

COMPOSÉS EN *SOME-* ET *ANY-*

■▶ Ils s'emploient de la même façon que *some* et *any*.

something / anything quelque chose	somebody (*ou* someone) / anybody (*ou* anyone) quelqu'un	somewhere / anywhere quelque part

● Did you talk to someone?
Tu as parlé à quelqu'un ? [Je pense que oui.]

● Is anyone home?
Est-ce qu'il y a quelqu'un à la maison ? [Je ne sais pas.]

■▶ Dans une phrase affirmative, les composés en *any-* se traduisent par
« n'importe... ».

anything n'importe quoi	anybody / anyone n'importe qui	anywhere n'importe où	anyhow n'importe comment

┌─ TRADUCTION EXPRESS
│ **1.** Mrs Dalloway a acheté quelques fleurs.
│ **2.** Est-ce que tu veux manger quelque chose ?
│ **3.** Il me faudra quelque temps pour m'y habituer.
│ **4.** Est-ce que je peux faire quelque chose pour t'aider ?
│ **5.** Il y a quelque chose de bizarre chez lui.
│ **6.** Y a-t-il quelque chose de nouveau ?
│ **7.** Quelqu'un d'autre pourra te le dire.
　　　　　　　　　　　　　　　　　　　▸ CORRIGÉ P. 391 ET 390

32 A lot (of), much, many et most

▷ Comment traduire « trop de » ?
▷ Pour traduire « la plupart des Américains », dit-on *most Americans* ou *most of the Americans* ?

■ A LOT (OF), MUCH, MANY : « BEAUCOUP (DE) »

A lot (of) est plus employé que *much* et *many*. Il est d'un emploi assez oral. **Lots of** est une variante de *a lot of*.

- I go out a lot.
  Je sors beaucoup.

- A lot of tourists / Lots of tourists want to cancel their trip.
  Beaucoup de touristes veulent annuler leur voyage.
  ▸ *QUITE A LOT* P. 99

Much + singulier et **many +** pluriel s'emploient surtout dans les phrases interrogatives et négatives. Le nom peut être sous-entendu. **A lot (of)** est préféré à la forme affirmative.

- I haven't got much time, I'm afraid.
  Je regrette, mais je n'ai pas beaucoup de temps.

- "Did you buy many souvenirs?" "No, not many."
  « Tu as acheté beaucoup de souvenirs ? – Non, pas beaucoup. »

Dans un style plus soutenu, **many** peut s'employer dans des phrases affirmatives.

- For many MPs, it remains a taboo subject.
  Pour bien des députés, cela reste un sujet tabou.

Notez aussi les expressions **a large number of** + nom pluriel (de très nombreux), **a great deal of** + nom singulier (beaucoup de), **plenty of** + nom singulier ou pluriel (plein de).

Much peut être **adverbe** dans une phrase négative ou interrogative. Il modifie alors un verbe. Dans une phrase affirmative, on emploie *a lot* ou *very much*.

- Do you go out much? [interrogative]
  Tu sors beaucoup ?

- I don't drink much. [négative]
  Je ne bois pas beaucoup.

- I like it a lot. / I like it very much. [affirmative]
  Je l'aime beaucoup.

So much + singulier / ***so many*** + pluriel : «tellement de», «tant de».
Too much + singulier / ***too many*** + pluriel : «trop de».

- so much food
  tellement de nourriture
- too much noise
  trop de bruit

  so many planes
  tellement d'avions

  too many tourists
  trop de touristes

So much et *too much* peuvent être **adverbes** (tellement, trop).

- You work so much / too much.
  Tu travailles tellement / trop.   ▸ *AS MUCH / AS MANY* P. 131

■ *MOST (OF)* : «LA PLUPART»

Most of + déterminant + nom / *most of* + pronom

- most of the neighbours
  la plupart des voisins
- most of the time
  la plupart du temps
- most of us / you
  la plupart d'entre nous / vous

Most + nom (sans déterminant)

- **Most** Americans would support such a step.
  La plupart des Américains soutiendraient une telle mesure.
  [la plupart des Américains en général ≠ most of the Americans I talked to]
- In most cases most people would disagree with you.
  Dans la majorité des cas, la plupart des gens ne seraient pas d'accord avec vous.
      ▸ *TRÈS* P. 408

TRADUCTION EXPRESS
1. Est-ce qu'il passe beaucoup de temps à faire la cuisine ?
2. Beaucoup de gens pensent qu'il a raison.
3. Il n'y a pas eu beaucoup de visiteurs étrangers.
4. Merci beaucoup d'être venu.   ▸ *CORRIGÉ* P. 317

5. La plupart des Américains ne travaillent pas le jour de Thanksgiving.
6. La plupart du temps, elle passe le week-end à la campagne.
7. La plupart d'entre eux avaient l'air satisfait.
    ▸ *CORRIGÉ* P. 380

33 *Each, every, all, whole*

▷ Peut-on remplacer *each* par *every* dans *Each of them got a present*?

EACH ET *EVERY*

● Avec *each* (chaque), on considère chaque élément séparément, un par un. Avec *every* (tout / tous ou chaque), on parcourt un ensemble d'éléments. *Each* et *every* sont suivis d'un **nom au singulier.**

  ● She shook the hand of each candidate.
  Elle serra la main de chaque candidat.

  ● Every shop assistant worked very hard and each one got a rise.
  Tous les vendeurs ont travaillé très dur et chacun a obtenu une augmentation.

● Quand on parle d'un ensemble réduit, on emploie plutôt *each.*
Il est **obligatoire** quand il n'y a que deux éléments.

  ● She had tomato sauce on each hand.
  Elle avait de la sauce tomate sur chaque main.

● *Every* est obligatoirement suivi par un nom ou par *one. Each* peut ne pas être suivi par un nom.

Each of + nom / pronom	I warned each of my friends / each of them. J'ai prévenu chacun de mes amis / chacun d'entre eux.
Each pronom	Each was pleased with the results. Chacun était satisfait des résultats.
Each après une quantité, un prix	We had four meals each. They cost $50 each. Nous avons chacun fait quatre repas. Ils ont coûté 50 dollars chacun.

● *Each* et *every* peuvent être repris par un possessif au pluriel.

  ● Every guest has brought their (*ou* his *ou* her) own picnic.
  Chaque invité a apporté son propre pique-nique.

● Notez les **composés** de *every.*

everyone / everybody tout le monde, chacun	everything tout	everywhere partout

▸ TOUT P. 405-407

ALL

▸ *All* (tout / tous) est suivi d'un nom singulier ou pluriel.

- all my life
  toute ma vie

- all (of) my friends
  tous mes amis [*Of* est facultatif entre *all* et un déterminant.]

▸ *All* peut se placer après un pronom.

- I love them all (*ou* I love all of them).
  Je les aime tous.

- She bought it all.
  Elle a tout acheté.

▸ *All* = **durée** / *every* = **fréquence** (domaine temporel).

- all day
  toute la journée

- every day
  chaque jour

- all the time
  tout le temps

- every time
  (à) chaque fois

- every two days
  tous les deux jours [*each* et *all* impossibles ici]

- every other day / every other weekend
  un jour / un week-end sur deux

> **NOTEZ BIEN**
>
> L'article *the* est **facultatif** dans *all (the) morning / afternoon / week / month / summer / year...* mais *all day* et *all night* s'emploient toujours sans article.
> Avec l'adjectif *long*, on n'emploie pas *the* : *all night / summer / year long*.

▸ TOUT P. 405-407

WHOLE

▸ *Whole* /həʊl/ **adjectif** : « (tout) entier »

- all the town
  toute la ville

- the whole town
  toute la ville / la ville entière

- all the bottles
  toutes les bouteilles

- a whole bottle
  une bouteille entière

***The whole of* + nom / pronom : la totalité de**

● Discover the whole of the internet.
Découvrez tout l'univers du Net.

Notez bien

Whole comme *all* s'utilise dans des expression temporelles.
La structure en *whole* est plus insistante que celle en *all*.

the whole day = all day
toute la journée

my whole life = all my life
toute ma vie

the whole winter = all winter
tout l'hiver

Traduction express

1. La nuit tous les chats sont gris.

2. Tout le bâtiment a été détruit.

3. Tu lui téléphones vraiment tous les jours ?

4. Elle a passé toute sa vie en Allemagne.

5. Ça peut arriver à tout moment.

6. Ils livrent *(do the delivery)* tous les cinq jours.

7. Est-ce que tout le monde est prêt ?

8. Tout va bien pour l'instant.

► **Corrigé p. 405-407**

34 One, the two, both, either, neither

▷ *One* se traduit-il toujours par « un », « un...
▷ *Either* signifie « l'un ou l'autre ». Que sig...

ONE : « UN »

One est un numéral ; il signifie *not two*.

- I just need one aspirin.
  Je n'ai besoin que d'une aspirine.

- Break the eggs one by one.
  Cassez les œufs un par un.

> **NOTEZ BIEN**
> Retenez :
>
> One day...   One Monday morning...
> Un (beau) jour...   Un (certain) lundi matin...
>
> One cold winter night...
> Par une froide soirée d'hiver...
>
> *One day* peut aussi renvoyer à l'avenir.
> One day (*ou* Some day) my Prince will come.
> Un jour mon Prince viendra.

ONE POUR REPRENDRE UN NOM

One peut reprendre un nom dénombrable. Il se met au pluriel : *ones*.

- I've got several cameras. I can lend you one.
  J'ai plusieurs appareils photo. Je peux t'en prêter un.

- I don't like these glasses. I prefer the round ones.
  Je n'aime pas ces lunettes. Je préfère les rondes.
  [En anglais, contrairement au français, il faut un nom ou *one* après l'adjectif.]

> **NOTEZ BIEN**
> « Celui / ceux de » ne se dit pas ~~the one(s) of~~ mais *that of* / *those of*
> (voir p. 93).

On n'utilise pas *one* après un **génitif**.

- It's not my car. It's Paul's.
  Ce n'est pas ma voiture. C'est celle de Paul.   ► CELUI DE P. 93

both (tous les deux) et *the two* (les deux) sont souvent interchangeables. *Both* est plus insistant : il se comprend comme « pas seulement l'un ».

● **The two books are very different but both are worth reading.**
Les deux livres sont très différents mais tous les deux valent la peine d'être lus.
[On ne peut pas dire *both books* car on ne peut pas dire « pas seulement l'un est différent ».]

▶ *Both* peut se construire seul ou non, avec ou sans *of*.

Both seul	Both are worth reading.
Both + nom	Both (the) books are worth reading.
Both of + pronom	Both of them are worth reading.
Both (of) + déterminant + nom	Both (of) these books are worth reading.

▶ *Both* peut aussi se mettre devant un verbe.

● **Our parents both like cooking. / Both our parents like cooking.**
Nos parents aiment tous les deux faire la cuisine.

NOTEZ BIEN
Notez *both... and* (à la fois... et).
Both George and Laura went to Greece.
George et Laura sont tous deux (l'un et l'autre) allés en Grèce.

EITHER ET *NEITHER*

▶ *Either* /ˈaɪðə/ ou /ˈiːðə/ + nom : « l'un ou l'autre ».
Neither /ˈnaɪðə/ ou /ˈniːðə/ + nom : « ni l'un ni l'autre ». *Neither* a un sens négatif et s'emploie donc avec un verbe à la forme affirmative.

Either / neither + nom	Either day suits me. L'un ou l'autre jour me convient. Neither team deserved to win. Ni l'une ni l'autre des équipes ne méritait de gagner.
Either / neither seul	Either is fine with me. L'un ou l'autre me va. Neither will do. Ni l'un ni l'autre ne fera l'affaire.
Either / neither of + pronom	Call either of them. Appelle soit l'un soit l'autre. Neither of them cares (*ou* care) about me. Ni l'un ni l'autre ne s'intéresse à moi.
Either / neither of + déterminant + nom	I don't trust either of these crooks. / I trust neither of these crooks. Je ne fais confiance à aucun de ces deux escrocs.

🔹 ***Either... or*** : « soit... soit ». ***Neither... nor*** : « ni... ni ».

● You can either come with me or stay here.
Tu peux soit venir avec moi soit rester ici.

● They can neither read nor write.
Ils ne savent ni lire ni écrire.

🔹 ***Not... either*** : « (ne... pas) non plus ».

● "I don't like wasting my time." "I don't like it either."
« Je n'aime pas perdre mon temps. – Je n'aime pas ça non plus. »

▸ *NEITHER DO I / NOR DO I* P. 144

NOTEZ BIEN

On either side signifie « des deux côtés, de chaque côté ».
You can park on either side of the road.
Vous pouvez vous garer des deux côtés de la route.

TRADUCTION EXPRESS

1. « À qui sont ces clefs ? – Ce sont celles de ma fille. »

2. « Quelle sortie doit-on prendre ? – La prochaine. »

3. Les précédentes *(previous)* étaient bien meilleures.

4. Vous parlez anglais tous les deux ?

5. Est-ce que l'un ou l'autre d'entre vous peut venir me chercher à la gare ?

6. Je n'ai lu ni l'un ni l'autre.

7. On peut y aller soit aujourd'hui soit demain.

8. Ses deux parents sont médecins.

CORRIGÉ
1. "Whose keys are these?" "They are my daughter's."
2. "Which exit should we take?" "The next one."
3. The previous ones were far better.
4. Can you both speak English?
5. Can either of you pick me up at the station?
6. I have read neither.
7. We can go either today or tomorrow.
8. Both her (*ou* his) parents are doctors.

35 Pronoms personnels / Possessifs

▷ **Comment traduire « Moi, je… » ?**
▷ **Comment dit-on « un de mes amis » en anglais ?**

PRONOMS PERSONNELS SUJETS	PRONOMS PERSONNELS COMPLÉMENTS	DÉTERMINANTS POSSESSIFS + NOM	PRONOMS POSSESSIFS
I	me	my	mine
he / she / it	him / her / it	his / her / its	his / hers / its
we	us	our	ours
you	you	your	yours
they	them	their	theirs

PRONOMS PERSONNELS *(I, YOU…)*

■► Pour dire « moi, je », « toi, tu », on accentue le pronom sujet à l'oral (on le souligne à l'écrit).

● I disagree.
Moi, je ne suis pas d'accord.

■► « C'est moi, toi… qui » se traduit le plus souvent par *I, you* **accentués**.

● He wants to resign.
C'est lui qui veut démissionner.

■► « C'est moi, toi, lui » (sans « qui ») se dit *It's me, you, him*.

● "Who is it?" "It's me, Paul."
« Qui est-ce ? – C'est moi, Paul. »

■► Dans les coordinations du type « Dominique et moi », on emploie le pronom personnel **sujet** en anglais.

● My husband **and I** never travel very far.
Mon mari et moi ne voyageons jamais très loin.
[*My husband and me* est très oral.]

▸ **PRONOMS APRÈS LES COMPARATIFS P. 131**

■► Contrairement au français, on ne répète pas le sujet en début de phrase.

● Your sister never complains. [*Your sister, she…*]
Ta sœur, elle ne se plaint jamais.

HE, SHE, IT ET LE GENRE

De façon générale, *he* renvoie à des personnes de sexe masculin, *she* à des personnes de sexe féminin, *it* à des animaux ou des objets.

Quand on ne connaît pas le sexe d'un bébé, on a recours à *it*.

- Did you see that baby? It's all red.
  Tu as vu ce bébé? Il est tout rouge.

Pour parler d'un animal domestique ou d'un animal qu'on connaît, on préfère *he* ou *she* à *it*.

- Piggy is miaowing. She's clearly hungry.
  Piggy miaule. Manifestement, elle a faim.

On utilise parfois *she* pour parler d'un bateau, d'une voiture (si on l'aime beaucoup) ou d'un pays. *It* est plus fréquent.

- Britain wants to increase her exports to the region.
  La Grande-Bretagne veut accroître ses exportations dans la région.

Les pronoms indéfinis *anybody*, *anyone*, *everybody*, *everyone*, *nobody*, *no one* et *somebody*, *someone* peuvent être repris par *they*, surtout à l'oral.

- If somebody phones, tell them I'll be back at 10.
  Si quelqu'un téléphone, dis-lui que je serai de retour à dix heures.

▸ C'EST P. 320

DÉTERMINANTS POSSESSIFS (MY, YOUR...)

Le choix entre *his*, *her* et *its* dépend du «possesseur».
On parle de John → *his* suitcase (sa valise) / *his* office (son bureau).
On parle de Jacqueline → *her* suitcase (sa valise) / *her* office (son bureau).
On parle d'une voiture → *its* value (sa valeur) / *its* boot (son coffre).

En anglais, on utilise le déterminant possessif pour désigner les **parties du corps** et les **vêtements**. En français, on préfère l'article défini.

- Take **your** hands out of **your** pockets.
  Sors les mains de tes poches.

- I broke **my** leg skiing.
  Je me suis cassé la jambe en faisant du ski.

Après un déterminant possessif au pluriel (*our*, *your*, *their*...), on emploie généralement un nom au **pluriel**.

- Raise your **hands** before speaking!
  Levez la main avant de parler!

NOTEZ BIEN

Make up your mind!	Make up your minds!
Prends une décision!	Prenez une décision!

PRONOMS POSSESSIFS (MINE, YOURS...)

> **mine** [à moi] (le mien, la mienne, les miens, les miennes),
> **yours** [à toi], **his** [à lui], **hers** [à elle], **ours** [à nous], **yours** [à vous], **theirs** [à eux]

➤ « Un de mes / tes... + nom » peut se dire *a + nom + of + pronom possessif.*

- a friend of mine
  un de mes amis

- a colleague of yours
  une de tes collègues

➤ Notez également la structure *this / that + nom + of + pronom possessif.*

- It's **that** girlfriend **of yours** on the phone again!
  C'est encore ta copine au téléphone !

Cette structure ajoute une touche d'**ironie** et souvent de distance.
It's your girlfriend on the phone est beaucoup plus neutre.

➤ On trouve aussi *no + nom + pronom possessif.*

- He's no friend of mine.
  Ce n'est pas mon ami (du tout).

- It's no business of yours.
  Ça ne te regarde pas.

TRADUCTION EXPRESS

1. Elle voulait voyager ; lui, il voulait rester à la maison.

2. C'est toi qui lui as dit ?

3. Tout le monde a été prévenu hier, non ?

4. Il est parti en vacances avec un de ses amis.

5. Sa chambre est près de la nôtre.

6. Ne mets pas les coudes sur la table.

CORRIGÉ

1. She wanted to travel; he wanted to stay at home.
2. Did you tell him (*ou* her)?
3. Everybody was warned yesterday, weren't they?
4. He's gone on holiday with a friend of his (*ou* with one of his friends).
5. Her (*ou* His) room is next to ours.
6. Don't put your elbows on the table.

36 Génitif

▷ Est-ce que *yesterday*, *today* et *tomorrow* peuvent s'employer au génitif ?
▷ Comment dit-on « chez Joe » ?

GÉNÉRALITÉS

Nom au **singulier**	**'s**	my friend's car : la voiture de mon ami
Nom au pluriel **irrégulier**	**'s**	these men's cars : les voitures de ces hommes
Nom au pluriel **régulier**	**'**	my parents' car : la voiture de mes parents

Le génitif joue le même rôle vis-à-vis du nom que le déterminant possessif : *Paul's motorbike* / *his motorbike*.

■ Le **s** du génitif se prononce comme le *-s* du pluriel des noms (voir p. 79).

/s/ après les consonnes sourdes /f/, /k/, /p/, /t/ : *Chuck's* /tʃʌks/

/ɪz/ après /s/, /ʃ/, /z/, /dʒ/ : *Dickens's* /'dɪkɪnzɪz/

/z/ après les autres consonnes et toutes les voyelles : *Paul's* /pɔːlz/

■ On ajoute **'s** à un nom au singulier qui se termine par un *-s*.

- my boss's office
  le bureau de mon patron

- Chris's brother
  le frère de Chris

Avec les noms propres de personnes connues, on trouve **'s ou '**.

- Dickens's novels / Dickens' novels
  les romans de Dickens

- St James's Park / St James' Park
  le parc de St James

■ Le génitif peut s'ajouter à plusieurs mots.

- the queen of England's handbag
  le sac à main de la reine d'Angleterre

■ On rencontre parfois deux génitifs à la suite.

- my mother's boss's house
  la maison du patron de ma mère

- Le nom à droite du génitif peut être sous-entendu quand il vient d'être mentionné.

  - Whose games console is this? Is it Sophie's? [Sophie's~one~]
    À qui est cette console de jeu? Elle est à Sophie?

  Il est souvent sous-entendu lorsqu'il correspond à *church*, *cathedral*, *shop* ou *house*.

  - Saint-Paul's
    la cathédrale Saint-Paul

  - at Joe and Cathy's
    chez Joe et Cathy

> **NOTEZ BIEN**
>
> | Jeremy and Louisa's parents | Jeremy's and Louisa's parents |
> | --- | --- |
> | [Les parents de Jeremy et Louisa ; Jeremy et Louisa sont frère et sœur.] | [Les parents de Jeremy et ceux de Louisa ; Jeremy et Louisa ne sont pas frère et sœur.] |

NOMS EMPLOYÉS AU GÉNITIF

Seul un nombre limité de noms peuvent être employés au génitif.

- **Noms désignant des personnes, des institutions, des animaux, des lieux, des pays**

  - Peter Gabriel's concerts
    les concerts de Peter Gabriel

  - the government's approach
    la démarche du gouvernement

  - my cat's claws
    les griffes de mon chat

  - the world's biggest monuments
    les plus grands monuments du monde

  - India's exports
    les exportations de l'Inde

- **Noms liés à des activités humaines**

  - the film's dubbed version / the dubbed version of the film
    la version doublée du film

  - the plane's fuel tank / the fuel tank of the plane
    le réservoir de l'avion

  - a book's value / the value of a book
    la valeur d'un livre

  - art for art's sake
    l'art pour l'art

🞂 **Après une date**

- yesterday's papers
  les journaux d'hier

- Sunday's opening hours
  les heures d'ouverture du dimanche

- tomorrow's / next week's / next month's meeting
  la réunion de demain / de la semaine prochaine / du mois prochain

🞂 **Dans l'expression de la durée**

Cependant le nom composé est **plus fréquent.**

- I'll get **ten days'** leave in August. / I'll get **a ten-day** leave
  in August.
  J'aurai une permission de dix jours en août.

🞂 **Devant le nom** *worth*

- four pounds' **worth** of beef
  pour quatre livres de bœuf

- a dollar**'s worth** of sweets
  pour un dollar de bonbons

- I got my money**'s worth.**
  J'en ai eu pour mon argent.

🞂 **Pour désigner une sous-catégorie**

Le génitif est très proche d'un nom composé dans ce cas.

CATÉGORIE	SOUS-CATÉGORIE
clothes : des habits	children's clothes : des vêtements pour enfants
milk : du lait	sheep's milk : du lait de brebis
a hairdresser : un coiffeur	a ladies' hairdresser : un coiffeur pour dames

Dans ce type de génitif, l'accent principal est porté par le nom au génitif :
children est davantage accentué que *clothes* dans *children's clothes.*

L'adjectif se place **devant** le génitif et qualifie le deuxième nom :
a famous ladies' hairdresser : un coiffeur pour dames célèbre
(c'est le coiffeur qui est célèbre).

NOM + *OF* + NOM

🞂 Dans les autres cas, on emploie **nom +** *of* **+ nom.**

- the roof of the house
  le toit de la maison

- the love of money
  l'amour de l'argent
  ▸ **NOMS COMPOSÉS P. 85**

On trouve en particulier **nom + *of* + nom** :

Après des adjectifs substantivés : *the habits of the French* (~~the French's habits~~) ; *the fortune of the rich* (~~the rich's fortune~~). On peut dire *French people's habits* ; *rich people's fortune*.

Après un groupe nominal très long : *the arrival of the locally famous and revered Captain Blank* (l'arrivée du Capitaine Blank, célébrité locale et vénérée).

C'est en particulier le cas quand le nom du possesseur est suivi d'une relative.

- He's the brother of the guy I used to date.
  [~~the guy I used to date's brother~~]
  C'est le frère du gars avec qui je sortais.

Un nom au génitif équivaut souvent à « sujet + verbe ». Comparez.

- Matthew's photo [Matthew a pris la photo.]
- the photo of Matthew [Matthew est sur la photo.]

Une seule traduction en français : « la photo de Matthew ».

TRADUCTION EXPRESS

1. L'ordinateur de Daniel et celui de Mike sont en panne *(out of order)*.
2. Tu connais le nom de la fille de Charles ?
3. Tu peux en acheter chez le boulanger.
4. Le nouveau théâtre de Galway va ouvrir en mai.
5. Les pluies de l'été dernier ont causé beaucoup de dégâts.
6. C'est à deux heures de route d'ici.
7. Est-ce que tu connais le résultat du match ?
8. George n'est pas seulement un nom de garçon.

37 Chiffres, nombres, dates

▷ Comment dit-on « le 20 juillet 2019 » ?
▷ Comment dit-on « les dix premières personnes » ?

NOMBRES CARDINAUX ET ORDINAUX

CARDINAUX	ORDINAUX
1 one	1st first
2 two	2nd second
3 three	3rd third
4 four	4th fourth
5 five	5th fifth
6 six	6th sixth
7 seven	7th seventh
8 eight	8th eighth
9 nine	9th ninth
10 ten	10th tenth
11 eleven	11th eleventh
12 twelve	12th twelfth
13 thirteen	13th thirteenth
20 twenty	20th twentieth
21 twenty-one	21st twenty-first
22 twenty-two	22nd twenty-second
30 thirty	30th thirtieth
40 forty	40th fortieth
100 a/one hundred	100th hundredth
1000 a/one thousand	1000th thousandth
1,000,000 a/one million	1,000,000th millionth
1,000,000,000 a/one billion	1,000,000,000th billionth

Formation

On ajoute *-th* au nombre cardinal pour former les nombres ordinaux, sauf pour *one*, *two* et *three* (ordinaux : *first*, *second*, *third*).

Notez la prononciation de : *fifth* /fɪfθ/ (5ᵉ), *eighth* /eɪtθ/ (8ᵉ), *ninth* /naɪnθ/ (9ᵉ), *twelfth* /twelfθ/ (12ᵉ), et l'orthographe de *forty* (sans *u*) (40).

On utilise les ordinaux dans les fractions, sauf pour « quart » *(quarter)* et « demi » *(half)*.

- $^4/_5{}^e$: four fifths
  quatre cinquièmes

  $^3/_{10}{}^e$: three tenths
  trois dixièmes

- ½ : one half
  un demi

  ¾ : three quarters
  trois quarts

> **NOTEZ BIEN**
> Attention à l'ordre des mots avec *half*.
>
> **half an** hour
> une demi-heure
>
> **half the** night
> la moitié de la nuit
>
> an hour **and a half** *ou* one **and a half** hours
> une heure et demie

En anglais, le cardinal se place **après** l'ordinal et aussi après *last*, *next*, *other* et les quantifieurs. Comparez avec le français.

- the **first** twenty members
  les vingt premiers membres

- the **other** thousand dollars
  les mille autres dollars

- the **last** ten chapters
  les dix derniers chapitres

- the **next** few days
  les quelques jours à venir

■ LIRE LES CHIFFRES ET LES NOMBRES

« o » se dit *zero* /'zɪərəʊ/ ou comme *oh* /əʊ/. *Oh* s'emploie pour donner un numéro ou dans les dates. On emploie *zero* dans les autres cas.

- "How much is zero degrees Celsius in Fahrenheit?"
  "32 degrees."
  « Zéro degré Celsius, ça fait combien en Fahrenheit ? – 32 degrés. »

- My extension is 0499 in room 601.
  Mon poste est le 0499, chambre 601.
  [0499 : *oh four nine nine* ou *oh four double nine* en anglais britannique, *zero four nine nine* en anglais américain]
  [601 : *six oh one* en anglais britannique, *six zero one* en anglais américain]

▸ ZÉRO P. 411

◗ Les **décimales** se lisent chiffre par chiffre. On utilise un **point** devant les décimales et non une virgule comme en français.

- 6.55957 : six point five five nine five seven
  6,55957 : six virgule cinquante cinq mille neuf cent cinquante-sept

◗ On emploie *and* devant les dizaines et les unités. Les milliers (millions, milliards) sont séparés par une **virgule**.

- 356 : three hundred **and** fifty six [*And* est facultatif en anglais américain.]
- 1,001 : one thousand **and** one
- 1,000,020 : one million **and** twenty

◗ Quand un **nom** est suivi d'un **nombre,** on n'emploie pas l'article *the*, car le nombre joue le rôle d'un déterminant.

- chapter 15
  le chapitre 15
- Turn to page 65.
  Allez à la page 65.

◗ On emploie des ordinaux pour les noms de rois et de papes en anglais.

- Queen Elizabeth II : Queen Elizabeth the Second
- Pope Benedict XVI : Pope Benedict the Sixteenth

mais

- World War II : World War Two / the Second World War

DOZEN, HUNDRED, THOUSAND, MILLION, BILLION

◗ Ces mots sont **invariables** quand ils sont précédés d'un nombre ou de *few, several, many.*

- five hundred people
  cinq cents personnes
- several hundred volunteers
  plusieurs centaines de volontaires
- a few thousand years
  quelques milliers d'années

◗ Quand ils s'emploient comme des noms, au sens de « des centaines, des milliers, des millions de », ils prennent le **-s** du pluriel.

- hundred**s** of complaints
  des centaines de plaintes
- million**s** of animals
  des millions d'animaux

LIRE ET ÉCRIRE LES DATES

Les dates se lisent par groupes de deux chiffres.

- 1800 : eighteen hundred
- 1908 : nineteen oh eight **ou** nineteen hundred and eight
- 1980 : nineteen eighty **ou** nineteen hundred and eighty

mais

- 2000 : two thousand
- 2020 : two thousand and twenty **ou** twenty twenty

Les jours s'écrivent et se lisent de deux façons :

- 27 **ou** 27th May 1999 [plutôt britannique]
  → **the** twenty-seven**th of** May, nineteen ninety-nine
- May 27, 1999 [plutôt américain]
  → May **the** twenty-seven**th**, nineteen ninety-nine

NOTEZ BIEN
2.9.18 ou *2/9/18* signifie le 2 septembre 2018 en anglais britannique et le 9 février 2018 en anglais américain.

TRADUCTION EXPRESS

1. Nous attendons deux cents personnes.
2. Elle a trois ans et demi.
3. Les quelques premiers jours ont été très difficiles.
4. Des millions de civils ont été tués pendant la Première Guerre mondiale.
5. Il arrive le 9 décembre.
6. Relis la page 2 et dis-moi ce que tu en penses.

CORRIGÉ
1. We are expecting two hundred people.
2. She is three and a half.
3. The first few days were very hard.
4. Millions of civilians were killed during the First World War (World War I).
5. He will arrive on December 9 (ninth).
6. Read page two again and tell me what you think of it.

1980   2000   2015

38 Pronoms réfléchis et réciproques

▷ Quelle différence y a-t-il entre *She was looking at herself* et *She was looking at her*?
▷ Et entre *They love each other* et *They love themselves*?

■ PRONOMS RÉFLÉCHIS

> myself yourself himself, herself, itself   ourselves yourselves themselves
> [*yourself* = une personne, *yourselves* = plusieurs personnes]

> **NOTEZ BIEN**
> C'est toujours la syllabe **-self** qui est accentuée dans ces mots.

━ On parle d'«image réfléchie» quand on voit sa propre image dans un miroir. Un pronom réfléchi est un pronom qui renvoie à une personne déjà mentionnée.

- **He** was looking at **himself** in the mirror.
  Il se regardait dans le miroir.
  [*He [John] was looking at him* signifierait que John regardait un autre homme.]

━ Un pronom réfléchi se traduit très souvent par «**se** (+ verbe)»:
burn oneself (se brûler), *clean oneself* (se nettoyer),
cut oneself (se couper), *defend oneself* (se défendre),
help oneself (se servir), *look at oneself* (se regarder),
talk to oneself (se parler), *wash (oneself)* (se laver).

━ Inversement, «se + verbe» ne se traduit pas toujours par un pronom réfléchi: *get bored* (s'ennuyer), *relax* (se détendre).

▸ SE + VERBE P. 398

- First we shaved, then we washed (ourselves) in cold water.
  Finally we dried ourselves with wet towels!
  D'abord nous nous rasions, puis nous nous lavions à l'eau froide. Pour terminer, nous nous essuyions avec des serviettes mouillées!

━ Le pronom réfléchi peut aussi se traduire par «moi-même, toi-même, lui-même...». Il a alors valeur d'**insistance**.

- Do it yourselves.   I'll open it myself.
  Faites-le vous-mêmes.   Je vais l'ouvrir moi-même.

> **NOTEZ BIEN**
> **By** + pronom réfléchi: «seul».
> I was **by myself** (*ou* on my own) when it happened.
> J'étais seul quand ça s'est produit.

➥ À l'infinitif, on trouve *oneself* (surtout dans les dictionnaires) :
hurt oneself (se blesser).

➥ Ne confondez pas *kill oneself* (se tuer = se suicider) et *be killed* (se tuer
accidentellement).

■ PRONOMS RÉCIPROQUES

➥ Les pronoms réciproques expriment l'idée de « mutuellement »
(l'un l'autre ; les uns les autres). *Each other* et *one another* s'utilisent
de la même façon, mais ***each other*** est plus fréquent.

- We love each other but we don't tell each other everything.
  Nous nous aimons mais nous ne nous disons pas tout.

➥ Ils peuvent se mettre au génitif.

- They've forgotten each other's names!
  Chacun a oublié le nom de l'autre !

> **NOTEZ BIEN**
> Ne confondez pas.
>
> | | |
> |---|---|
> | They love each other. | They love themselves. |
> | Ils s'aiment. | Ils s'aiment. |
> | [Amour réciproque ; l'un l'autre.] | [Chacun aime sa propre personne.] |

➥ Certains verbes anglais incluent d'eux-mêmes l'idée de réciprocité.
On ne les emploie donc pas avec *each other* / *one another* :
fight (se battre), *meet* (se rencontrer).   ▸ SE + VERBE P. 398
                                                 ▸ *GET* ET LE PASSIF P. 33

TRADUCTION EXPRESS

1. Servez-vous.
2. Détends-toi, tout va bien se passer.
3. Je ne sais plus quand on s'est rencontrés.
4. Vous vous écrivez souvent ?
5. Ils se battent souvent parce qu'ils s'ennuient.
6. Elle ne sait pas se défendre.

CORRIGÉ
1. Help yourself. / Help yourselves.
2. Relax, everything is going to be all right.
3. I don't (*ou* can't) remember when we met.
4. Do you often write to each other?
5. They often fight because they get bored.
6. She does not know how to defend herself.

39 Nature des adjectifs

▷ Comment traduire « intéressé » : *interested* ou *interesting* ?
Et « déprimé » : *depressed* ou *depressing* ?
▷ Comment dit-on « les jeunes » ? Et « un jeune » ?

FORMATION

Les adjectifs sont invariables : jamais de -**s** au pluriel. La plupart des adjectifs sont des mots simples : *big, nice, small.*

Adjectifs en -*ed* et -*ing*

Certains adjectifs sont formés à partir du **participe passé** ou du **participe présent** (V-*ing*).

Les adjectifs en -*ed* ont un sens **passif** ; ceux en -*ing* ont un sens **actif**.

ADJECTIFS EN -*ED*	ADJECTIFS EN -*ING*
amazed : stupéfait	amazing : extraordinaire, stupéfiant
astonished : surpris	astonishing : surprenant
disgusted : dégoûté	disgusting : dégoûtant
interested : intéressé	interesting : intéressant
bored : qui s'ennuie	boring : ennuyeux
depressed : déprimé	depressing : déprimant
fascinated : fasciné	fascinating : fascinant
worried : soucieux	worrying : inquiétant

Adjectifs composés

FORMATION	EXEMPLES
adjectif + adjectif	dark grey : gris foncé
adjectif + participe passé	newborn : nouveau-né
adjectif + nom + -*ed*	narrow-minded : étroit d'esprit
adjectif + verbe + -*ing*	easy-going : facile à vivre
adverbe + participe passé	well-known : bien connu
nom + verbe + -*ing*	time-consuming : qui prend du temps
nom + nom + -*ed*	bow-legged : aux jambes arquées
participe passé + nom + -*ed*	broken-hearted : au cœur brisé
nom + adjectif	navy blue : bleu marine

ADJECTIFS SUBSTANTIVÉS

Certains adjectifs sont employés comme des **noms**. Ils sont précédés de l'article *the* et désignent un **groupe humain**. Ils ne prennent pas le **-s** du pluriel mais sont suivis d'un **verbe au pluriel**.

the blind les aveugles	the injured les blessés	the rich les riches
the dead les morts	the old les vieux	the sick les malades
the handicapped les handicapés	the poor les pauvres	the young les jeunes

- The unemployed **are** unhappy with these measures.
  Les chômeurs sont mécontents de ces mesures.

Pour désigner un **individu** au sein de ces groupes, on utilise *a* + **adjectif** + *man / woman / person*.

a dead person un mort	an unemployed person un chômeur	a blind man / woman un / une aveugle

Pour désigner plusieurs personnes, on a recours à **adjectif** + *people*.

- the young people in my street
  les jeunes de ma rue

Les adjectifs *black* et *white* ont un comportement particulier.

- the blacks / the whites [-s du pluriel]
  les noirs / les blancs

A black / a white et *the blacks / the whites* sont de plus en plus souvent considérés comme très péjoratifs. Aux États-Unis, pour dire « un noir », on dit de plus en plus *an African American*.

TRADUCTION EXPRESS

1. Venise est une ville stupéfiante.
2. La hausse *(rise)* de la criminalité est inquiétante.
3. Qu'est-ce qu'il y a ? Tu as l'air soucieux.
4. Ce théâtre est accessible aux handicapés.
5. Le blessé a été transporté d'urgence *(rush)* à l'hôpital.
6. Ces jeunes trouveront facilement un emploi.

CORRIGÉ
1. Venice is an amazing city.
2. The rise in crime is worrying.
3. What's the matter? You look worried.
4. This theatre is accessible to the handicapped.
5. The injured man was rushed to (the) hospital.
6. These young people will easily get a job.

▷ Est-ce que « content » dans « un homme content »
peut se traduire par *glad* ?

ÉPITHÈTES ET ATTRIBUTS : DÉFINITION

Les adjectifs **épithètes** modifient directement le nom. On les oppose
aux adjectifs **attributs**, qui sont reliés au nom par l'intermédiaire
d'un verbe (*be, appear, become, feel, look, seem, taste*...).

NOTEZ BIEN
Retenez les deux sens de *sorry*, selon qu'il est attribut ou épithète.

I'm sorry.	a sorry sight	in a sorry state
Je suis désolé(e).	un triste spectacle	en piteux état

ÉPITHÈTES : PLACE

➡ L'adjectif épithète se place **avant le nom**, même lorsqu'il est modifié par
un adverbe comme *very*.

- It's a funny film. / It's a very funny film.
  C'est un film (très) drôle.

➡ Dans de rares cas, l'adjectif épithète se place **après le nom**.

Expressions figées, calquées sur le français.

- the secretary general
  le secrétaire général

- from / since time immemorial
  de temps immémorial

Relative sous-entendue entre le nom et l'adjectif, en particulier avec les
adjectifs en *-able* / *-ible* : *available* (disponible), *conceivable*
(concevable), *possible* (possible), *responsible* (responsable), *suitable*
(convenable), mais aussi *concerned*, *present* et *proper*.

- All the parents **available** (who were available) participated.
  Tous les parents disponibles ont participé.

NOTEZ BIEN
the present ministers (les ministres actuels) mais the ministers present
= the ministers who were present (les ministres présents)

- On trouve l'ordre *as* / *how* / *so* / *too* + adjectif + *a* + nom.
  - I got **as big a rise** as you.
    J'ai eu une augmentation aussi importante que toi.
  - Things are moving at **too slow a pace**.
    Les choses avancent à une allure trop lente.

  NOTEZ BIEN
  Retenez la place de *quite* et *rather* avec un adjectif.
  It's **a rather good** song. / It's **rather a good** song.
  It's **quite a good** song (~~a quite good song~~).
  Elle est plutôt bonne, cette chanson.

ÉPITHÈTES : ORDRE

- L'ordre va **du plus subjectif** (le plus loin à gauche du nom) **au plus objectif** (le plus près à gauche du nom).

JUGEMENT	TAILLE	ÂGE	COULEUR	ORIGINE	MATIÈRE	NOM
clever	big	old	black	American		guy
lovely	small		brown	Belgian	wooden	toy

Retenez l'ordre : Jugement + TACOM (Taille Âge Couleur Origine Matière).

- S'il y a plus de deux adjectifs, ils sont souvent séparés par des virgules, sauf s'ils sont courts.
  - a nice little red car
    une jolie petite voiture rouge
  - a stupid, incompetent, lazy creep
    un pauvre type stupide, incompétent et paresseux

- Si deux adjectifs décrivent deux parties différentes d'un même élément, ils sont reliés par *and* : *a black and white cat* (un chat noir et blanc).

ADJECTIFS UNIQUEMENT ÉPITHÈTES

Certains adjectifs de degré ne sont jamais attributs : *bare* (strict), *chief* / *main* (principal), *mere* / *sheer* (pur et simple), *utter* (absolu).

- a mere coincidence
  une pure coïncidence
- sheer madness
  de la folie pure

the bare minimum
le strict minimum

an utter fool
un parfait imbécile

ADJECTIFS ATTRIBUTS

▸ Certains adjectifs ne sont qu'attributs, notamment ceux en *a-*.

SEULEMENT ATTRIBUTS	ÉQUIVALENTS ÉPITHÈTES
afraid : apeuré	frightened
alive : vivant	living / live
alone : seul	lonely : solitaire
asleep : endormi	sleeping
aware : conscient	conscious
content : satisfait	satisfied
cross : en colère	angry
drunk : ivre	drunken
glad / pleased : content	happy
ill : malade	sick
well : en bonne santé	healthy / fit

▸ Lorsque plusieurs adjectifs attributs se suivent, le dernier est souvent précédé de *and*.

- The film was long, boring and pretentious.
  Le film était long, rasoir et prétentieux.

NOTEZ BIEN

La structure *nice and...* signifie que quelque chose est agréable.
It's nice and warm. / It's nice and peaceful.
Il fait bon. / C'est tellement paisible.

▸ Les adjectifs attributs peuvent être suivis d'une **préposition + complément**.

- I feel very close to my sister.
  Je me sens très proche de ma sœur.

- Yellowstone, which is famous for its geysers, has been a National Park since 1872.
  Yellowstone, qui est célèbre pour ses geysers, est Parc National depuis 1872.

▸ **Quelques adjectifs suivis d'une préposition**

Adjectif + *about* : *angry* (mécontent), *happy* (heureux), *upset* (bouleversé)

Adjectif + *at* : *angry* / *mad* (en colère), *bad* (mauvais), *brilliant* (brillant)

Adjectif + *at* / *by* : *astonished* (stupéfait), *disgusted* (écœuré)

Adjectif + *for* : *famous* (célèbre), *responsible* (responsable)

Adjectif + *from* : *absent* (absent), *different* (différent)

Adjectif + *in* : *interested* (intéressé), *disappointed* (déçu)

Adjectif + *of* : *afraid* (effrayé), *jealous* (jaloux), *proud* (fier)

Adjectif + *on* : *keen* (enthousiasmé), *dependent* (dépendant)

Adjectif + *to* : *close* (proche), *grateful* (reconnaissant), *married* (marié)

Adjectif + *with* : *pleased* (heureux), *satisfied*

Adjectif + *with sb for sth* : *angry* (mécontent), *furious* (furieux)

▸ **VERBES + PRÉPOSITION P. 60**

La préposition est parfois différente quand elle est suivie d'un nom de personne. On emploie souvent **with + nom de personne.**

- angry, annoyed, furious, happy, pleased **about sth**

mais angry, annoyed, furious, happy, pleased **with sb**

- disgusted **by sth**

mais disgusted **with sb**

Lorsqu'on veut utiliser un verbe après une préposition, celui-ci apparaît à la forme **V-*ing*** (voir p. 156).

- I'm fed up **with ironing** your shirts.
  J'en ai assez de repasser tes chemises.

TRADUCTION EXPRESS

1. Les journalistes présents ont été rapatriés.
2. Nous discuterons de ce point très important plus tard.
3. Elle a un grand chien noir très gentil.
4. Il s'occupe de *(look after)* son frère malade.
5. Je ne suis pas très heureuse de sa décision.
6. Il est responsable du nouveau personnel *(staff)*.
7. Je ne suis pas très enthousiasmée par cette idée.
8. Elle est dégoûtée de sa conduite *(behaviour)*.

CORRIGÉ

1. The journalists present were repatriated.
2. We will discuss this very important point later.
3. She's got a very nice big black dog.
4. He looks after his sick brother.
5. I am not very pleased (*or* happy) about his (*or* her) decision.
6. He is responsible for the new staff.
7. I am not very keen on this idea.
8. She is disgusted by his (*or* her) behaviour.

128   BESCHERELLE ▸ l'anglais pour tous

41 Adjectifs et noms de nationalité

▷ Comment dit-on « un Anglais, une Anglaise, des Anglais, cinq Anglais, les Anglais » ?

En anglais, l'adjectif de nationalité peut être différent du nom :
Spanish, *English* (adjectifs) ; *a Spaniard*, *an Englishman* (noms).
On emploie une majuscule à la fois pour les noms et les adjectifs
de nationalité.   ▸ NATIONALITÉS EN PAGES DE GARDE

ADJECTIFS EN -*SH* OU -*CH*

PAYS	ADJECTIF	UN...	DES...	LES...
Britain	British	a British person	(some) British people	the British

- Les noms -*man* et -*woman* sont collés à l'adjectif.

  - Six English people / Six Englishmen talked to me.
    Six Anglais m'ont parlé.

  - Some English people talked to me.
    Des Anglais m'ont parlé.

- Le nom *Briton* (Britannique) s'emploie surtout dans la presse.

  - 5,000 Britons fled the city.
    5 000 Britanniques ont fui la ville.

  - The English are also British.
    Les Anglais sont aussi britanniques.
    [Pas de –s à *English* ; le verbe est au pluriel.]

ADJECTIFS EN -*ESE* ET *SWISS* (SUISSE)

PAYS	ADJECTIF	UN...	LES...
Japan	Japanese	a Japanese	the Japanese

NOTEZ BIEN
Employés comme noms, ils ne prennent pas de -**s** au pluriel.
5,000 Japanese were present.
5,000 Japanese people were present.

ADJECTIFS EN -*AN*

PAYS OU ZONE GÉOGRAPHIQUE	ADJECTIF	UN...	LES... -S DU PLURIEL
Europe	European	a European	the Europeans

- three Europeans
  trois Européens

ADJECTIFS DIFFÉRENTS DU NOM

PAYS	ADJECTIF	UN...	LES... -S DU PLURIEL
Scotland	Scottish	a Scot	the Scots

NOTEZ BIEN

On dit : *Jewish* (juif), *a Jew* (un juif), *the Jews* (les juifs).

L'adjectif *Scotch* s'emploie presque uniquement pour le whisky :
Scotch whisky (le whisky écossais) ; 50 Écossais → *50 Scots*.

Arabic s'emploie surtout pour la langue (*I speak Arabic*). Autrement, on
utilise l'adjectif *Arab*. Notez *the Arabian Nights* (*Les Mille et Une Nuits*) ;
the Arabian Sea (la Mer d'Arabie).

TRADUCTION EXPRESS

1. Cet Australien est né en Irlande.
2. J'ai rencontré quelques Gallois très sympathiques pendant les vacances.
3. Il a un fort (*thick*) accent allemand.
4. Le sirop d'érable (*maple*) canadien est vraiment le meilleur.
5. Je connais un Néo-Zélandais qui ne joue pas au rugby.
6. Le gouvernement israélien a publié un nouveau communiqué.

CORRIGÉ
1. This Australian was born in Ireland.
2. I met some very friendly Welsh people during the holidays.
3. He has a thick (*ou* strong) German accent.
4. Canadian maple syrup is really the best.
5. I know a New Zealander who does not play rugby.
6. The Israeli government has issued a new communiqué.

42 Comparatifs

▷ Comment traduit-on « que » dans « aussi... que... » ?
▷ Comment dit-on « trois fois moins que » ?
▷ Comment traduire « Plus je te vois, plus je t'aime » ?

COMPARATIFS D'ÉGALITÉ

As... as : « aussi... que »

- I'm **as** tall **as** you / **as** my brother.
  Je suis aussi grand que toi / que mon frère.

- I can do it **as** quickly **as** you (can).
  Je peux le faire aussi vite que toi.

> **NOTEZ BIEN**
> Quand **as** est suivi d'un **pronom personnel,** on a soit un pronom
> complément, soit un pronom sujet + auxiliaire.
> You're as late as **me**. / You're as late as **I am**.
> Tu es aussi en retard que moi.

Not as (ou so)... as : « pas aussi... que »

- Ben is **not as** (*ou* so) tall **as** Corrie.
  Ben n'est pas aussi grand que Corrie.

> **NOTEZ BIEN**
> On trouve aussi **as** dans **the same... as** (le même que).
> I have the same jacket and the same sneakers as you.
> J'ai la même veste et les mêmes baskets que toi.

As much + singulier / many + pluriel... as : « autant de... que »

- We have **as much work** but not **as many customers**.
  Nous avons autant de travail mais pas autant de clients.

As much as : « autant que »

- They eat **as much as** you.
  Ils mangent autant que toi.

Twice as much as : « deux fois plus que »

- I earn twice as much as you. [~~twice more~~]
  Je gagne deux fois plus que toi.

À partir de **3,** on dit : *three times as much as* ou *three times more than*.

- I earn ten **times as much as** you / ten **times more than** you.

Half as much / many as : « deux fois moins que »
A third as much / many as : « trois fois moins que »

- They guard the borders with **one tenth as many people as** are in New York.
  Ils gardent les frontières avec **dix fois moins de** monde qu'à New York.

▸ *So much* (tellement) p. 103
▸ Aussi, autant p. 312-313

COMPARATIFS DE SUPÉRIORITÉ

More / -er… than : « plus… que »
On ajoute *-er* aux adjectifs courts. Les adjectifs longs se construisent avec *more*.

Adjectifs courts (adjectifs d'une syllabe ou adjectifs de deux syllabes se terminant par *-y*) : *strong → stronger, small → smaller, happy → happier.*

Adjectifs longs (adjectifs de deux syllabes, sauf ceux en *-y*, ou plus) : *more patient, more polite, more intelligent, more beautiful.*

- New York is bigg**er than** San Francisco and **more** cosmopolitan.
  New York est plus grand que San Francisco et plus cosmopolite.

Notez bien
Attention à bien employer *than* et non *that* après les comparatifs de supériorité.

Modifications orthographiques avant *-er*

-y final → *-i* s'il est précédé d'une consonne : *pretty → prettier, easy → easier.*

Doublement de la consonne finale dans les adjectifs d'une syllabe sauf si deux voyelles précèdent la consonne finale : *big → bigger, fat → fatter* **mais** *sweet → sweeter, great → greater.*

Comparatifs irréguliers

good, well → better bon, bien → meilleur	far → further, farther loin → plus loin
bad → worse mauvais → plus mauvais, pire	old → elder ou old → older (régulier) l'aîné de deux plus vieux

NOTEZ BIEN

Further et *farther* signifient « plus loin » (distance). Mais *further* signifie aussi « davantage, supplémentaire » : *for further information* (pour de plus amples renseignements).

The former : le premier, *the latter* : le dernier.

Of my two husbands, the former was more attractive, but the latter more intelligent.
De mes deux maris, le premier était plus attirant, mais le dernier était plus intelligent.

▸ **PLUS P. 380-382**

COMPARATIFS DE SUPÉRIORITÉ : CAS PARTICULIERS

The more..., the more... : « plus..., plus... »
On a systématiquement *the... the...* en anglais.

- The more I hear her, the more I like her.
  Plus je l'entends, plus je l'apprécie.

- The more he concentrates, the faster he finishes.
  Plus il se concentre, plus vite il finit.

NOTEZ BIEN

« Moins... moins... » se dit *the less..., the less...*

The less I see them, the less I want to see them.
Moins je les vois, moins j'ai envie de les voir.

All the more / -er (as / because / since) : « d'autant plus (que) »

- I'm all the happier as / because / since I didn't expect it.
  Je suis d'autant plus heureuse que je ne m'y attendais pas.

NOTEZ BIEN

So much the better!
Tant mieux !

▸ **PLUS P. 380-382**

COMPARATIFS D'INFÉRIORITÉ

Less... than : « moins... que »
Less... than ne s'emploie pas autant que « moins... que ».
On préfère souvent utiliser *not as (not so)... as*.

- This one is less expensive than that one.

- This one is **not as** (*ou* so) expensive **as** that one.
  Celui-ci est moins cher que celui-là.

■● *Less* + singulier, *fewer / less* + pluriel : « moins de »

● I've got less time than you and fewer (*ou* less) friends too.
J'ai moins de temps que toi et aussi moins d'amis.

NOTEZ BIEN
À l'écrit, on préfère *fewer* + pluriel mais à l'oral *less* + pluriel s'impose de plus en plus.

■● *Less and less* + singulier / *fewer and fewer* + pluriel : « de moins en moins de »

● I've got less and less time and fewer and fewer friends.
J'ai de moins en moins de temps et de moins en moins d'amis.

■● *Less and less* : « de moins en moins »

● We go out less and less.
Nous sortons de moins en moins.

● They are less and less tolerant.
Ils sont de moins en moins tolérants.

On évite *less and less* devant les adjectifs **courts**.

▸ **MOINS P. 365-367**

TRADUCTION EXPRESS

1. Elle n'est pas aussi jeune qu'elle en a l'air.
2. Mon anniversaire est le même jour que le sien.
3. Elle gagne deux fois moins d'argent que lui.
4. C'est deux fois plus cher qu'au supermarché.
5. On ne pourrait pas aller dans un endroit plus calme ?
6. Plus elle attendait, plus elle s'inquiétait.
7. Moins tu auras de bagages, mieux ce sera.
8. C'est plus loin que je ne pensais.

CORRIGÉ
1. She is not as young as she looks (*ou* not so young as she looks).
2. My birthday is the same day as his (*ou* hers).
3. She earns half as much as him.
4. It is twice as expensive as at the supermarket.
5. Couldn't we go somewhere quieter (*ou* more quiet)?
6. The more (*ou* The longer) she waited, the more worried she got.
7. The less luggage you have, the better it will be.
8. It is further (*ou* farther) than I thought.

43 Superlatifs

▷ Comment dit-on « le meilleur », « le pire », « le plus loin » ?
▷ « C'est Ron qui nage le plus vite » se dit-il *Ron swims fastest*
ou *the fastest* ?

SUPERLATIFS DE SUPÉRIORITÉ

● On ajoute -*est* aux adjectifs courts. Les adjectifs longs se construisent
avec **the most**.

- It is the largest and most fascinating city I've ever seen.
  C'est la ville la plus grande et la plus fascinante que j'aie jamais vue.

> ▸ **ADJECTIFS COURTS ET ADJECTIFS LONGS P. 132**
> ▸ **MODIFICATIONS ORTHOGRAPHIQUES P. 132**

● **Superlatifs irréguliers**

good, well → the best le meilleur	old → the eldest l'aîné de plusieurs	old → the oldest le plus vieux
bad → the worst le plus mauvais, le pire	far → the furthest, the farthest le plus loin	

● Après un superlatif, on trouve *in* + lieu ou groupe de personnes
et *of* dans les autres cas.

- the best student **in** the class
  le meilleur élève de la classe

- the worst birthday **of** my life
  le pire anniversaire de ma vie

● Quand on compare deux éléments, on utilise plutôt le **comparatif**
après *the*.

- She's the younger of the two.
  Elle est la plus jeune des deux.
  [*the youngest of the two* très oral]

● On trouve aussi le comparatif quand on compare une partie à une autre
ou un groupe à un autre.

- There are two groups: the slower hikers are on the left.
  Il y a deux groupes : les randonneurs les plus lents sont à gauche.

> **NOTEZ BIEN**
>
> | the upper class | sooner or later | the younger generation |
> |---|---|---|
> | la haute société | tôt ou tard | la jeune génération |

SUPERLATIFS D'INFÉRIORITÉ

The least : « le moins »

- This is the least attractive city I've ever visited.
  C'est la ville la moins attirante que j'aie jamais visitée.

NOTEZ BIEN
On évite d'employer *the least* avec des adjectifs courts :
« le moins grand » → *the shortest* et non *the least tall*.

As little / few... as possible : « le moins... possible »

- I see them as little as possible.
  Je les vois le moins possible.

- His latest essay is entitled "Kill as few patients as possible".
  Son dernier essai s'intitule « Tuez le moins de patients possible ».

NOTEZ BIEN
Retenez *at least* (au moins).

SUPERLATIFS EMPLOYÉS COMME ADVERBES

Un superlatif peut être employé comme **adverbe**, en particulier *the best*, *the least* et *the most*. Parfois *the* n'apparaît pas à l'oral.

- This is what I like (the) least / (the) best / (the) most.
  C'est ce que j'aime le moins / le plus.

- She swims (the) fastest.
  C'est elle qui nage le plus vite.

TRADUCTION EXPRESS

1. Avril a été le mois le plus chaud de l'année.
2. Tu as choisi le pire moment pour le leur dire.
3. Elle a deux filles : l'aînée est la plus douée.
4. Ils travaillent le moins possible.
5. C'est l'hôtel le moins cher de la ville.
6. Il a du mal à comprendre la jeune génération.

CORRIGÉ
1. April was the hottest month of the year.
2. You chose the worst moment to tell them.
3. She's got two daughters: the elder is the more gifted.
4. They work as little as possible.
5. It's the cheapest hotel in (the) town.
6. He finds it hard to understand the younger generation.

Phrases affirmatives et négatives

▷ Pour traduire : « C'est aujourd'hui que... », peut-on dire
   It is today that... ?
▷ Comment dire : « À peine étais-je rentré que... » ?

ORDRE DES MOTS DANS LES AFFIRMATIVES

■ L'ordre des mots est le même qu'en français. On a tendance à mettre vers la fin l'information importante de la phrase.

● I'm staying home **today**.
  Je reste à la maison aujourd'hui.

● Today I'm staying **home**.
  Aujourd'hui, je reste à la maison.

■ Généralement, on énonce d'abord le **lieu**, puis le **temps**.

● I'll meet you at the station at 5 for sure.
  Je te retrouverai à 5 heures à la gare sans faute.

■ Comme en français, on peut mettre des mots en relief à l'aide de *It is...* (« C'est... »). À la différence du français, on utilise *it was...* (et non *It is*), si l'événement est rapporté au prétérit.

● It's here that I live.
  C'est ici que j'habite.

● It **was** with you that I **saw** that film.
  C'est avec toi que j'ai vu ce film.

■ Cependant, on préfère mettre un mot en relief en **l'accentuant** (on le souligne à l'écrit) : John works here ; I live here ; I saw it with you.

▶ C'EST MOI QUI P. 321

> **NOTEZ BIEN**
> En français, le sujet vient **après** le verbe dans certaines subordonnées, dans des relatives et après « peut-être ». On garde l'ordre sujet + verbe en anglais.
>
> I wonder how the Australians do it.
> Je me demande comment font les Australiens.
>
> Maybe I'm wrong.
> Peut-être ai-je tort.

ORDRE DES MOTS DANS LES NÉGATIVES

▶ Un auxiliaire (ou un modal) est **obligatoire** dans la phrase négative. L'ordre des mots est **sujet + auxiliaire +** *not* **+ verbe**.

- We **don't** want to stay.
  Nous ne voulons pas rester.

▶ Il ne peut y avoir **qu'une négation** dans une phrase. Lorsqu'on emploie un mot négatif comme *never, nobody, nothing, nowhere,* le verbe est à la forme **affirmative**.

- I've never been to Japan.
  Je ne suis jamais allé au Japon.

- I can go nowhere.
  Je ne peux aller nulle part.

▶ Dans un style formel, lorsqu'une phrase commence par un **adverbe négatif** ou restrictif, l'ordre des mots est **adverbe + auxiliaire + sujet**.

- Not only **did you** snub us but you didn't even say goodbye.
  Non seulement tu nous as snobés, mais tu n'as même pas dit au revoir.

Adverbes négatifs : *at no time* (à aucun moment), *no sooner* (à peine), *never* (jamais), *not only* (non seulement)...

Adverbes restrictifs : *hardly* (à peine), *only* (seulement), *scarcely* (à peine), *seldom* (rarement)...

▶ « À peine... que » se dit *hardly... when* ou *no sooner... than.*

- **Hardly** had I got home **when** they arrived.
- **No sooner** had I got home **than** they arrived.
  À peine étais-je rentré qu'ils sont arrivés.

▶ *HARDLY* (QUANTIFIEUR) P. 98

TRADUCTION EXPRESS

1. Peut-être est-il amoureux.
2. Personne ne sait ce qui leur est arrivé.
3. C'est seulement à ce moment-là qu'elle leur a dit la vérité.
4. Il ne se passe jamais rien dans ce village.
5. À peine avait-il raccroché *(hang up)* que le téléphone sonna de nouveau.

45 Interrogation

> ▷ *How* se traduit le plus souvent par « comment ».
> Mais comment traduire *how long, how much, how old, how far...* ?

INTERROGATION DIRECTE

➤ S'il n'y a pas de mot interrogatif, l'ordre est **auxiliaire** (ou modal) **+ sujet + verbe**. L'intonation est **montante**.

- Did you like the film?
  Tu as aimé le film ?

- Are you leaving?
  Tu t'en vas ?

➤ **Avec un mot interrogatif**, l'ordre est **interrogatif + auxiliaire + sujet**. L'intonation est **descendante**, comme dans une phrase affirmative.

INTERROGATIF	AUXILIAIRE	SUJET	VERBE
What	were	you	doing there?
Who	did	they	talk to?
Where	will	she	go?

➤ Si le mot interrogatif est **sujet**, on n'utilise pas l'auxiliaire *do*.

- What happened?
  Qu'est-ce qui s'est passé ? [*What* est sujet de *happened*.]

- Who wants some more meat?
  Qui veut un peu plus de viande ? [*Who* est sujet de *wants*.]

➤ Les **prépositions** se placent habituellement **à la fin de la question**.

- What are you thinking **about**?
  À quoi penses-tu ?

- Who does it depend **on**?
  Ça dépend de qui ?

➤ L'interro-négation combine interrogation et négation, en suivant l'ordre **auxiliaire + *not* + sujet**. Une question à la forme interro-négative sert surtout à exprimer l'étonnement, bien plus qu'en français.

- Aren't you happy?
  Vous n'êtes pas heureux ? (Comment ? Vous n'êtes pas heureux ?)

- Don't you want to see your mother?
  Tu ne veux pas voir ta mère ?

INTERROGATIFS EN *WH-* ET *HOW*

what	where	who(m)	why
que	où	qui	pourquoi
when	which	whose	how
quand	quel	à qui	comment

▶ *What* + nom et *which* + nom se traduisent par « quel ». Avec *which*, le choix est restreint.

- What colour is the sky?
  De quelle couleur est le ciel ?

- Which colour do you prefer: red or blue?
  Quelle couleur préfères-tu : le rouge ou le bleu ?

> **NOTEZ BIEN**
> Ne confondez pas *What is your father like?* (Il est comment, ton père ?)
> et *How is your father?* (Comment va ton père ?).

▶ *What about* + V-*ing* (ou *how about* + V-*ing*) correspond à « Et si… ? »

- What about eating out?
  Et si on allait au restaurant ?   ▸ ET SI … ? P. 400

▶ En anglais contemporain, *whom* ne s'emploie qu'**après une préposition**.

- Who did you talk to? / To whom did you talk? [rare]
  À qui as-tu parlé ?

▶ *Whose* sert à demander à qui appartient quelque chose.

- Whose video game is this? / Whose is this video game?
  À qui appartient ce jeu vidéo ?

▶ *What* pronom signifie « (qu'est-ce) que ? ». *Which* pronom ou suivi de *one(s)* signifie « lequel ? ».

- What do you want?
  Qu'est-ce que tu veux ?

- Which (one) do you want? Which ones do you want?
  Lequel veux-tu ? Lesquels veux-tu ?

> **NOTEZ BIEN**
> Pour exprimer la surprise, on utilise *ever* après les mots interrogatifs.
> **Who ever** told you that?
> Mais qui a bien pu te dire ça ?
> **Where ever** can they be?
> Mais où diable peuvent-ils être ?

INTERROGATIFS AVEC *HOW*

● ***How much* + singulier / *How many* + pluriel : «combien?»**

- How many pets have you got?
  Combien d'animaux domestiques as-tu?

- How much is it?
  Combien ça coûte?

● ***How many times* : «combien de fois?»**

- How many times did you call?
  Combien de fois as-tu appelé?

● ***How often* : «tous les combien?»**

- How often do you go to London?
  Tu vas souvent à Londres? (Tous les combien vas-tu à Londres?)

● ***How long ago* : «il y a combien de temps?»**

- How long ago did they move out?
  Il y a combien de temps qu'ils ont déménagé?

● ***How long* + present perfect ou past perfect : «depuis combien de temps?»**

- How long have you been together?
  Depuis combien de temps êtes-vous ensemble?

- How long had you been together?
  Vous étiez ensemble depuis combien de temps?

● ***How long* + prétérit ou présent : «pendant combien de temps?»**

- How long did you live in Germany?
  Pendant combien de temps as-tu vécu en Allemagne?

- How long are you here for?
  Tu es ici pour combien de temps?

● ***How* + adjectif**

- How **old** are you?
  Quel âge as tu?

- How **tall** is she?
  Combien mesure-t-elle?

- How **high** is this tower?
  Quelle est la hauteur de cette tour?

- How **far** is it?
  C'est à quelle distance?

> **NOTEZ BIEN**
> On trouve de nombreux autres adjectifs après *how* : *how **wide**, how **small**, how **long**...*

INTERROGATION INDIRECTE

INTERROGATION DIRECTE	INTERROGATION INDIRECTE
Are you English?	She asked me if I was English.
Do you like it?	She asked me if I liked it.
[ordre auxiliaire + sujet]	[ordre sujet + verbe]

● L'interrogation **indirecte** suit l'ordre de la phrase affirmative : **sujet + verbe**. On n'emploie pas *do / did*. Il n'y a pas de point d'interrogation.

● **Principaux verbes** qui introduisent une interrogation indirecte : *ask* (demander), *inquire* (se renseigner), *want to know* (vouloir savoir), *wonder* (se demander).

● I wonder if she has arrived.
Je me demande si elle est arrivée.

● *Whether* peut s'employer à la place de *if* dans une interrogation indirecte, notamment avant *or not*.

● I wonder whether / if she has arrived (or not).
Je me demande si elle est arrivée (ou non).

NOTEZ BIEN
Attention à l'ordre des mots quand l'interrogation indirecte commence par un interrogatif en *wh-*. Ne calquez pas l'ordre français.
I inquired where her mother was. [sujet + verbe]
J'ai demandé où était sa mère. [verbe + sujet]

▸ DISCOURS INDIRECT P. 168

TRADUCTION EXPRESS
1. Qui veut venir avec moi ?
2. Qu'est-ce que tu cherches ?
3. Je ne sais pas où est mon stylo *(fountain pen)*.
4. Lequel d'entre vous a utilisé l'imprimante ce matin ?
5. Il y a combien de temps que vous attendez ?
6. Pendant combien de temps vous a-t-il fait attendre *(keep sb waiting)* ?
7. Tu vois souvent tes parents ?

CORRIGÉ
1. Who wants to come with me?
2. What are you looking for?
3. I don't know where my fountain pen is.
4. Which of you used the printer this morning?
5. How long have you been waiting?
6. How long did he keep you waiting?
7. How often do you see your parents?

46 *Question tags* et reprises brèves

▷ Connaissez-vous une façon simple de dire : « Moi aussi » ?
▷ Comment prononce-t-on « ei » dans *neither* : /aɪ/ ou /iː/ ?

QUESTION TAGS

Les *(question) tags* se traduisent par « n'est-ce pas ? », « hein ? », « non ? », « pas vrai ? ». On les forme en reprenant dans le *tag* l'**auxiliaire** de la phrase de départ. Si la phrase n'a pas d'auxiliaire, on a recours à *do* dans le *tag*.

■ Phrase affirmative → *tag* négatif : auxiliaire + *n't* + pronom

- You're exhausted, **aren't you**?
  Tu es épuisé, non ?

- He looks young, **doesn't he**?
  Il fait jeune, hein ?

NOTEZ BIEN
I am est repris par *aren't I?*

I'm the best, aren't I?
Je suis la meilleure, pas vrai ?

■ Phrase négative → *tag* positif : auxiliaire + pronom

- They haven't arrived yet, **have they**?
  Ils ne sont pas encore arrivés, hein ?

- Nobody signed the petition, **did they**?
  Personne n'a signé la pétition, n'est-ce pas ?

NOTEZ BIEN
This / that est repris par *it,* les pronoms en -*body* et *one* par *they.*

■ Les *tags* servent très souvent à demander confirmation. Leur intonation est alors **descendante**, comme dans une phrase affirmative.

NOTEZ BIEN
On peut avoir un *tag* affirmatif dans une phrase affirmative pour exprimer une réaction (surprise, sollicitude, ironie). L'intonation est alors montante.

So you're resigning, are you?   You think you're clever, do you?
[surprise]   [ironie]
Alors comme ça, tu démissionnes ?   Tu te crois malin, peut-être ?

REPRISES BRÈVES

Dire « moi aussi »

À l'oral, « moi aussi » peut se dire *me too*. « Moi / toi / elles aussi »
se traduit le plus souvent par ***so* + auxiliaire + sujet**. Quand il n'y a pas
d'auxiliaire dans la phrase de départ, on emploie *do* après *so*.

- "I'm fed up." "Me too. / So am I."
  « J'en ai marre. – Moi aussi. »
- "I love you." "Me too. / So do I."
  « Je t'aime. – Moi aussi. »

Dire « moi non plus »

À l'oral, « moi non plus » peut se dire *me neither* ou *nor me*.
Neither se prononce /'naɪðə/ ou /'niːðə/. « Moi / toi / elles non plus »
se traduit le plus souvent par ***neither*** (ou *nor*) **+ auxiliaire + sujet**.

- "I've never been to Scotland." "Me neither. / Neither have I. /
  Nor have I."
  « Je ne suis jamais allé en Écosse. – Moi non plus. »
- "We don't go out much." "Neither / Nor do our parents."
  « Nous ne sortons pas beaucoup. – Nos parents non plus. »

Dire « pas moi », « moi si »

- "I love you." "I don't."
  « Je t'aime. – Pas moi. »
- "I'm not tired." "I am."
  « Je ne suis pas fatigué. – Moi si. »
  [phrase négative → forme affirmative dans la contradiction ; accent fort sur *I*]

Dire « oui, c'est vrai », « oui / non, en effet »

- "They failed." "So they did."
  « Ils ont raté. – Oui, c'est vrai. »
  [phrase affirmative, pas d'auxiliaire → forme affirmative, auxiliaire *do*]
- "They haven't reached a compromise." "So they haven't."
  « Ils n'ont pas trouvé de compromis. – Non, en effet. »
  [phrase négative, auxiliaire *have* → forme négative, même auxiliaire]

On peut aussi dire : *(Yes,) you're right. / (Yes,) that's true. / (No,) indeed.*

> **NOTEZ BIEN**
> L'ordre est *so* + sujet + auxiliaire. Ne confondez pas avec *So am I*.
> Comparez :
>
> | "I failed." "So did he." | "He failed." "So he did." |
> |---|---|
> | « J'ai raté. – Lui aussi. » | « Il a raté. – En effet. » |

► TRADUCTION EXPRESS P. 147

47 Réponses brèves

▷ Pour répondre : « Je crois. », dit-on *I think* ou *I think so* ?
▷ Comment traduire *So they say, So I heard* ?

RÉPONDRE PAR *YES* OU *NO*

À une question appelant une réponse par oui ou non, on peut répondre simplement *Yes* ou *No*. Souvent, on préfère répondre par **Yes / No** + **sujet** + **auxiliaire** (le même dans la réponse que dans la question).

- "**Is** she home?" "Yes, she **is**."
  « Elle est à la maison ? – Oui. »

- "**Did** you enjoy the show?" "No, I **didn't**."
  « Tu as aimé le spectacle ? – Non. »

On utilise parfois un modal ou un auxiliaire différent dans la réponse.

- "**Shall** we go for a walk?" "I already **have**." [*I have already gone for a walk.*]
  « On va se promener ? – C'est déjà fait. »

- "**Do** you want to stop now?" "**I'd rather** not."
  « Tu veux t'arrêter maintenant ? – Je (n')aimerais mieux pas. »

On dit parfois *Yes* ou *No* pour **réagir** à ce qui vient d'être dit.

- "I think I deserve a rise." "Yes, you do."
  « Je pense que je mérite une augmentation. – Oui, en effet. »

RÉPONDRE PAR *I THINK SO* / *I'D LOVE TO*

I + verbe + *so*

- "Is she home?" "I think so."
  « Elle est à la maison ? – Oui, je crois. »

Autres expressions avec *so*
I'm afraid **so** (je le crains) ; *I suppose* **so** (je suppose) ;
I hope **so** (j'espère) ; *I expect* **so** (je crois que oui) ;
so *it seems* (à ce qu'il paraît).

À la forme négative, on trouve :
I don't believe/suppose/think **so**.
I believe/suppose/think **not**.
I hope **not** ; *I'm afraid* **not**.

Notez aussi les expressions **so** they say (c'est ce qu'on dit) ; **so** I heard (c'est ce qu'on m'a dit) ; **so** I understand (c'est ce que j'ai compris).

I + verbe + to

- "Would you like to stay with us?"
- "(Yes,) I'd love to."
  J'aimerais beaucoup.

  "I'd be glad to."
  Cela me ferait plaisir.

  "(No,) I'm not allowed to."
  Je n'ai pas le droit.

  "I'd prefer not to."
  Je préfère pas.

> **NOTEZ BIEN**
> On dit If you want ou If you want **to**, mais If you like (**sans to**).

RÉPONDRE À UNE QUESTION EN *WHO*

On peut répondre par **sujet + auxiliaire**. Quand il n'y a pas d'auxiliaire dans la question, on utilise *do / did* dans la réponse.

- "Who **can** answer the question?" "**I can't**, but **Sandy can**."
  « Qui peut répondre à la question ? – Pas moi, mais Sandy, oui. »
- "Who **saw** her?" "**I did**. / **Cloe did**."
  « Qui l'a vue ? – Moi. / Cloe. »

Quand on répond par un nom, l'auxiliaire n'est pas obligatoire.

- "Who saw her?" "Cloe. / My neighbour."

L'ÉQUIVALENT DE « AH BON ? », « AH OUI ? »

- "We **aren't** going on holiday." "**Aren't** you?"
  « Nous ne partons pas en vacances. – Ah bon ? »
  [phrase négative → auxiliaire + not + sujet dans la réaction]
- "I lov**ed** that concert." "**Did** you?"
  « J'ai adoré ce concert. – Ah oui ? »
  [phrase affirmative ; pas d'auxiliaire → auxiliaire did + sujet dans la réaction]
- "I**'m** exhausted." "**Are** you? I'm not."
  « Je suis épuisé. – Ah bon ? Pas moi. »

TRADUCTION EXPRESS (CHAPITRES 46 ET 47)

A 1. Ils devraient réussir, n'est-ce pas ?

2. Je suis trop impatient, non ?

3. Tu ne l'avais jamais rencontré, hein ?

4. « Je ne sais pas quand il reviendra. – Moi non plus. »

5. « Je ne travaille pas demain. – Lui non plus. »

6. « Sally viendra à la fête. – Son petit ami aussi. »

7. « Ils n'ont pas faim. – Nous si. »

8. « Ils sont meilleurs que nous. – En effet. »

B 1. « Vous avez une chambre pour cette nuit ? – J'ai bien peur que non. »

2. « Est-ce qu'elle va obtenir *(get)* cet emploi ? – Je pense que oui. »

3. « Je peux te donner leur adresse email. – Oui, si tu veux bien. »

4. « Tu auras fini d'ici *(by)* lundi ? – J'espère bien que oui. »

5. « Je vais d'abord demander à Jack. – Oui, ça vaudrait mieux. »

6. « Tu aimerais prendre un verre avec nous ? – J'aimerais bien. »

7. C'était un espion pour une société *(company)* japonaise, à ce qu'on dit.

8. « Manifestement *(obviously)*, il était jaloux. – Ah bon ? »

Corrigé

A 1. They should succeed, shouldn't they?

2. I'm too impatient, aren't I ?

3. You'd never met him, had you?

4. "I don't know when he'll be back." "Neither do I." / "Nor do I."

5. "I'm not working tomorrow." "Neither is he." / "Nor is he."

6. "Sally will come to the party." "So will her boyfriend."

7. "They're not hungry." "We <u>are</u>."

8. "They are better than we are." "So they are."

B 1. "Do you have a room for tonight?" "I'm afraid we don't." / "I'm afraid not."

2. "Will she get the job?" "Yes, I think so."

3. "I can give you their email address." "Yes please, if you like."

4. "Will you have finished by Monday?" "I hope so."

5. "I'll ask Jack first." "Yes, you'd better."

6. "Would you like to join us for a drink *(ou* have a drink with us)?" "I'd love to."

7. He was a spy for a Japanese company, so they say.

8. "Obviously, he was jealous." "Was he?"

48 Exclamation

▷ **Y a-t-il une différence entre** *How old are they?* **et** *How old they are!* **?**

WHAT / SUCH / HOW / SO

▬ *What* (quel) et *such* (tel) sont suivis d'un **nom**.

- What a fool I was!
  [*what + a*]
  Quel idiot j'ai été !

  He's such a liar!
  [*such + a →* « un + tel »]
  C'est un tel menteur !

- Such delicious cooking!
  Quelle cuisine délicieuse !

> **NOTEZ BIEN**
> *Such* peut **ne pas** être exclamatif.
> such towns : de telles villes, des villes pareilles

▬ *How* (comme) et *so* (si, tellement) sont suivis d'un **adjectif** ou d'un **adverbe**.

- How ludicrous it was!
  Comme c'était ridicule !

  It's so hot!
  Il fait si chaud !

> **NOTEZ BIEN**
> *How* peut porter sur toute une phrase.
> How time flies!
> Comme le temps passe !
>
> Ne confondez pas *How old are you?* (Quel âge as-tu ?)
> et *How old you are!* (Que tu es vieux !).

INTERRO-NÉGATION EXCLAMATIVE

Les phrases interro-négatives suivent l'ordre : **auxiliaire + *n't* + sujet**. Lorsqu'elles sont exclamatives, elles se terminent par un point d'exclamation.

- Isn't it lovely!
  Comme c'est beau !

- Haven't they changed!
  Qu'est-ce qu'ils ont changé !

49 Verbes et adjectifs + infinitif

▷ Dit-on *I helped him carry* ou *I helped him to carry his bag* ?
▷ Dit-on *They saw her enter* ou *They saw her entering the bank* ?

■ VERBES + INFINITIF SANS *TO*

● Modaux, *would rather, had better*

- He can't come to your party.
  Il ne peut pas venir à ta fête.

- I'd rather do it later.
  Je préférerais le faire plus tard.   ► MODALITÉ P. 34 ET 48

● *Let* et *help*

- Let me do it.
  Laisse-moi faire.

- Can you help me (to) carry my bag?
  Pouvez-vous m'aider à porter mon sac?

> **NOTEZ BIEN**
> La structure *can't help* est suivie de V-*ing* (voir p. 154).
> I can't help loving them.
> Je ne peux pas m'empêcher de les aimer.

● *Make / have sb do sth*

- You make me and the whole group work hard.
  Vous me faites travailler dur et tout le groupe aussi.   ► FAIRE + VERBE P. 349
                                                           ► *BE MADE TO* P. 32

● Les verbes de perception comme *feel* (ressentir), *hear* (entendre),
listen (écouter), *notice* (remarquer), *see* (voir), *watch* (regarder, observer)
sont suivis soit de l'**infinitif sans *to***, soit de **V-*ing***.
Avec l'infinitif, l'action est vue de façon globale. Avec V-*ing*, on parle
d'une action en cours de déroulement.

- I saw him **enter** the bank. [*He entered the bank.*]
  Je l'ai vu entrer dans la banque.

- I heard her **closing** the safe. [*She was closing the safe.*]
  Je l'ai entendue fermer le coffre-fort.

● Après *can* + verbe de perception, seul **V-*ing*** est possible.

- I can see him entering the bank. [*I can see him enter.*]

VERBES + INFINITIF AVEC *TO*

▶ Assez souvent, *to* + **verbe** exprime une intention, un but : on dit que quelque chose est encore **à réaliser.**

PRINCIPAUX VERBES CONCERNÉS				
agree être d'accord	consent consentir à	hope espérer	plan projeter	need avoir besoin de
appear sembler	decide décider de	learn apprendre	refuse refuser de	tend avoir tendance à
choose choisir de	fail omettre de	manage réussir à	swear jurer de	want vouloir

Parmi ces verbes, *agree*, *decide*, *hope* et *swear* peuvent également être suivis de *that* + proposition.

- I agreed to talk to her.
  J'ai accepté de lui parler.

- I agree that it's weird.
  Je suis d'accord que c'est bizarre.

▶ Certains verbes peuvent être suivis d'un <u>complément</u> + *to* + verbe.

- I want to go.
  Je veux partir.

- He wants <u>them</u> to go. [*He wants that...* est impossible.]
  Il veut qu'ils partent.

PRINCIPAUX VERBES CONCERNÉS		
ask demander	intend / mean avoir l'intention de	wait attendre
arrange to do sth s'arranger pour faire qqch.	offer proposer	want vouloir
beg demander, supplier	prefer préférer	wish souhaiter
expect s'attendre à	promise promettre	
help aider	propose proposer	

Avec *wait* et *arrange,* le complément est précédé de *for.*

- I'm waiting for her to ask me.
  J'attends qu'elle me le demande.

- I've arranged for you to leave tomorrow.
  J'ai fait le nécessaire pour que vous partiez demain.

🔹 Certains verbes **exigent** un <u>complément</u> avant *to* + verbe.

● She persuaded <u>him</u> to read the letter.
Elle l'a persuadé de lire la lettre.

PRINCIPAUX VERBES CONCERNÉS				
advise	encourage	oblige	recommend	tell
conseiller	encourager	obliger à	recommander	dire
allow	force	order	remind	
autoriser	forcer	ordonner	rappeler qqch. à qqn	
compel	invite	persuade	teach	warn
contraindre	inviter	persuader	enseigner	prévenir

Ces verbes s'emploient aussi au passif.

● We were advised not to fly Cheap Airways.
On nous a conseillé de ne pas voler sur Cheap Airways.
[ordre des mots : sujet + verbe au passif + *to* + verbe]

Quand *advise*, *allow*, *encourage* et *recommend* ne sont pas suivis d'un complément, ils sont suivis de V-*ing*.

● I recommend taking the train.
Je recommande de prendre le train.

ADJECTIFS + INFINITIF AVEC *TO*

🔹 Dans ce cas, l'infinitif se traduit par « à / de ».

● hard to translate
difficile à traduire

● easy to do
facile à faire

● happy to be here
heureux d'être ici

🔹 *It is* + adjectif + *to* + verbe

● It's nice to be with you.
C'est agréable d'être avec toi.

● It's stupid to say that.
C'est idiot de dire ça.

🔹 Certains adjectifs sont suivis de *for... to* + verbe, notamment *common*, *difficult*, *easy*, *essential*, *hard*, *important*, *(un)necessary*, *normal*, *(im)possible*, *rare*, *(un)usual...*

● It is essential for me to understand this article.
Il est essentiel que je comprenne cet article.

● It's hard for them to face the facts.
Ils ont du mal à regarder les choses en face.

On trouve aussi *for... to* + **verbe** avec *too* et *enough*.

- It's **too hard** for him to understand.
  C'est trop difficile pour qu'il comprenne.

- Is it **easy enough** for you to understand?
  Pour toi, c'est assez facile à comprendre?

50 Verbes + *to* ou V-*ing*

▷ Dit-on *I would like swimming* ou *I would like to swim*?
▷ Comment dit-on «faire du ski» et «faire des courses»?

VERBES SUIVIS DE *TO* + VERBE OU DE V-*ING*

Certains verbes sont suivis soit de *to* + verbe, soit de V-*ing*.

- It started **to rain.** / It started **raining.**
  Il s'est mis à pleuvoir.

PRINCIPAUX VERBES CONCERNÉS				
begin / start	continue	intend	prefer	try
commencer	continuer	avoir l'intention de	préférer	essayer
can't bear	hate	like / love	regret	
ne pas supporter	détester	aimer	regretter	

> **NOTEZ BIEN**
> *Would like*, *would love*, *would hate* et *would prefer* sont toujours suivis de *to* + verbe.
>
> On dit *I began to understand* (et non *understanding*), car *understand* s'emploie peu avec *be* + -*ing* (voir p. 19).

On trouve parfois la nuance suivante : avec *to* + verbe, l'action est **à réaliser** ; avec V-*ing*, l'action est **déjà réalisée**, notamment avec *forget*, *regret* et *remember*.

- Remember **to post** your cards.
  N'oublie pas de poster tes cartes. [Il faut penser à le faire.]

- I remember **posting** them.
  Je me souviens de les avoir postées. [C'est déjà fait.]

Une opposition particulière : *try to* et *try* + V-*ing*

- I tried **to write**, but I didn't have time.
  J'ai essayé d'écrire, mais je n'ai pas eu le temps.
  [«essayer» au sens de «faire un effort»]

- I tried **writing** poems, but they were bad.
  J'ai essayé d'écrire des poèmes, mais ils étaient mauvais.
  [«essayer» au sens de «faire l'expérience de»]

▸ *STOP* P. 154
▸ *NEED* P. 48
▸ ESSAYER P. 346

VERBES SUIVIS DE V-*ING*

Avec cette structure, on parle d'une expérience **déjà** vécue, d'une action **déjà** commencée ou d'un projet **déjà** envisagé.

■▶ Verbes qui expriment une expérience déjà vécue

acknowledge reconnaître	can't help ne pas pouvoir s'empêcher de	hate détester
admit admettre	deny	it's no good / no use il est inutile de
appreciate apprécier	nier, refuser dislike	spend time passer du temps
be worth valoir la peine	ne pas aimer enjoy prendre plaisir à	tolerate tolérer

- I miss go**ing** to the cinema but I can't stand liv**ing** in a city.
  Je regrette de ne plus aller au cinéma mais je ne supporte pas de vivre en ville.

■▶ Verbes qui expriment une action déjà commencée

finish finir	go on continuer	stop arrêter de
give up abandonner	keep (on) ne pas arrêter de	

- You keep making the same mistake.
  Tu continues à faire la même faute.

- I gave up smoking long ago.
  Ça fait longtemps que j'ai arrêté de fumer.

NOTEZ BIEN

*Stop **to*** signifie « arrêter pour (afin de) » et *go on **to*** « passer à autre chose ». Comparez :

Stop pestering him.	I stopped to take breath.
Arrête de l'embêter.	Je me suis arrêté pour reprendre haleine.

■▶ Verbes qui expriment du déjà envisagé

avoid éviter	imagine imaginer	prevent empêcher
consider envisager	involve impliquer	risk risquer
contemplate songer à	mind voir une objection à	suggest suggérer

▶ PROPOSER P. 385

NOTEZ BIEN

Les verbes *acknowledge*, *admit*, *appreciate*, *imagine*, *suggest* peuvent également être suivis de *that* + proposition.

I suggest taking the train. / I suggest that we take the train.
Je suggère qu'on prenne le train.

Notez aussi *stop sb (from)* **doing** sth (empêcher qqn de faire qqch.).

I stopped him talking nonsense. / I stopped him from talking nonsense.
Je l'ai empêché de dire des bêtises.

▸ **SUBORDONNÉES EN *THAT* P. 158**

▊ V-*ING* TRADUIT PAR UN NOM

V-*ing* peut se traduire par un **nom** quand il décrit une activité courante.

● I like drawing, skiing, travelling.
J'aime dessiner / le dessin, skier / le ski, voyager / les voyages.

On utilise *go* + V-*ing* pour décrire des activités (surtout sportives) : *go climbing* (faire de la montagne), *go cycling* (faire du vélo), *go jogging* (faire du jogging), *go skiing* (faire du ski), *go shopping* (faire des courses), *go skating* (faire du patin à glace), *go swimming* (faire de la natation).

▸ **VERBES DE PERCEPTION + V-*ING* P. 149**
▸ **VERBES + *TO* OU + V-*ING* P. 153**

TRADUCTION EXPRESS

1. Je regrette d'être arrivé si tard.
2. Tu as essayé de mettre un peu plus de sel ?
3. Elle aime sortir tard le soir.
4. Arrête de te plaindre !
5. N'oublie pas de prendre une veste polaire *(a polar fleece jacket)*.
6. Je suggère d'y réfléchir attentivement.
7. Évite de prendre ta voiture quand tu peux aller à pied.
8. Je commence à comprendre qu'il s'en fiche complètement *(not give a damn about it)*.

8. I am beginning to understand that he doesn't give a damn about it.
7. Avoid taking your car when you can walk.
6. I suggest thinking carefully about it.
5. Remember to take / Don't forget to take a polar fleece jacket.
4. Stop complaining!
3. She likes going out / She likes to go out late at night.
2. Did you try putting a little more salt?
1. I regret arriving so late.
CORRIGÉ

51 Autres emplois de V-*ing*

▷ Dit-on *I look forward **to seeing** you* ou ***to see** you* ?
▷ Dit-on *Do you mind **me** smoking* ou ***my** smoking* ?

■ PRÉPOSITION + V-*ING*

➤ Si on veut utiliser un verbe après une **préposition,** il apparaît à la forme V-*ing*, y compris après *to.*

- I feel **like** learning new languages.
  J'ai envie d'apprendre de nouvelles langues.

- We look forward **to** seeing you soon.
  Nous nous réjouissons de vous voir bientôt.

PRINCIPAUX VERBES CONCERNÉS	
amount **to** doing sth revenir à faire qqch.	get round **to** doing sth arriver à faire qqch.
be accustomed **to** doing sth être habitué à faire qqch.	look forward **to** doing sth avoir hâte de faire qqch.
be addicted **to** doing sth s'adonner à qqch.	object **to** doing sth ne pas vouloir faire qqch.
be used **to** doing sth être habitué à faire qqch.	prefer doing sth **to** doing sth préférer faire qqch. à faire qqch.
get used **to** doing sth s'habituer à faire qqch.	take **to** doing sth se mettre à faire qqch.

➤ Après les prépositions *after, before, without* et après *thank you for,* on utilise rarement *having* + participe passé, alors qu'en français, on a « avoir (ou être) + participe passé ».

- **without** saying hello
  sans avoir dit bonjour (*ou* sans dire bonjour)

- **after** seeing her
  après l'avoir vue

- Thank you **for** inviting us.
  Merci de nous avoir invités (*ou* de nous inviter).

➤ Notez cet emploi de *on* + V-*ing* (expression d'une simultanéité).

- **On** hearing the news, they wept for joy.
  En apprenant la nouvelle, ils ont pleuré de joie.

DÉTERMINANT + V-*ING*

V-*ing* peut être précédé de *the*, de *this / that*, d'un possessif (*my, your, his*...) ou d'un génitif (*John's*).

- **My** suggest**ing** it troubled them.
  Le fait que je le suggère les a troublés.

- **Ken's** marry**ing** Barbie didn't surprise anyone.
  Le fait que Ken épouse Barbie n'a surpris personne.

À l'oral, on emploie souvent un pronom **complément** à la place d'un possessif. On a également tendance à ne pas utiliser le génitif.

- Do you mind **me** smoking (*ou* my smoking)?
  Ça vous dérange que je fume ?

- I dislike Jennifer (*ou* Jennifer**'s**) behaving like that.
  Je n'aime pas que Jennifer se conduise comme ça.

AUTRES EMPLOIS

Certaines propositions en V-*ing* expriment la **cause** ou la **simultanéité**.

- Having eaten more than usual, I felt sick.
  Comme j'avais mangé plus que d'habitude, j'avais mal au cœur. [cause]

- She was sitting at the window, brushing her hair.
  Elle était assise à la fenêtre et se brossait les cheveux. [simultanéité]

V-*ing* sujet : dans ce cas, on a souvent **proposition en V-*ing* + *is* + adjectif**.

- <u>Driving in the dark</u> is sometimes dangerous.
  [sujet]　　　　　　　　[verbe]
  Conduire la nuit est parfois dangereux.

▸ *IT IS* + ADJECTIF + INFINITIF AVEC *TO* P. 151

TRADUCTION EXPRESS

1. Prendre le train serait plus avantageux (*cheap*).
2. Merci de m'avoir prévenue.
3. Il n'est pas habitué à repasser (*iron*) ses chemises.
4. Elle s'est mise à jouer au golf le dimanche.
5. Le fait qu'il s'excuse est vraiment inhabituel.
6. Ça vous dérange que je m'assoie ici ?

CORRIGÉ
1. Taking the train would be cheaper.
2. Thank you for warning me.
3. He is not used to ironing his shirts.
4. She has taken to playing golf on Sundays.
5. His apologizing is quite unusual.
6. Do you mind my / me sitting here?

52 Subordonnées en *that*

▷ Comment dire : « Il dit avoir parlé au président » ?
▷ Comment dire : « Si elle téléphone et que tu décroches,
demande-lui de m'appeler sur mon portable » ?

■ VERBE + SUBORDONNÉE EN *THAT*

● On traduit souvent « verbe + que » par **verbe + *that***. *That* est donc
comparable à la conjonction « que », mais il est **souvent sous-entendu**.

- I think (that) she's right.
  Je pense qu'elle a raison.

● Cependant *that* est **rarement sous-entendu** avec des verbes comme :
answer (répondre), *accept* (accepter), *argue* (soutenir), *claim*
(prétendre), *object* (objecter).

- She argues **that** it is illegal.
  Elle soutient que c'est illégal.

● Certains verbes se construisent avec *that*, alors qu'en français
leur équivalent peut être suivi d'une infinitive : *admit* (admettre),
believe (croire), *doubt* (douter), *know* (savoir), *think* (penser).

- He admits (that) he's talked to the president.
  Il admet qu'il a parlé au président. / Il admet avoir parlé au président.

● *Find* (trouver), *consider* (estimer), *think* (penser) se construisent
avec *it* **+ adjectif +** *that*.

- I find **it** weird that she said that.
  Je trouve bizarre qu'elle ait dit ça.

- I consider **it** important that you should know.
  J'estime important que tu le saches.

● « Que » ne se traduit pas toujours par *that*.

- **If** you come and **if** the weather is fine we'll go to the beach.
  Si tu viens et qu'il fait beau, on ira à la plage.   ▶ QUE P. 387

NOTEZ BIEN
Dans certains cas, *that* est suivi du subjonctif (voir p. 56).

IT IS + ADJECTIF + THAT

Dans ce cas, *that* n'est pas sous-entendu sauf après *glad* et *surprised*.

- It's strange **that** they (should) still like me.
  Il est bizarre qu'ils m'aiment encore.

- I'm glad you liked it.
  Je suis content que tu aies apprécié.

► *SHOULD* DANS CES STRUCTURES P. 44
► *IT IS* + ADJECTIF + INFINITIF AVEC *TO* P. 151

TRADUCTION EXPRESS

1. Il pense l'avoir vue hier.
2. Ils ont répondu qu'ils ne savaient pas.
3. Je trouve bizarre qu'il n'ait pas appelé.
4. Si tu viens et que je ne suis pas là, tu sais où trouver la clé.
5. Il n'admettra jamais pouvoir avoir tort.

CORRIGÉ

1. He thinks (that) he saw her yesterday.
2. They answered that they did not know.
3. I find it strange that he didn't call.
4. If you come and if I am not here, you know where to find the key.
5. He will never admit that he can be wrong.

I consider it important that you should know.

53 Propositions relatives

▷ Où placer la préposition dans une proposition relative ?
▷ « Ce qui / ce que » : *what* ou *which* ?

EMPLOI DES PRONOMS RELATIFS

▶ Le pronom *who* renvoie à une **personne** (ou à un animal domestique).
On emploie *that* ou *which* dans les autres cas.

- The woman who was here is my lawyer.
  La femme qui était là est mon avocate.

- The car which / that is parked over there is mine.
  La voiture qui est garée là-bas est à moi.

  NOTEZ BIEN
  À l'oral, on rencontre *that* à la place de *who* : *the woman that...*

▶ Après les pronoms en -*thing* (*everything*, *nothing*...), après *all*, *only*
et après les superlatifs, *that* est nettement préféré à *which*.

- everything that is here
  tout ce qui est là [surtout pas ~~everything what~~]

- the best book that's ever been written
  le meilleur livre qui ait jamais été écrit

▶ Quand le pronom relatif est **complément**, il est très souvent
sous-entendu.

- The guy (who / that) I married is John.
  Le type que j'ai épousé est John. [*who / that* : complément de *married*]

▶ À la place de *who* complément, on trouve *whom* (très formel).

▸ C'EST MOI QUI P. 321
▸ IL Y A... QUI P. 101

PRÉPOSITION DANS LA RELATIVE

▶ La préposition se place généralement **à la fin de la relative**. Le pronom
relatif est très souvent sous-entendu.

- The guy (who / that) I was talking **to** is John.
  Le type à qui je parlais est John.

- I'll show you the college (that / which) I studied **in**.
  Je vais te montrer l'université dans laquelle j'ai étudié.

Dans un style formel, la préposition peut se placer **devant** le pronom relatif.

● The guy **to whom** I was talking is John.

NOTEZ BIEN
Directement après une préposition, on emploie *whom*, jamais *that*.

RELATIVES APPOSITIVES

Ces relatives apportent un simple complément d'information. Elles sont juxtaposées à l'antécédent et placées entre virgules. On les rencontre principalement à l'écrit.

● My son, who is afraid of flying, didn't attend the wedding.
Mon fils, qui a peur de prendre l'avion, n'a pas assisté au mariage.

● The Smiths, whom we had just met, changed our lives.
Les Smith, que nous venions de rencontrer, ont changé notre vie.

Dans ces relatives, le pronom relatif est obligatoire et *that* **est exclu.**

WHAT OU *WHICH* ?

« Ce qui / ce que » se traduit le plus souvent par *what.*

● You're telling me what everybody knows.
Tu me racontes ce que tout le monde sait.

● What I want is to be left alone.
Ce que je veux, c'est qu'on me laisse tranquille.

Quand « ce qui / ce que » commente une proposition qui précède, il se traduit par *which* **obligatoirement précédé d'une virgule.**

● The plane was empty, which puzzled me.
L'avion était vide, ce qui m'a rendu perplexe.

NOTEZ BIEN
« Tout ce qui / ce que » se traduit par *all (that)* ou *everything (that)* + relative. Attention : on ne trouve jamais ~~all what~~ !

▸ TOUT CE QUI / CE QUE P. 407

WHOSE

Whose (dont) est un pronom relatif au génitif. On l'emploie entre deux noms. Mais « dont » ne se traduit pas toujours par *whose*.   ▸ DONT P. 339

● the man whose wife is here
l'homme dont la femme est là

● the play whose name I forgot
la pièce dont j'ai oublié le nom

PRONOMS RELATIFS EN -*EVER*

Le sens général de ces pronoms est « quel qu'il soit », « n'importe quel ».
Il ne faut pas les confondre avec les interrogatifs suivis de *ever* (voir
p. 140).

whoever (qui que ce soit)	Whoever said that is a liar. Celui qui a dit ça est un menteur.
whatever (quoi que ce soit)	Call me, whatever the news. Appelle-moi, quelles que soient les nouvelles.
whichever (quel qu'il soit)	Take whichever one you want. Prends celui que tu veux.
whenever (quel que soit le moment)	Come whenever you feel like it. Viens quand tu en as envie.
wherever (où que ce soit)	I'll go wherever you want me to. J'irai où tu voudras.
however (de quelque manière que)	However you look at it... De quelque manière que tu l'envisages...

TRADUCTION EXPRESS

1. Nous avons séjourné à l'hôtel que tu nous avais recommandé.
2. Le livre que tu cherchais est épuisé *(out of print)*.
3. Nous avons fait tout ce que nous avons pu pour vous être agréables.
4. J'ai rencontré quelqu'un dont tu connais le père.
5. Ce qu'il t'a dit est juste.
6. Elle n'a même pas dit merci, ce qui a choqué tout le monde.
7. Tu te souviens du type dont je t'ai parlé l'autre jour ?
8. Il la suit où qu'elle aille.

CORRIGÉ
1. We stayed at the hotel you had recommended to us.
2. The book you were looking for is out of print.
3. We did all (that) we could / We did everything we could in order to please you.
4. I've met someone whose father you know.
5. What he told you is right.
6. She didn't even say thank you, which shocked everybody.
7. Do you remember the guy I told you about the other day?
8. He follows her wherever she goes.

54 Conjonctions

▷ Comment dit-on : « Appelle-moi quand tu seras arrivé » ?
▷ Comment dit-on : « Comme je l'ai dit... » ? *As I said* ou *Like I said* ?

CONJONCTIONS DE TEMPS

when	as long as	once
quand	tant que	une fois que
after	as soon as	since
après que	dès que	depuis que
as	before	while
alors que, comme	avant que	pendant que

Quand elles introduisent une subordonnée à temps futur, ces conjonctions sont **suivies du présent** et non de *will*. En français, on emploie un futur dans ce cas.

Correspondances entre l'anglais et le français

WHEN + PRÉSENT	**QUAND... + FUTUR**
Call us when / as soon as you **are** there.	Appelle-nous quand / dès que tu y **seras**.
WHEN... + PRESENT PERFECT	**QUAND... + FUTUR ANTÉRIEUR**
Send me a text when you**'ve arrived**.	Envoie-moi un SMS quand tu **seras arrivé**.
WHEN... + PRÉTÉRIT	**QUAND... + CONDITIONNEL**
You promised you'd call when you **arrived**.	Tu as promis que tu téléphonerais quand tu **arriverais**.
WHEN + PAST PERFECT	**QUAND... + CONDITIONNEL PASSÉ**
You said you'd call once you **had landed**.	Tu avais dit que tu téléphonerais une fois que tu **aurais atterri**.

NOTEZ BIEN

Lorsque *when* est **interrogatif**, il peut être suivi de *will*.

When will you arrive?
Quand arriveras-tu?

Notez la traduction de *not... until* par « tant que » ou « avant que ».

● He won't talk to you until you apologize. [until = jusqu'à ce que]
Il ne t'adressera pas la parole tant que tu ne t'excuseras pas.

CONJONCTIONS DE CONDITION

if si	unless à moins que	provided (that) à condition que
as long as à condition que	in case au cas où	suppose / supposing et si

▸ AU CAS OÙ P. 322

Le fonctionnement des verbes est comparable en anglais et en français après *if* et «si».

If + présent : c'est encore réalisable	We won't go **if** it **rains**. Nous n'irons pas s'il pleut.
If + prétérit : c'est peu probable	I would do it **if** they **asked** me. Je le ferais s'ils me le demandaient.
If + past perfect : ça ne s'est pas réalisé dans le passé	**If** you **had told** me I would have done something about it. Si tu m'avais prévenu, j'aurais fait quelque chose.

NOTEZ BIEN

On rencontre *were* à toutes les personnes après *if* (voir p. 57).
On trouve parfois *will* après *if* au sens de «bien vouloir».

If you will come this way...
Si vous voulez bien me suivre...

Dans un style formel, la condition s'exprime aussi sans *if*, à l'aide de l'inversion sujet-auxiliaire.

- Had I known... = If I had known...
  Si j'avais su...

Notez aussi *if so* (si c'est le cas), *if not* (sinon).

CONJONCTIONS DE BUT

to + verbe pour	so (that) + proposition pour que
in order to / so as to + verbe afin de	in order that + proposition afin que [formel]

La conjonction *to* + **verbe** est très courante. Les autres sont plus formelles.

- I'll do it **to** please you.
  Je le ferai **pour** te faire plaisir.

➡ On peut employer *for* + nom / pronom devant *to*, quand on a deux sujets.

● I'll do it for you to be happy.
[deux sujets : *I* et *you*]
Je le ferai pour que tu sois heureux.

NOTEZ BIEN
À la forme négative, *not* se place devant *to* : *so as* **not to** / *in order* **not to**.

➡ *So that* et *in order that* sont suivis d'un modal, le plus souvent *can* ou *will*. Au passé, ils sont suivis de *should*, *could* ou *would*.

● I'll wake up early so (that) I can be there by 6.
Je me lèverai tôt pour y être avant six heures.

● I woke up early so (that) I could be there by 6.
Je me suis levé tôt pour y être avant six heures.

CONJONCTIONS DE CONTRASTE

though, although bien que	whereas alors que	whether... or not que... ou non
while tandis que	even if, even though même si	

● Even though he is rich, I don't find him attractive.
Bien qu'il soit riche, je ne le trouve pas attirant.

● Whether they come or not, I'll have to cook.
Qu'ils viennent ou non, il faudra que je cuisine.

NOTEZ BIEN
En fin de proposition, *though* signifie « pourtant ».

(al)though I hate them...   I hate them, though.
bien que je les déteste...   Je les déteste, pourtant.

CONJONCTIONS DE CAUSE

because parce que, car	given that, inasmuch as étant donné que	since puisque
as comme	insofar as dans la mesure où	for [à l'écrit] car

● As you're late and since you'll always be late, I've decided never to travel with you again.
Comme tu es en retard et puisque tu seras toujours en retard, j'ai décidé de ne plus jamais voyager avec toi.

▸ **PROPOSITIONS DE CAUSE EN V-*ING* P. 157**

CONJONCTIONS DE CONSÉQUENCE

so	so + adjectif + that	such + nom + that
aussi, de sorte que	si... que	tellement... que

La structure la plus fréquente est *so* **+ adjectif +** *that*.

- I was so tired (that) I went to sleep on the train.
  J'étais si fatigué que je me suis endormi dans le train.

- It was such a hot day that we stayed inside.
  C'était une journée tellement chaude qu'on est restés à l'intérieur.

CONJONCTIONS DE MANIÈRE

as	as if / as though + prétérit	like
comme	comme si + imparfait	comme

As I said... / Like I said... Comme je l'ai dit... [*like* plus oral]

As if, as though et *like* se rencontrent souvent après *feel, look, seem* au sens de « avoir l'air ».

- It looks **as if** / It looks **like** it's going to rain.
  On dirait qu'il va pleuvoir.

AND, OR, BUT

And, or et *but* s'emploient comme « et, ou, mais » en français. Notez toutefois qu'il est possible de ne pas répéter les articles, les prépositions et les pronoms après *and* et *or*.

- a chair and stool
  une chaise et un tabouret

- in America and Japan
  en Amérique et au Japon

Les verbes *come, go, try* et *wait* peuvent être suivis de *and* **+ verbe** à la place de *to* + verbe.

- Try and relax.
  Essaie de te détendre.

- Come and have some tea.
  Venez prendre le thé.

TRADUCTION EXPRESS

1. Faites-moi un rapport dès que vous le pourrez.
2. Une fois que l'avion aura décollé *(be airborne)*, tu pourras te servir de ton ordinateur.
3. Si Sean était là, il saurait quoi faire.
4. Il faut lire beaucoup afin d'améliorer ton anglais.
5. Comme tu n'es pas venu, je suis allée au cinéma toute seule.
6. Il était si faible qu'il ne pouvait pas marcher.
7. Ils sont arrivés pendant que nous regardions le match.
8. Elle a fait comme s'il ne s'était rien passé.

CORRIGÉ

1. Give me a report as you as you can.
2. Once the plane is airborne you will be allowed to use your computer.
3. If Sean were (*ou* was) here, he would know what to do.
4. You must read a lot in order to improve your English.
5. As you didn't come, I went alone to the cinema [GB] (movies [US]).
6. He was so weak that he could not walk.
7. They arrived while we were watching the match.
8. She behaved as though (*ou* as if) nothing had happened.

Even though he is rich, I don't find him attractive.

Discours direct et discours indirect

▷ Quelles sont les marques du discours direct ?
▷ Le fonctionnement des temps au discours indirect
est-il le même en français et en anglais ?

■ MARQUES DU DISCOURS INDIRECT

DISCOURS DIRECT	DISCOURS INDIRECT
Lorraine said: "Tristan looks tired." [deux-points après *said* ; guillemets]	Lorraine said Tristan looked tired. [pas de deux-points ; pas de guillemets]

➡ On trouve d'autres verbes introducteurs que *say*, notamment : *admit* (admettre), *answer* (répondre), *declare* (déclarer), *mention* (mentionner), *point out* (signaler), *state* (déclarer), *suggest* (suggérer), *tell* (dire).

▸ **DIRE P. 338**

➡ Pour donner un conseil ou un ordre, on utilise *advise* (conseiller), *ask* (demander), *forbid* (interdire), *order* (ordonner), *warn* (avertir)...

➡ Pour poser une question, on utilise les verbes *ask* (demander), *inquire* (se renseigner), *want to know* (vouloir savoir), *wonder* (se demander)...

▸ **INTERROGATION INDIRECTE P. 142**

NOTEZ BIEN
That est souvent sous-entendu au discours indirect.

■ TEMPS DE LA SUBORDONNÉE

➡ Si le verbe introducteur est au présent, le temps ne change pas.

• She says: "I'm in London." → She says she's in London.

➡ Si les propos rapportés s'appliquent encore au moment où on parle, on préfère ne pas changer le temps de la subordonnée.

• Dad said this morning he will do it next week.
Papa a dit ce matin qu'il le ferait / fera la semaine prochaine.

Si le verbe introducteur est au passé, le temps du verbe change.
Le fonctionnement des temps est comparable en anglais et en français.

DISCOURS DIRECT	DISCOURS INDIRECT
présent (She said:) "I **am** in London."	prétérit She said (that) she **was** in London.
prétérit (Sue said:) "Tony **called** his father."	past perfect Sue said (that) Tony **had called** his father.
present perfect (Lila said:) "I**'ve seen** it."	past perfect Lila said (that) she **had seen** it.
will (Ryan said:) "I**'ll** do it."	would Ryan said (that) he **would** do it.
impératif (He said:) "**Don't listen**."	to + verbe He told me **not to listen**.

May et *can* deviennent *might* et *could* au discours indirect. Les autres modaux (*could*, *might*, *should*, *would* et *must*) ne changent pas.

AUTRES MODIFICATIONS

Ces changements sont comparables en anglais et en français.

Passage de la première à la troisième personne

I → he / she	we → they
me → him / her	us → them
my → his / her	our → their
mine → his / hers	ours → theirs
myself → himself / herself	ourselves → themselves

Changement de marqueurs temporels

DISCOURS DIRECT	DISCOURS INDIRECT
now	then
yesterday	the day before
last week / month / year	the week / month / year before
(four months) ago	(four months) before
next week / month / year	the following week / month / year

Here peut devenir *there* :
Do you work here? → *I asked her if she worked there.*

TRADUCTION EXPRESS

1. Il a dit qu'il reviendrait plus tard.
2. Elle m'a dit qu'il ne fallait pas m'inquiéter.
3. Jenny a répondu qu'elle n'en savait rien.
4. Le médecin a ordonné qu'il reste au lit.
5. Tu as admis que tu n'avais rien fait pour les aider?

CORRIGÉ

1. He said he would come back later.
2. She told me that I shouldn't worry. / She told me not to worry.
3. Jenny answered that she knew nothing about it.
4. The doctor ordered him to stay in bed.
5. Did you admit that you had done nothing to help them?

Dad said this morning he will do it next week.

Communiquer

◀)) Tous les fichiers audio mp3
et l'entraînement associés à cette partie
sont disponibles sur le site
www.bescherelle.com/langues/anglais/pourtous.

ABRÉVIATIONS UTILISÉES

qqn : quelqu'un
qqch. : quelque chose
sb : *somebody*
sth : *something*

1 Greeting
Saluer

HI!

ALEC – Hi, Brian. Long time no see. How are you?
BRIAN – I'm fine, thanks. And you?
ALEC – Not too bad. I have a job interview in twenty minutes.
BRIAN – Oh, dear! Don't let me keep you, then. Fingers crossed.
ALEC – Hope to see you soon! Bye, then.
BRIAN – Bye for now.
ALEC – See you!

> **long time no see:** ça fait un bail ❖ **Don't let me keep you.** Je ne te retiens pas.

Salut!
A. – Salut, Brian. Ça fait un bail. Comment ça va?
B. – Je vais bien, merci. Et toi?
A. – Pas trop mal. Je passe un entretien d'embauche dans vingt minutes.
B. – Oh, là! Alors je ne te retiens pas. Je croise les doigts.
A. – À bientôt, j'espère! Au revoir.
B. – À la prochaine.
A. – À bientôt!

NICE TO MEET YOU

PAULA – Hi, I'm Paula. Nice to meet you.
BERT – My name is Bert. Nice to meet you. What do you do, Paula?
PAULA – Oh you mean "How much money do I make?"
BERT – No need to be smarty-pants. I just wanted us to introduce ourselves!
PAULA – I'm the new head of the police department.
BERT – Oh, it's an honour to meet you. I'm police constable Smith.

> **to meet:** [ici] faire la connaissance de ❖ **to be smarty-pants:** faire son malin ❖ **to introduce oneself:** se présenter ❖ **a police constable:** un agent de police

Enchantée!
P. – Bonjour, je m'appelle Paula. Enchantée.
B. – Bert. Enchanté. Qu'est-ce que vous faites dans la vie, Paula?
P. – Ah, vous voulez dire: «Combien je gagne?»
B. – Pas la peine de faire sa maligne. Je voulais juste qu'on se présente.
P. – Je suis la nouvelle directrice du service de police.
B. – Ah, c'est un honneur de faire votre connaissance. Je suis l'agent de police Smith.

◀ STRUCTURES CLÉS

▶ **Dire bonjour**

Good morning / afternoon / evening!
Bonjour ! Bonsoir !

Hello! / Hi!
Salut ! Bonjour !

How are you (today)? / How are you doing?
Comment ça va ?

▶ **Se présenter / Présenter quelqu'un**

Hi, I'm Paula. / My name is Paula.
Bonjour, je m'appelle Paula.

Nice to meet you. / Pleased to meet you.
Enchanté(e).

I'd like to introduce Paula. / I'd like you to meet Paula.
J'aimerais vous présenter Paula.

▶ **Dire au revoir**

Bye! / Goodbye! / Bye-bye!
Au revoir ! Salut !

Well then, I've got to go.
Bon, il faut que j'y aille.

Have a good / nice day!
Bonne journée !

See you! / See you later!
À plus tard ! / À bientôt !

Good morning!

À VOUS DE PARLER !
Traduisez oralement ces énoncés.

1. Salut, je m'appelle Dan.
2. À bientôt, Dan.
3. Je voudrais vous présenter ma femme.
4. Bonne journée !
5. Comment ça va, Paul ? Ça fait un bail !
6. Bon, il faut qu'on y aille.

◀ **CORRIGÉ**
1. Hi, I'm Dan.
2. See you soon / later, Dan.
3. I'd like you to meet my wife. / I'd like to introduce my wife.
4. Have a good / nice day.
5. How are you, Paul? Long time no see!
6. Well then, we've got to go. / Right, we have to go now.

WHAT'S UP?

John – Hi, Tom, how are you?
Tom – So-so. Actually, not too good.
John – Why? What's up?
Tom – I'm a bit depressed. It's probably the weather. So, I'm not well at all. I don't know what it is, I... er... well... I'm not fine. I think I'm a bit ill, you know, I'm sort of...
John – Well, I'm OK in case you were wondering.

Qu'est-ce qu'il y a?
J. – Salut, Tom, comment ça va?
T. – Moyen. En fait, pas trop bien.
J. – Pourquoi? Qu'est-ce qu'il y a?
T. – Je suis un peu déprimé. C'est probablement le temps. Bref, je ne me sens pas bien du tout. Je ne sais pas ce que c'est, je... euh... enfin, je ne vais pas bien. Je crois que je suis un peu malade, tu sais, je suis un peu...
J. – Bon, moi, je vais bien au cas où tu te poserais la question.

HOW ARE THEY?

Rick – Hi, Fiona. How are you?
Fiona – Good, thanks.
Rick – Right. Are your parents all right?
Fiona – Thank you for asking after them. They're fine. What about you? How are things?
Rick – I'm OK.
Fiona – And how's your wife?
Rick – Not too bad, thanks.
Fiona – Please, say hello to your wife.
Rick – I will. Thanks, Fiona. See you.
Fiona – Bye, Rick. Have a good day.

Comment vont-ils?
R. – Bonjour, Fiona. Comment ça va?
F. – Bien, merci.
R. – Bon. Tes parents vont bien?
F. – Merci de demander de leurs nouvelles. Ils vont bien. Et toi? Comment ça va?
R. – Je vais bien.
F. – Et ta femme?
R. – Pas trop mal, merci.
F. – Dis-lui bonjour de ma part.
R. – D'accord. Merci, Fiona. À bientôt.
F. – Au revoir, Rick. Bonne journée!

STRUCTURES CLÉS

▶ **Demander comment ça va**

How are you?/How are you doing?
Comment ça va ?

What's up?/What's new?
Quoi de neuf ?

Is everything all right?/Is everything OK?
Tout va bien ?

▶ **Répondre**

I'm fine. / Fine! / I'm great!
Je vais bien. / Je vais très bien.

I'm OK. / Not too bad. / I can't complain.
Ça va. / Pas trop mal. / Je ne peux pas me plaindre.

So-so… / Not too well. / Not very well.
Comme ci, comme ça… / Pas trop bien. / Pas très bien.

▶ **Demander des nouvelles**

Have you heard from…?
Tu as eu des nouvelles de… ?

Did you hear about their marriage?
Tu as entendu parler de **leur mariage** ?

Is everything Ok?

─ **À VOUS DE PARLER !**

Traduisez oralement ces énoncés.

1. Alors, quoi de neuf aujourd'hui ?

2. As-tu eu des nouvelles de Patricia ?

3. Vous avez entendu parler du divorce de Luca ?

4. Alors, dis-moi, tout va bien ?

5. Dites bonjour à vos parents.

6. Je vais bien, merci, et vous ?

3

Asking for information
Demander un renseignement

🔊 *EXCUSE ME, PLEASE...*

TRAVELLER 1 – Excuse me, please. Is this the train to Edinburgh?
TRAVELLER 2 – Yes, it is.
TRAVELLER 1 – Do you know if it's the 14:48 train?
TRAVELLER 2 – Well, it must be.
TRAVELLER 1 – Could you tell me if it's on time? I can't find the train on my app.
TRAVELLER 2 – Do you mind if I have a look? Er, well... This is not how you spell "Edinburgh".

Excusez-moi...
Voyageur 1. – Excusez-moi. C'est bien le train pour Edimbourg ?
Voyageur 2. – Oui.
V1. – Vous savez si c'est le train de 14h48 ?
V2. – Probablement.
V1. – Pourriez-vous me dire s'il est à l'heure ? Je ne trouve pas ce train sur mon appli.
V2. – Ça vous dérange si je jette un coup d'œil ? Euh, eh bien *Edinburgh* ne s'écrit pas comme ça.

🔊 *I'D LIKE TO KNOW HOW...*

TOURIST – Hello, sir. I'm a foreign tourist and I'd like to know how to go to the town hall from here.
LONDONER – It's simple: you go straight to the traffic lights and then you turn left.
TOURIST – May I ask you how to go to the town hall from here?
LONDONER – You go straight to the traffic lights and then turn left.
TOURIST – Could you tell me how to go to the town hall?
LONDONER – It's the third and last time I'm telling you: traffic lights and then left.
TOURIST – Don't get angry. I like practising my English.

Je voudrais savoir comment...
T. – Bonjour, Monsieur. Je suis un touriste étranger et je voudrais savoir comment on va à la mairie d'ici.
L. – C'est simple : vous allez tout droit jusqu'aux feux et ensuite vous tournez à gauche.
T. – Puis-je vous demander comment on va à la mairie d'ici ?
L. – Vous allez tout droit jusqu'aux feux et ensuite vous tournez à gauche.
T. – Vous pourriez me dire comment on va à la mairie ?
L. – C'est la troisième et dernière fois que je vous le dis : feux et ensuite à gauche.
T. – Ne vous énervez pas. J'aime pratiquer mon anglais.

STRUCTURES CLÉS

Do you know...

Excuse me, please, where / when / who / how...?
Excusez-moi, où / quand / qui / comment...?

Excuse me, do you know when the train from Bristol arrives, please?
Excusez-moi, vous savez quand arrive le train de Bristol?

Excuse me, do you know how to get to the station?
Excusez-moi, vous savez comment aller à la gare?

I'd like to know...

I'd like to know what time you close tonight.
Je voudrais savoir à quelle heure vous fermez ce soir.

I'd like to know how much a metro ticket is.
Je voudrais savoir combien coûte un ticket de métro.

I'd like to know if the exhibition is still on.
Je voudrais savoir si l'exposition est toujours en cours.

Can / Could you tell me...

Can you tell me the way to...?
Vous pouvez m'indiquer le chemin pour...?

Could you tell me where I could find...?
Pourriez-vous me dire où je pourrais trouver...?

À VOUS DE PARLER !

Traduisez oralement ces énoncés.

1. Pouvez-vous m'indiquer le chemin de la gare, s'il vous plaît?
2. Mon ami voudrait savoir à quelle heure ferme la mairie.
3. Excusez-moi, vous savez où sont les toilettes?
4. Je voudrais savoir combien coûte le ticket pour la journée.
5. Pourriez-vous me dire quelle heure il est?
6. Pourriez-vous me dire comment aller au commissariat?

CORRIGÉ

1. Could you tell me the way to the station, please?
2. My friend would like to know what time the town hall closes.
3. Excuse me, please, do you know where the toilets [UK] are? / where the restroom [US] is?
4. I'd like to know how much a day ticket is.
5. Could you please tell me what time it is?
6. Could you tell me how to go to the police station?

4 *Making an appointment*
Prendre rendez-vous

HARRY SPEAKING

HARRY – Doctor's office. Harry speaking. How can I help you?

WOMAN – I need to make an appointment with Dr. Bailey. It's urgent.

HARRY – I'm afraid Dr. Bailey is booked today. I can put you in for 9 a.m. tomorrow. How does that sound?

WOMAN – Not good at all. I already have an appointment. Are you sure Dr. Bailey can't squeeze me in this afternoon?

Harry à l'appareil

H. – Cabinet médical. Harry à l'appareil. Que puis-je faire pour vous?
F. – Je dois prendre rendez-vous avec le Docteur Bailey. C'est urgent.
H. – Désolé, mais le Docteur Bailey est complet aujourd'hui. Je peux vous noter pour 9 h 00 demain matin. Qu'en pensez-vous?
F. – Ce n'est pas bon du tout. J'ai déjà un rendez-vous. Vous êtes sûr que le Docteur Bailey ne peut pas me caser cet après-midi?

WE SHOULD GET TOGETHER SOON

On the phone...

ANN – Hi, Lesley! What a nice surprise! It's great to hear from you. We should get together soon.

LESLEY – Sure! What about next week? What day would suit you? Friday would be fine for me. Actually, any day of the week would be OK.

ANN – Well, you know, I'm sort of busy at the moment.

LESLEY – Yes, I understand. Anyway, I'm busy too. I'm often away on business trips. I now work in cosmetic surgery.

ANN – Oh, really? Actually would you be free tomorrow night? I could meet you at 6 or any time that's convenient for you.

Il faudrait qu'on se voie bientôt

A. – Bonjour, Lesley! Quelle bonne surprise! C'est super de t'entendre. Il faudrait qu'on se voie bientôt.
L. – Bien sûr! Qu'est-ce que tu dis de la semaine prochaine? Quel jour te conviendrait? Vendredi m'irait bien. En fait, n'importe quel jour de la semaine conviendrait.
A. – Eh bien, tu sais, je suis plutôt occupée en ce moment.
L. – Oui, je comprends. De toute façon, je suis occupée moi aussi. Je pars souvent en voyage d'affaires. Je travaille maintenant dans la chirurgie esthétique.
A. – Vraiment? En fait, est-ce que tu serais libre demain soir? On pourrait se retrouver à 6 h ou à l'heure qui te convient.

STRUCTURES CLÉS

▬ **Prendre un rendez-vous professionnel**

I'd like to make an appointment with Mr Johnson.
Je voudrais prendre rendez-vous avec M. Johnson.

It's about…
C'est au sujet de…

When are you available?
Quand êtes-vous disponible ?

When is it convenient for you?
Quel est le moment qui vous arrange ?

Can you make it Monday lunchtime?
Ce serait possible lundi à l'heure du déjeuner ?

▬ **Prendre un rendez-vous personnel**

Can I see you tonight? / Can we meet tonight?
On peut se voir ce soir ?

Is Wednesday night all right?
Mercredi soir, ça irait ?

Would Friday be OK?
Est-ce que vendredi t'irait ?

Shall we say at two-thirty?
On dit à 14 h 30 ?

—À **VOUS DE PARLER** !
Traduisez oralement ces énoncés.
1. Êtes-vous disponible la semaine prochaine ?
2. Quand as-tu rendez-vous avec le médecin ?
3. Ce n'est pas urgent. C'est au sujet de sa scoliose *(scoliosis)*.
4. Est-ce que le mardi 12 vous irait ?
5. Je ne suis pas disponible ce jour-là.
6. Salon de coiffure VIP *(Hair Salon VIP)*. Que puis-je faire pour vous ?

CORRIGÉ
1. Are you available next week?
2. When is your appointment with the doctor?
3. It's not urgent. It's about his scoliosis.
4. Is Tuesday 12 all right? / OK? Would Tuesday 12 be all right? / OK?
5. I'm not available (on) that day.
6. Hair Salon VIP. How can I help you?

5 Thanking, apologizing
Remercier, s'excuser

🔊 I'M REALLY GRATEFUL

Woman – Thank you so much for saving our dog.
Without you, she would have been run over.
Man – You're welcome.
Woman – I'm really grateful. Thanks again.
Man – Not at all.
Woman – I really appreciate what you've done for us.
How can I repay you for your kindness?
Man – Could you ask your dog to stop barking at me?

to run over: écraser (en voiture) ❖ **to bark:** aboyer

Je vous suis vraiment reconnaissante
F. – Merci beaucoup d'avoir sauvé notre chienne. Sans vous, elle se serait fait écraser.
H. – Je vous en prie.
F. – Je vous suis vraiment reconnaissante. Encore merci.
H. – De rien.
F. – Je suis vraiment reconnaissante de ce que vous avez fait pour nous. Comment est-ce que je peux vous récompenser de votre gentillesse?
H. – Vous pourriez demander à votre chienne d'arrêter de m'aboyer dessus?

🔊 HONEY, I'M SORRY...

A telephone conversation between Eileen and Tom, her boyfriend.
Eileen – Honey, I'm sorry that I haven't spent much time with you lately. I'd like to apologize for often being late. I've been selfish, and I shouldn't have worked such long hours.
Tom – That's all right.
Eileen – I'd like to make it up to you. I'm sorry I hurt your feelings. How about the nice pizzeria on our street tonight? It'll be on me, of course.
Tom – No need to apologize, but I accept the restaurant.

to spend time: passer du temps ❖ **to make it up to sb:** se faire pardonner

Chéri, je suis désolée...
E. – Chéri, je suis désolée de ne pas avoir passé beaucoup de temps avec toi récemment. Je voudrais m'excuser d'être souvent en retard. J'ai été égoïste et je n'aurais pas dû travailler autant.
T. – Pas de problème.
E. – Je voudrais me faire pardonner. Je suis désolée de t'avoir blessé. Ça te dirait qu'on dîne à la pizzeria sympa de notre rue ce soir? Je t'invite, bien sûr.
T. – Pas la peine de t'excuser, mais j'accepte le restaurant.

STRUCTURES CLÉS

Forgive me for what I did yesterday.

▶ Remercier

Thank you.
Merci.

Thanks a lot.
Merci beaucoup.

Thank you very much indeed.
Vraiment merci beaucoup.

Thank you. That's very kind of you.
Merci. C'est très gentil à vous.

Thank you. I'm really grateful to you.
Merci. Je vous suis très reconnaissant(e).

▶ S'excuser

Oops! Sorry about that!
Oups! Désolé(e)!

I'm so sorry for what happened.
Je suis vraiment désolé(e) de ce qui est arrivé.

I'm terribly sorry. I didn't mean to interrupt you.
Je suis vraiment désolé(e). Je ne voulais pas vous interrompre.

Forgive me for what I did yesterday.
Excusez-moi pour ce que j'ai fait hier.

I'd like to apologize for last night, for not saying goodbye.
Je voudrais m'excuser pour hier soir, de ne pas t'avoir dit au revoir.

À VOUS DE PARLER !

Traduisez oralement ces énoncés.

1. Oups! Je vous ai marché sur le pied *(to step on)*. Désolée!
2. Nous sommes vraiment désolés. On ne voulait pas vous déranger.
3. On voulait s'excuser pour ce matin.
4. Je voudrais m'excuser de ne pas t'avoir aidé.
5. Je vous suis très reconnaissante. J'aimerais vous récompenser de votre gentillesse.
6. Excuse-moi d'avoir dit ça.

CORRIGÉ

1. Oops! I stepped on your foot. Sorry about that!/I'm sorry!
2. We're so sorry. We didn't mean to disturb you.
3. We wanted to apologize for / about this morning.
4. I'd like to apologize for not helping you.
5. I'm really grateful to you. I'd like to repay you for your kindness.
6. I apologize for saying that./ I'm sorry I said that.

6 *Planning*
Faire des projets

ARE YOU PLANNING TO RESIGN?

Joey – I'm seeing the boss in ten minutes.
Brian – What for? Are you planning to resign?
Joey – On the contrary. There's a new job going. My aim is to get it. So I intend to show her that I'm by far the best person for the new job, which shouldn't be difficult, really.

by far: de loin

Tu comptes démissionner?
J. – J'ai rendez-vous avec la patronne dans dix minutes.
B. – C'est pour quoi? Tu comptes démissionner?
J. – Au contraire. Ils créent un nouveau poste. Mon but est de l'obtenir. J'ai donc l'intention de lui montrer que je suis de loin le meilleur pour ce job, ce qui ne devrait pas être difficile, en fait.

WE'RE GOING TO VISIT MY MOTHER...

Mrs Roth – You remember that we are going to visit my mother in Belfast for the holiday?
Mr Roth – Are we? I thought you intended to spend the summer with our cousins in Southern Spain.
Mrs Roth – Yes, I'm planning to get a flight from Belfast to Malaga. Everything has been arranged, don't worry, but we have to see my mother first. She's thinking of trying new recipes. We'll be spoilt! My brother is offering to fetch us from the airport. So everything should go smoothly. Is it OK with you?

to fly: prendre l'avion ❖ **a recipe:** une recette ❖ **to be spoilt:** être gâté

On va voir ma mère...
Mme R. – Tu te souviens qu'on va voir ma mère à Belfast pendant les vacances?
M. R. – Ah bon? Je croyais que tu avais l'intention de passer l'été chez nos cousins dans le sud de l'Espagne.
Mme R. – Oui, je prévois de prendre un avion de Belfast à Malaga. Tout a été organisé, ne t'en fais pas, mais on doit voir ma mère avant. Elle pense essayer de nouvelles recettes. On va être gâtés! Mon frère propose de venir nous chercher à l'aéroport. Donc tout devrait aller comme sur des roulettes. Ça te va?

STRUCTURES CLÉS

● **Demander à quelqu'un quels sont ses projets**

What are you doing tomorrow?
Qu'est-ce que tu fais demain ?

What are your plans for the holiday?
Qu'est-ce que vous avez prévu pour les vacances ?

Have you got anything planned for tomorrow?
Tu as prévu quelque chose pour demain ?

● **Parler de ses projets à quelqu'un**

We're going to visit my parents in Arizona.
On va voir mes parents dans l'Arizona.

I'm thinking of taking up swimming.
J'envisage de me mettre à la natation.

We're considering moving to the country.
On envisage de déménager à la campagne.

I'm planning to go on holiday soon.
Je projette de partir en vacances bientôt.

I intend to revise for my exams this weekend.
J'ai l'intention de réviser pour mes examens ce week-end.

Have you got anything planned for tomorrow?

À VOUS DE PARLER !

Traduisez oralement ces énoncés.

1. Qu'avez-vous prévu pour le week-end prochain ?

2. Mon copain et moi, on envisage de déménager *(move out)*.

3. Vous avez quelque chose de prévu pour cet été ?

4. On envisage de partir au pays de Galles *(Wales)*.

5. Je n'ai pas l'intention de les suivre.

6. Mon but est d'être indépendante.

CORRIGÉ
1. What are your plans for next weekend?
2. My boyfriend and I are considering moving out.
3. Have you got anything planned for the summer?
4. We're thinking of going / considering going to Wales.
5. I don't intend to follow them.
6. My aim is to be independent.

Asking a favour
Demander un service

))) COULD YOU LEND ME...?

In the office... It's lunchtime.

PAUL – Could you lend me some money for lunch, please?

ELSA – Sure. How much do you need?

PAUL – Can I have £30, please?

ELSA – £30 for lunch?

PAUL – Welcome to London, my dear!

Tu pourrais me prêter... ?

P. – Tu pourrais me prêter un peu d'argent pour le déjeuner?

E. – Bien sûr. Il te faut combien?

P. – Je peux avoir 30 livres, s'il te plaît?

E. – 30 livres pour un déjeuner?

P. – Bienvenue à Londres, ma chère!

))) COULD YOU DO ME A FAVOUR?

PETE – Hi, Liz. I know you think I always call you to ask you a favour, but could you do me a favour?

LIZ – Hi, Pete. What can I do for you?

PETE – Could you feed my cat this weekend?

LIZ – Sure. I love cats. No problem at all.

PETE – Thank you so much. You've saved my life – or rather my cat's life. I really owe you one. I'll return the favour sometime!

LIZ – Actually, would it be a problem if I slept at your place? My parents are coming over for the weekend.

PETE – Not at all! Kitty loves company. So, make yourself at home!

to do sb a favour: rendre service à qqn ❖ **to feed:** nourrir ❖ **I owe you one.** Je te revaudrai ça. ❖ **Make yourself at home.** Fais comme chez toi.

Tu pourrais me rendre un service ?

P. – Salut, Liz. Je sais que tu penses que je t'appelle toujours pour te demander un service, mais tu pourrais me rendre un service?

L. – Salut, Pete. Qu'est-ce que je peux faire pour toi?

P. – Tu pourrais nourrir mon chat ce week-end?

L. – Bien sûr. J'adore les chats. Pas de problème.

P. – Merci beaucoup. Tu me sauves la vie – ou plutôt celle de mon chat. Je te revaudrai ça. Je te rendrai la pareille un jour!

L. – Au fait, est-ce que ce serait un problème si je dormais chez toi? Mes parents viennent pour le week-end.

P. – Pas du tout! Kitty adore la compagnie. Donc, fais comme chez toi!

STRUCTURES CLÉS

■ **Could you do me a favour?**

Could you do me a really big favour?
Tu pourrais me rendre un énorme service ?

Could you help me, please?
Tu pourrais m'aider, s'il te plaît ?

Yes, of course. / Certainly. / By all means!
Oui, bien sûr.

Sorry, but I can't. / I'm afraid I can't.
Désolé, mais je ne peux pas.

■ **Will you / Would you do me a favour?**

Would you mind helping me carry this box?
Est-ce que vous pourriez m'aider à porter cette boîte ?

Would it be all right if I used your printer?
Ça ne te dérange pas que j'utilise ton imprimante ?

Will you give me his email address, please?
Vous voulez bien me donner son adresse électronique ?

■ **I wonder if you could...**

I was wondering if you could help me write a thank-you note.
Je me demandais si tu pourrais m'aider à écrire un mot de remerciement.

À VOUS DE PARLER !
Traduisez oralement ces énoncés.
1. Vous pourriez me prêter votre journal ?
2. Pourriez-vous me rendre un énorme service ?
3. Ça ne vous dérange pas que je prenne mon après-midi *(take time off)* ?
4. Est-ce que ce serait un problème si je venais avec mes chiens ?
5. Tu veux bien me donner le numéro de portable d'Alex ?
6. Est-ce que tu pourrais baisser le chauffage *(turn sth down)* ?

CORRIGÉ
1. Could you lend me your paper, please?
2. Could you do me a big favour?
3. Would it be all right if I took the afternoon off?/Would you mind me taking the afternoon off?
4. Would it be a problem if I came with my dogs?
5. Will you give me Alex's mobile phone number, please?
6. Could you turn the heating down?/Would you mind turning the heating down?

8 Asking for permission
Demander la permission

•)) ## CAN I...?

PETE – Can I use your mobile, please?
CLARA – Yes, please do.
PETE – May I use all your apps?
CLARA – Sure. They're all free.
PETE – Is it OK if I text my girlfriend with it?
CLARA – Feel free to do so. But could you possibly not talk to me for a couple of minutes?

Feel free to... N'hésite pas à...

Je peux?
P. – Je peux utiliser ton portable?
C. – Je t'en prie.
P. – Est-ce que je peux utiliser toutes les applis?
C. – Bien sûr. Elles sont toutes gratuites.
P. – Est-ce que ça va si j'envoie un texto à ma copine?
C. – Oui, je t'en prie. Mais est-ce que tu pourrais arrêter de me parler deux minutes?

•)) ## MAY I...?

PASSENGER 1 – May I take this seat, please?
PASSENGER 2 – Yes, you may.
PASSENGER 1– Is this the train to Nottingham?
PASSENGER 2 – Yes, it is.
PASSENGER 1– Are we allowed to smoke in the buffet car?
PASSENGER 2 – No, we aren't.
PASSENGER 1 – Can I ask you a personal question?
PASSENGER 2 – Yes, you can.
PASSENGER 1– Why do you always answer in the same way?
PASSENGER 2 – I'm practising my grammar.

Est-ce que je peux?
P1. – Je peux prendre cette place?
P2. – Oui.
P1. – Est-ce que c'est le train pour Nottingham?
P2. – Oui.
P1. – Est-ce qu'on a le droit de fumer dans la voiture-bar?
P2. – Non.
P1. – Je peux vous poser une question personnelle?
P2. – Oui.
P1. – Pourquoi est-ce que vous répondez toujours de la même façon?
P2. – Je travaille ma grammaire.

STRUCTURES CLÉS

▬ **Can I / May I…?**

Can I use your mobile, please?
Je peux utiliser ton portable ?

Yes, you can. / Of course you can.
Oui. / Oui, bien sûr.

No, you can't. / I'm afraid you can't.
Non. / Désolé.

May I put the TV on?
Est-ce que je peux allumer la télévision ?

Yes, of course you may. / No, I'm afraid you may not.
Oui, bien sûr. / Non, désolé.

▬ **Is it OK if…?**

Is it OK / all right if I take the day off tomorrow?
Est-ce que ça te va si je prends la journée de demain ?

Would it be OK if I left work a bit early today?
Est-ce que je peux partir un peu tôt aujourd'hui ?

Do you mind if I turn the radio on?
Ça te dérange si je mets la radio ?

Do you mind me smoking an e-cigarette?
Ça vous dérange si je vapote ?

À VOUS DE PARLER !

Traduisez oralement ces énoncés.

1. Je peux avoir un double express *(a double espresso)*, s'il vous plaît ?
2. On peut prendre ta voiture ?
3. Oui, bien sûr.
4. Non, désolé. Tu n'as pas le droit de conduire sans moi.
5. Ça vous dérange si j'enlève mes chaussures ?
6. Est-ce que ça va si j'invite mes copains de classe ce week-end ?

CORRIGÉ
1. Can I have a double espresso, please?
2. Can / May we take your car?
3. Yes, you can. / Yes, you may. / Yes, of course. / Sure.
4. I'm afraid you can't. You're not allowed to drive without me.
5. Do you mind if I take my shoes off? / Do you mind me taking my shoes off?
6. Is it OK / all right if I invite my classmates this weekend?

9 Advising, suggesting
Conseiller, suggérer

◉)) WHY DON'T WE GO TO NEW YORK?

Jo – Why don't we go to New York this summer?

EMMA – Good idea! We could visit the Cloisters while we're there.

Jo – Let's check how much it would cost.

EMMA – What about asking John and Laurie if we could stay with them?

Jo – Sure. I suggest you call them immediately.

EMMA – Hello, it's the middle of the night there.

to cost: coûter ❖ **to stay with sb:** loger chez qqn

Pourquoi on n'irait pas à New York ?
J. – Pourquoi on n'irait pas à New York cet été ?
E. – Bonne idée ! On pourrait visiter les *Cloisters* quand on y sera.
J. – Regardons combien ça coûterait.
E. – Et si on demandait à John et Laurie de loger chez eux ?
J. – Bien sûr. Je te propose de les appeler tout de suite.
E. – Tu rêves, c'est le milieu de la nuit là-bas.

◉)) IF I WERE YOU...

Mike and Angela are visiting Paul's apartment.

PAUL – And here's my new kitchen! I installed it myself!

ANGELA – Well, if I were you I'd change the colour. I don't like green.

MIKE – Also, you should buy a bigger oven. And I wouldn't put the coffee machine on the worktop.

ANGELA – Yes, I agree. And why don't you knock this wall down? Your kitchen wouldn't look so tiny.

PAUL – And you call yourselves my friends? Just a word of advice: don't mention the word "kitchen" again tonight.

if I were you: à ta place ❖ **an oven:** un four ❖ **a worktop:** un plan de travail ❖ **to knock a wall down:** abattre un mur ❖ **tiny:** minuscule

À ta place...
P. – Et voici ma nouvelle cuisine ! Je l'ai installée moi-même !
A. – Eh bien, à ta place, je changerais la couleur. Je n'aime pas le vert.
M. – En plus, tu devrais acheter un plus grand four. Et moi, je ne mettrais pas la machine à café sur le plan de travail.
A. – Oui, je suis d'accord. Et pourquoi tu n'abats pas ce mur ? Ta cuisine aurait l'air moins minuscule.
P. – Et vous vous dites mes amis ? Juste un conseil : ne prononcez plus le mot « cuisine » ce soir.

STRUCTURES CLÉS

● **Conseiller**

Can I give you a piece of advice?
Je peux te donner un conseil ?

My advice is to go by train.
Mon conseil est qu'on prenne le train.

You should call the police.
Tu devrais téléphoner à la police.

You'd better leave now.
Tu ferais mieux de partir maintenant.

If I were you I'd give up.
À ta place, je laisserais tomber.

● **Suggérer**

We could go to the cinema tonight if you like.
On pourrait aller au cinéma ce soir, si tu veux.

How about / What about going to the cinema?
Et si on allait au cinéma ?

Shall we go out for dinner?
Et si on dînait dehors ?

If I were you I'd give up.

À VOUS DE PARLER !

Traduisez oralement ces énoncés.

1. Tu devrais partir *(go away)* ce week-end.
2. Tu ferais mieux de réserver *(book)* un hôtel tout de suite.
3. À votre place, je leur dirais la vérité.
4. Et si on faisait un pique-nique *(picnick)* sur la plage ?
5. Mon conseil est d'y aller doucement *(take it easy)*.
6. Je voudrais te donner deux conseils.

CORRIGÉ

1. You should go away for the weekend.
2. You'd better book a hotel immediately.
3. If I were you I'd tell them the truth.
4. How about / What about picnicking on the beach?
5. My advice is to take it easy.
6. I'd like to give you two pieces of advice.

10 *Being surprised, reacting*
Être surpris, réagir

●)) ## *YOU'RE KIDDING!*

Eve – Tom has just left me a message.

Gillian – What? You're kidding! I'd never have guessed.

Eve – And he's taking me out to dinner!

Gillian – I don't believe it! That's the last thing I expected. Tom and you, really? He's so handsome! I'm speechless.

to be kidding: plaisanter ❖ **to take sb out to dinner:** inviter qqn à dîner ❖ **to expect sth:** s'attendre à qqch. ❖ **to be speechless:** être sans voix

Tu plaisantes!

E. – Tom vient de me laisser un message.

G. – Quoi? Tu plaisantes! J'aurais jamais deviné!

E. – Et il m'emmène dîner!

G. – Je n'y crois pas! C'est la dernière des choses à laquelle je m'attendais. Tom et toi, vraiment? Il est tellement beau! Je suis sans voix.

●)) ## *WHAT A NICE SURPRISE!*

Laura's Mum – Is that you, Laura? What a nice surprise! I'm surprised that you managed to remember my phone number. I'm really taken aback. It's amazing to hear your voice.

Laura – Mum, it's not funny. I called you less than a week ago.

Laura's Mum – I know but today my horoscope said: "Expect the unexpected" and the only thing that has happened so far is your phone call! And it's 10 p.m.

Laura – I actually had a surprise for you: I'm pregnant and it's twins!

Laura's Mum – Oh my God!

the unexpected: l'imprévu ❖ **so far:** jusqu'à présent ❖ **to be pregnant:** être enceinte ❖ **twins:** des jumeaux

Quelle bonne surprise!

M. – C'est toi, Laura? Quelle bonne surprise! Je suis étonnée que tu aies réussi à te souvenir de mon numéro de téléphone. Je suis vraiment très surprise. C'est incroyable d'entendre ta voix.

L. – Maman, ça n'est pas drôle. Je t'ai appelée il y a moins d'une semaine.

M. – Je sais, mais aujourd'hui mon horoscope a dit: «Attendez-vous à l'inattendu» et la seule chose qui me soit arrivée jusqu'à maintenant, c'est ton appel! Et il est 22 heures.

L. – J'avais vraiment une surprise pour toi: je suis enceinte et c'est des jumeaux!

M. – Oh mon Dieu!

STRUCTURES CLÉS

➤ Exprimer la suprise

What a lovely surprise!
Quelle bonne surprise !

I'm amazed / astounded!
Je suis stupéfait !

We were taken aback by his honesty.
On a été très surpris par son honnêteté.

They were stunned by the news.
Ils ont été abasourdis par la nouvelle.

I'm not surprised that Katrina kept her promise.
Je ne suis pas surprise que Katrina ait tenu sa promesse.

➤ Exprimer l'incrédulité

You're kidding!
Tu plaisantes !

Oh my God! It's really amazing / surprising!
Mon Dieu ! C'est vraiment **surprenant / incroyable** !

Wow! Really? I can't believe it!
Vraiment ? Je n'y crois pas !

No wonder!
Tu m'étonnes !

À VOUS DE PARLER !
Traduisez oralement ces énoncés.
1. Quelle mauvaise surprise !
2. On était tellement surpris qu'on est restés sans voix.
3. Ils n'ont pas téléphoné ? Tu m'étonnes !
4. Je suis abasourdi. C'est vraiment surprenant.
5. J'étais stupéfait quand j'ai appris la nouvelle.
6. Quoi ? Tu plaisantes, j'espère.

11 Reproaching
Faire des reproches

YOU'RE BLAMING ME?

PETE – I'm sorry, Hannah, but your article on the current economic crisis is not convincing. But you shouldn't reproach yourself for the mistakes you've made.

HANNAH – I shouldn't have followed your advice.

PETE – What? You're blaming me?

HANNAH – You shouldn't have told me to send it straight to the senior editor.

> **to blame sb:** rejeter la faute sur qqn ❖ **the senior editor:** le rédacteur en chef

C'est moi que tu accuses?

P. – Désolé, Hannah, mais ton article sur la crise économique actuelle n'est pas convaincant. Mais tu ne devrais pas te reprocher les erreurs que tu as faites.

H. – Je n'aurais pas dû suivre tes conseils.

P. – Quoi? C'est à moi que tu fais des reproches?

H. – Tu n'aurais pas dû me dire de l'envoyer directement au rédacteur en chef.

⏺)) ## IT'S ALL YOUR FAULT!

FIONA – You just had to pick the worst film ever! You were wrong as usual.

JACK – Look, you agreed to see that film.

FIONA – I never! It's all your fault. We always do what *you* want to do... Mind the road! You've just driven through a red light!

JACK – Is that a police car behind us?

FIONA – That crowns it all! You can be proud of yourself. A fine mess you've got us into. You're useless.

> **to pick = to choose** ❖ **Mind the road!** Attention à la route! ❖
> **That crowns it all!** Il ne manquait plus que ça!

Tout est de ta faute!

F. – Il a fallu que tu choisisses le pire film qui soit! Tu as eu tort, comme d'habitude.

J. – Écoute, tu étais d'accord pour voir ce film.

F. – Moi, jamais! Tout est de ta faute. On fait toujours ce que toi, tu veux faire... Attention à la route! Tu viens de griller un feu rouge!

J. – C'est une voiture de police derrière nous?

F. – Il ne manquait plus que ça! Tu peux être fier de toi. Tu nous as mis dans de beaux draps. Tu es nul.

STRUCTURES CLÉS

▸ **You should have...**

You should have done that yesterday.
Tu aurais dû faire ça hier.

They should never have said that! I'm angry at them.
Ils n'auraient jamais dû dire ça ! Je leur en veux.

▸ **You can... You could...**

How can you do such a thing to me?
Comment peux-tu me faire une chose pareille ?

They could have told me before!
Ils auraient pu me le dire avant !

▸ **I reproach you for...**

I reproach / blame them for not being with us more often.
Je leur reproche de ne pas être plus souvent avec nous.

I hold you responsible for everything that's happened.
Je vous tiens pour responsable de tout ce qui s'est passé.

Why did you have to tell him that?
Pourquoi a-t-il fallu que tu lui dises ça ?

And what's more, you didn't even apologize.
Et en plus, tu ne t'es même pas excusé.

À VOUS DE PARLER !

Traduisez oralement ces énoncés.

1. Tu n'aurais pas dû me dire de me taire.
2. Tes parents nous ont mis dans de beaux draps !
3. Tu aurais pu m'en parler avant.
4. Je reproche à ta sœur de ne jamais être d'accord avec nous.
5. Comment ont-ils pu dire une chose pareille ?
6. Il ne manquait plus que ça !

CORRIGÉ
1. You shouldn't have told me to shut up.
2. A fine mess your parents got us into!
3. You could have mentioned it / have told me before.
4. I blame / reproach your sister for never agreeing with us.
5. How could they say such a thing?
6. That crowns it all! / That's all we need!

12

Encouraging, comforting
Encourager, réconforter

YOUR WORDS ARE VERY COMFORTING...

JOSH – I'd like to enter this cooking competition but I don't think they would take me.

EVE – I'm sure you can do it. I believe in you. You're improving day by day. Remember that success is 33% skill, 33% pain, 33% concentration and 33% luck.

JOSH – Thank you for encouraging me and for your support. Your words are very comforting, but are you 100% sure?

Tes paroles sont très réconfortantes...

J. – J'aimerais participer à ce concours de cuisine mais je ne crois pas qu'ils me prendraient.

E. – Je suis sûre que tu peux y arriver. Je crois en toi. Tu t'améliores de jour en jour. N'oublie pas que le succès, c'est 33% de talent, 33% de souffrance, 33% de concentration et 33% de chance.

J. – Merci de m'encourager et merci pour ton soutien. Tes paroles sont très réconfortantes, mais tu es sûre à 100% ?

EVERY CLOUD HAS A SILVER LINING

EMMA – I still haven't been promoted.

SEAN – Don't despair, Emma. Don't let it get you down. Things will look up some day.

EMMA – That's some encouragement! I haven't been promoted and won't be for at least one year.

SEAN – You should look on the bright side of things: that means you and I will still be working in the same department. And who knows, one day you might get a pay rise. Just keep your fingers crossed. Don't give up. Pull yourself together!

EMMA *(Sighing...)* – Great!

to get sb down: déprimer qqn ❖ to look up: s'améliorer

À quelque chose malheur est bon...

E. – Je n'ai toujours pas eu de promotion.

S. – Ne désespère pas, Emma. Ne te laisse pas abattre. Ça finira par s'arranger.

E. – Tu parles d'un encouragement ! Je n'ai pas eu de promotion et je n'en aurai pas d'ici au moins un an.

S. – Il faut voir le bon côté des choses : ça veut dire que toi et moi, on va continuer à travailler dans le même service. Et qui sait, un jour tu pourrais obtenir une augmentation. Croise les doigts. Ne laisse pas tomber. Ressaisis-toi !

E. – *(Elle soupire)* Génial !

STRUCTURES CLÉS

Encourager

Go on!/Carry on! You're doing just fine.
Continuez! C'est bien ce que vous faites.

You're improving day by day.
Tu t'améliores de jour en jour.

Keep up the good work!
Continue comme ça!

Réconforter

Don't worry! Everything'll be all right.
Ne t'en fais pas! Tout finira bien par s'arranger.

Don't despair. Don't give up.
Ne te décourage pas. Ne laisse pas tomber.

Calm down! Come on, cheer up.
Calme-toi! Allons, courage.

Pull yourself together.
Ressaisis-toi.

Things will look up. You mustn't give up hope.
Ça va aller mieux. Il ne faut pas perdre espoir.

À VOUS DE PARLER !

Traduisez oralement ces énoncés.

1. Calmez-vous! Ça va aller mieux.
2. Il faut que tu te ressaisisses. Ne perds pas espoir.
3. Allons, courage. N'oublie pas qu'à quelque chose malheur est bon.
4. Mes voisins m'encouragent beaucoup. Je les ai remerciés pour leur soutien.
5. Ton examen est aujourd'hui? Croise les doigts!
6. Il faut toujours voir le bon côté de la vie.

CORRIGÉ

1. Calm down! Things will look up.
2. You must pull yourself together. Don't give up hope.
3. Come on, cheer up. Don't forget that every cloud has a silver lining.
4. My neighbours encourage me a lot. I (have) thanked them for their support.
5. Your exam is today? Keep your fingers crossed!
6. You should always look on the bright side of life.

13 Liking, disliking
Apprécier ou pas

WHAT DO YOU LIKE ABOUT HER?

KEITH – So tell me, what do you like about your new girlfriend?
MARK – It's the most difficult question I've ever been asked. Where shall I start? I like her face, I love her hair, I adore her sense of humour. I'm crazy about her eyes. We're quite alike.
KEITH – Is she as modest as you?

Qu'est-ce que tu aimes chez elle?
K. – Bon, dis-moi, qu'est-ce que tu aimes chez ta nouvelle copine?
M. – C'est la question la plus difficile qu'on m'ait jamais posée. Par où commencer? J'aime son visage, j'aime beaucoup ses cheveux, j'adore son sens de l'humour. Je suis fou de ses yeux. On se ressemble beaucoup.
K. – Est-ce qu'elle est aussi modeste que toi?

I'D LIKE TO EAT OUT

NAOMI – I'd like to eat out tonight.
BOB – Me too. I loved the Indian we went to last week.
NAOMI – I hated driving there. I can't stand it when you have to drive to go to a restaurant.
BOB – Yes, but I really enjoyed the food. It's one of my favourite restaurants.
NAOMI – It was nice, but I wasn't mad about it. I think I've gone off that place.
BOB – We could order a takeaway.
NAOMI – I'm not very fond of that idea, especially on Saint Valentine's Day.
BOB – Is it today? Really?

I can't stand: je ne supporte pas ❖ to go off sth: se lasser de qqch.

J'aimerais aller au restaurant
N. – J'aimerais aller au restaurant ce soir.
B. – Moi aussi. J'ai adoré le restau indien où on est allés la semaine dernière.
N. – J'ai détesté conduire pour y aller. Je ne supporte pas de devoir conduire pour aller au restaurant.
B. – Oui, mais j'ai vraiment apprécié la cuisine. C'est un de mes restaurants préférés.
N. – C'était sympa, mais je n'ai pas adoré. Je crois que je n'aime plus cet endroit.
B. – On pourrait commander des plats à emporter.
N. – Je n'aime pas beaucoup cette idée, surtout pour la Saint-Valentin.
B. – C'est aujourd'hui? Vraiment?

STRUCTURES CLÉS

➠ **Dire qu'on aime**

There's nothing I like more than a nice cup of tea.
I like nothing better than a nice cup of tea.
Rien de tel qu'une bonne tasse de thé.

I have a passion for science fiction. I'm mad about it.
Je suis un passionné de science-fiction. J'en suis fou.

I'm really into classical music.
Je suis passionné de musique classique.

➠ **Dire qu'on apprécie**

It was such fun spending the morning with Lucca.
C'était tellement agréable de passer la matinée avec Lucca.

I'm keen on contemporary art and I enjoy going to galleries.
J'aime bien l'art contemporain et j'apprécie d'aller dans des galeries.

➠ **Dire qu'on n'aime pas**

I can't stand / can't bear his voice.
Je ne supporte pas sa voix.

I'm not fond of / not too keen on / not crazy about ballet.
Je n'apprécie pas trop / Je ne suis pas un passionné de ballet.

I've gone off this place. I hate it now.
Je me suis lassé de cet endroit. Je le déteste maintenant.

> **À VOUS DE PARLER !**
> **Traduisez oralement ces énoncés.**
> **1.** Rien de tel qu'un bon sandwich au concombre.
> **2.** Je ne supporte pas de les entendre.
> **3.** Je suis passionné de motos.
> **4.** Ils sont fous de musique coréenne.
> **5.** Mes parents se sont lassés de ce restaurant indien.
> **6.** J'aime bien les chevaux.

CORRIGÉ
1. There's nothing like a good cucumber sandwich. / I like nothing better than a good cucumber sandwich.
2. I can't stand / can't bear hearing them.
3. I have a passion for motorbikes. / I'm really into motorbikes.
4. They're crazy / mad about Korean music.
5. My parents have gone off that Indian restaurant.
6. I'm fond of / I'm keen on / I like horses.

14 *Preferring, being indifferent*
Préférer, être indifférent

WOULD YOU RATHER TAKE THE TUBE?

Ruth – I'd rather walk than drive.

Paul – The problem is that it's raining.

Ruth – Yes, you're right. Would you prefer to go a bit later?
Or would you rather take the tube?

Paul – Actually, I'd much rather stay at home than go out.

Ruth – That's not on!

> **I'd rather:** je préférerais ❖ **to take the tube:** prendre le métro (de Londres) ❖ **That's not on!** Pas question !

Tu préférerais qu'on prenne le métro ?

R. – Je préférerais marcher plutôt que conduire.
P. – Le problème est qu'il pleut.
R. – Oui, tu as raison. Tu préférerais qu'on parte un peu plus tard ? Ou tu préférerais qu'on prenne le métro ?
P. – En fait, je préférerais nettement rester à la maison plutôt que sortir.
R. – Pas question !

I REALLY DON'T CARE

Liz – I don't mind the way you look, but your shirt is all crumpled.

Robin – I'm not bothered. I really don't care.

Liz – It's none of my business, but you just can't go out like this.

Robin – Sorry, darling, but when it comes to ironing I have to admit defeat.

Liz – "We're not interested in the possibilities of defeat. They simply don't exist."

Robin – No need to quote Queen Victoria. I don't give a damn about her.

> **crumpled:** froissé ❖ **I'm not bothered.** Ça m'est égal. ❖ **to iron:** repasser (du linge)

Je m'en fiche complètement

L. – Ton look ne me dérange pas, mais ta chemise est toute froissée.
R. – Ça m'est égal. Je m'en fiche complètement.
L. – Ça ne me regarde pas, mais tu ne peux pas sortir comme ça.
R. – Désolé, chérie, mais quand il s'agit de repassage, je dois m'avouer vaincu.
L. – « L'hypothèse d'un échec ne nous intéresse pas. Ça n'existe tout simplement pas. »
R. – Pas besoin de citer la reine Victoria. Je m'en fiche complètement.

STRUCTURES CLÉS

Exprimer ses préférences

I prefer sparkling water to still water.
Je préfère l'eau gazeuse à l'eau plate.

I prefer walking to taking the tube.
Je préfère marcher plutôt que prendre le métro.

I'd much rather go out than stay at home.
J'aimerais bien mieux sortir que rester à la maison.

I'd rather you didn't tell them the truth.
Je préférerais que tu ne leur dises pas la vérité.

What I like best is just doing nothing.
Ce que je préfère, c'est simplement ne rien faire.

Exprimer son indifférence

I don't mind. It doesn't matter.
Ça m'est égal. Peu importe.

It's all the same to me.
Pour moi, c'est égal.

It's up to you. You decide.
C'est comme tu veux. C'est toi qui **décides**.

Honestly, I don't care.
Franchement, je m'en fiche.

I couldn't care less.
Ça m'est complètement égal.

It's none of my business.
Ça ne me regarde pas.

À VOUS DE PARLER !

Traduisez oralement ces énoncés.

1. Arrête de *(stop + V-ing)* poser des questions. Ça ne te regarde pas.
2. Fais ce que tu veux. Ça m'est égal.
3. Il va pleuvoir, mais peu importe.
4. Andy préférerait voir *(watch)* le film en VO *(in the original version)*.
5. Ce que nous préférons, c'est rester à la maison.
6. Franchement, ça leur est complètement égal.

CORRIGÉ
1. Stop asking questions. It's none of your business.
2. Do what you want. / Do as you like. I don't mind.
3. It's going to rain but it doesn't matter.
4. Andy would rather watch the film / movie in the original version.
5. What we like best is staying at home.
6. Honestly, they couldn't care less.

15 Agreeing, disagreeing
Être d'accord ou pas

HE DOESN'T SHARE MY OPINIONS

HARVEY – What's your partner's view on your political commitment?

DEBBIE – He doesn't share my opinions at all! When it comes to politics, we don't see things in the same light. But we both agree that I should continue. And, more importantly, we never disagree on anything else. We see eye to eye about how to bring up the children and where to go on holiday!

a commitment: un engagement ❖ when it comes to: quand il s'agit de ❖ to see things in the same light: voir les choses de la même façon

Il ne partage pas mes opinions
H. – Quelle est la position de votre conjoint sur votre engagement politique?
D. – Il ne partage pas du tout mes opinions! En matière de politique, nous ne voyons pas les choses de la même façon. Mais nous sommes tous les deux d'avis que je devrais continuer. Et, surtout, pour tout le reste, nous ne sommes jamais en désaccord. On est à 100% d'accord sur l'éducation des enfants et l'endroit où aller en vacances!

I AGREE WITH EVERY WORD SHE SAID

EMILY – What did you think of the MP's speech on the economic situation?

OLIVIA – I think she was brilliant. I agree with every word she said. She's always right.

EMILY – Don't you agree that she was over-optimistic?

OLIVIA – Oh, no. She was one hundred percent right.

EMILY – I'm afraid I'm not of the same opinion as you on that issue.

OLIVIA – OK, let's talk about something else. How are the kids?

an MP (a member of Parliament): un député ❖ to be right: avoir raison ❖ an issue: un problème

Je suis d'accord avec tout ce qu'elle a dit
E. – Qu'est-ce que tu as pensé du discours de la députée sur la situation économique?
O. – Je l'ai trouvée brillante. Je suis d'accord avec tout ce qu'elle a dit. Elle a toujours raison.
E. – Tu ne trouves pas qu'elle était trop optimiste?
O. – Oh, non. Elle avait raison à cent pour cent.
E. – Désolée, mais je n'ai pas du tout la même opinion que toi là-dessus.
O. – Bon, parlons d'autre chose. Comment vont les enfants?

STRUCTURES CLÉS

Dire qu'on est d'accord

I totally agree with them.
Je suis tout à fait d'accord avec eux.

I'm of the same opinion as them.
Je suis du même avis qu'eux.

I share their point of view / their opinion.
Je partage leur point de vue / leur opinion.

I usually go along with my kids.
Je suis habituellement d'accord avec mes enfants.

I feel the same as you.
J'ai la même impression que vous.

Dire qu'on n'est pas d'accord

I don't agree / I disagree with you there.
Là je ne suis pas d'accord avec vous.

I don't see things in the same light.
Je ne vois pas les choses de la même façon.

I take a different view.
J'ai un point de vue différent.

**I can't go along
with you on that.**
Je ne suis pas d'accord
avec vous là-dessus.

À VOUS DE PARLER !
  Traduisez oralement ces énoncés.
  1. Nous n'étions pas du tout d'accord.
  2. J'espère que vous êtes du même avis que nous.
  3. Tous mes collègues voient les choses sous le même angle.
  4. Vous avez un point de vue différent ?
  5. Désolé, mais je ne partage pas votre point de vue.
  6. J'ai eu la même impression que toi à la réunion d'hier.

16 Defending an idea
Défendre une idée

I HAVE STRONG OPINIONS

Eliot – I like the idea of doing new things. I'm very much of the opinion that we should all be adventurers.
In my opinion, explorers are real heroes. Let's go out now.
Ryan – I support that idea. Where shall we go?
Eliot – To the chip shop.
Ryan – I have strong opinions on food. I prefer pizza.

a chip shop = a fish and chip shop

J'ai des idées très arrêtées
E. – J'aime l'idée de faire des choses nouvelles. Je suis convaincu qu'on devrait tous être des aventuriers. À mon avis, les explorateurs sont de vrais héros. On sort maintenant.
R. – Je soutiens cette idée. Où est-ce qu'on va ?
E. – Au *fish and chips*.
R. – J'ai des idées très arrêtées sur la nourriture. Je préfère la pizza.

IN OTHER WORDS…

Scot – So, did you like the exhibition?
Mary – Well, it was interesting, or rather, it was not uninteresting.
Scot – So, you liked it.
Mary – To be precise, I did not dislike it. In other words, I did not hate it.
Scot – So, you didn't like it.
Mary – In actual fact, I enjoyed some of the paintings. No, let me rephrase this: as a matter of fact, some paintings were not unpleasant.

an exhibition: une exposition ❖ to rephrase: reformuler

En d'autres termes…
S. – Alors, tu as aimé l'exposition ?
M. – Eh bien, elle était intéressante, ou plutôt, elle n'était pas inintéressante.
S. – Donc, tu as aimé.
M. – Pour être précise, ça ne m'a pas déplu. En d'autres termes, je n'ai pas détesté.
S. – Donc, tu n'as pas aimé.
M. – En fait, j'ai apprécié certains des tableaux. Non, je vais reformuler : en fait, certains tableaux n'étaient pas désagréables.

BESCHERELLE ▸ l'anglais pour tous

STRUCTURES CLÉS

Exprimer une opinion

To me / To my mind / In my opinion, the best option is to…
Selon moi, la meilleure solution est de…

I think it's a great idea.
Je pense que c'est une idée géniale.

I really like the idea of spending a week in Miami.
J'aime vraiment l'idée de passer une semaine à Miami.

I support the idea of a new North to South line.
Je défends l'idée d'une nouvelle ligne nord-sud.

He has strong opinions on…
Il a des idées très arrêtées sur…

You should always be ready to stand up for your ideas.
Tu devrais toujours être prêt à défendre tes idées.

Reformuler

Let me rephrase / reword this.
Permets-moi de reformuler.

In other words, / Put differently, we're broke.
En d'autres termes, on est fauchés.

At the end of the day…
En fin de compte…

No, I'm not a doctor. In fact / As a matter of fact, I've never been to college.
Non, je ne suis pas médecin. En fait, je ne suis jamais allé à l'université.

She gave me a dollar, that is to say / that is / i.e. peanuts.
Elle m'a donné un dollar, c'est-à-dire des clopinettes.

À VOUS DE PARLER !

Traduisez oralement ces énoncés.

1. Défends tes idées.
2. Je ne travaille pas. En fait, je n'ai jamais eu d'emploi. Je n'ai que 20 ans.
3. Pourquoi est-ce que tu défends cette idée bizarre ?
4. Selon moi, l'exposition était inintéressante.
5. Mes étudiants ont des opinions arrêtées sur ce parti politique.
6. On aime bien l'idée de voyager en première classe *(travel first class)*, pas toi ?

Corrigé
1. Stand up for your ideas.
2. I don't work. In fact, / As a matter of fact, I've never had a job. I'm only 20.
3. Why do you support this strange idea?
4. To me / To my mind / In my opinion, the exhibition was uninteresting.
5. My students have strong opinions on this / that political party.
6. We like the idea of travelling first class, don't you?

17 Expressing a doubt, hesitating
Exprimer des doutes, hésiter

A DIFFICULT CHOICE

JEFF – I'm really in two minds about it. I'm at a loss. What should I do? I think I should choose this one. Or maybe that one. Well… in fact I'm not too sure. I can't decide. It's a difficult choice.

ASHLEY – So, do you want the window seat or the aisle seat? It's a forty-minute flight. We haven't got all day!

> **to be in two minds about sth:** être indécis sur qqch. ❖ **to be at a loss:** être perplexe ❖ **an aisle seat:** une place côté couloir ❖ **a flight:** un vol

Un choix difficile

J. – J'hésite vraiment. Je suis perplexe. Qu'est-ce que je devrais faire? Je crois que je devrais choisir celle-ci. Ou peut-être celle-là. Bon, en fait, je ne suis pas trop sûr. Je n'arrive pas à me décider. C'est un choix difficile.

A. – Alors, tu veux le siège hublot ou couloir? C'est un vol de quarante-cinq minutes. On ne va pas y passer toute la journée!

I DOUBT IT

JOE – I doubt if I can do this job properly. I'm not sure I'm cut out to be a waiter. Somehow, I doubt it.

CINDY – I have no doubt you'll be perfect for it. Trust me, you're undoubtedly the best person for the job.

JOE – Well, I have reservations about how to interact with pretentious customers.

CINDY – Oh, come off it! Of course, you'll manage.

JOE – I still want to think about it.

CINDY – OK, but make up your mind before it's too late.

> **to be cut out for sth:** être fait pour qqch. ❖ **undoubtedly:** sans aucun doute ❖ **Come off it!** À d'autres ! ❖ **to make up one's mind:** se décider

Je n'en suis pas sûr

J. – Je ne suis pas sûr de pouvoir bien faire ce job. Je ne suis pas sûr d'être fait pour être serveur. D'une certaine façon, j'en doute.

C. – Je n'ai aucun doute là-dessus: tu seras parfait. Crois-moi, tu es sans aucun doute la meilleure personne pour ce travail.

J. – Eh bien, j'ai des réserves sur mes capacités à interagir avec des clients prétentieux.

C. – Oh, à d'autres! Bien sûr que tu y arriveras.

J. – Je veux encore y réfléchir.

C. – D'accord, mais décide-toi avant qu'il ne soit trop tard.

•)) STRUCTURES CLÉS

▄▄▶ Dire qu'on doute

I doubt if we can finish on time. I very much doubt it.
Je doute qu'on puisse finir à temps. J'en doute beaucoup.

I questioned their decision. Maybe I shouldn't have.
J'ai mis en doute / cause leur décision. Je n'aurais peut-être pas dû.

I have reservations about the new plan.
J'ai des réserves sur le nouveau projet.

▄▄▶ Dire qu'on hésite

I'm in two minds about it. I still want to think about it.
J'hésite. Je veux encore y réfléchir.

I just can't make up my mind.
Je n'arrive simplement pas à me décider.

I'm at a loss. I don't know what to do.
Je suis perplexe. Je ne sais pas quoi faire.

I'm still not sure if I should answer.
Je ne sais toujours pas si je devrais répondre.

Well... you see... um... er... you know...
Eh bien... tu vois... euh... euh... tu sais...

How shall I put it?
Comment dire ?

I just can't make up my mind.

_ À VOUS DE PARLER !

Traduisez oralement ces énoncés.

1. Si vous avez des réserves sur ce projet, envoyez-nous un courriel.

2. C'est une règle que je voudrais mettre en doute.

3. Je doute qu'on puisse se permettre *(can afford)* cet hôtel.

4. Frank était perplexe et n'a rien dit.

5. J'hésite : j'y vais ou pas ?

6. Décidez-vous, les enfants. On ne va pas y passer toute la journée !

6. Make up your minds, kids. We haven't got all day!
5. I'm in two minds: shall I go or not?
4. Frank was at a loss and didn't say anything / and said nothing.
3. I doubt if we can afford this hotel.
2. It's a rule I'd like to question.
1. If you have reservations about this project, send us an email.

•)) CORRIGÉ

18 Changing the subject
Changer de sujet

🔊 SPEAKING OF WHICH...

FIONA – Did you vote Smith, Watson or Brown?

LILY – Speaking of which, what do you think the government should do about the NHS?

FIONA – So, Smith, Watson or Brown?

LILY – By the way, didn't you say you didn't vote in the last election?

FIONA – Stop changing the subject. Answer my question!

LILY – *You* answer my question!

> **speaking of which: à ce propos** ❖ **the NHS (the National Health Service): le service britannique de santé**

À ce propos...
F. – Tu as voté Smith, Watson ou Brown?
L. – À ce propos, d'après toi, qu'est-ce que le gouvernement devrait faire pour le NHS?
F. – Alors, Smith, Watson ou Brown?
L. – Au fait, tu n'as pas dit que tu n'avais pas voté aux dernières élections?
F. – Arrête de changer de sujet. Réponds à ma question!
L. – C'est à toi de répondre à la mienne!

🔊 THAT REMINDS ME...

BILL – Jane, how are you?

JANE – I'm great, thanks, Bill. I'm so happy because I'm going to study at Harvard University.

BILL – Good. Didn't I tell you I bought a new motorbike?

JANE – No, you didn't. On another topic, my parents are getting re-married!

BILL – OK. It's really fast. It can do 100 mph.

JANE – Great! Before I forget, I'm moving out next week.

BILL – You should see it. It's bright red. And not too expensive.

JANE – That reminds me, don't you owe me $100?

BILL – Anyway, I've got to rush. It was nice talking to you. See you, Jane!

> **a topic: un sujet** ❖ **fast: rapide** ❖ **mph = miles per hour** ❖ **to move out: déménager** ❖ **bright red: rouge vif** ❖ **to owe money: devoir de l'argent** ❖ **to rush: se précipiter**

À ce propos...

B. – Comment ça va, Jane ?

J. – Très bien, merci, Bill. Je suis très contente car je vais étudier à l'université de Harvard.

B. – Bon. Je ne t'ai pas dit que j'ai acheté une nouvelle moto ?

J. – Non. Dans un autre ordre d'idées, mes parents vont se remarier !

B. – D'accord. Elle est vraiment rapide. Elle monte à 160 km/h.

J. – Génial ! Avant que j'oublie, je déménage la semaine prochaine.

B. – Il faudrait que tu la voies. Elle est rouge vif. Et pas trop chère.

J. – À ce propos, tu ne me dois pas 100 dollars ?

B. – Bref, il faut que je file. C'était sympa de te parler. À bientôt, Jane !

STRUCTURES CLÉS

Orienter la conversation

Anyway, I have to leave now.
Bref / Bon, il faut que j'y aille.

By the way… Speaking of which,… / Incidentally,…
Au fait… À ce propos…

Which / That reminds me, could you…?
À ce propos, est-ce que tu pourrais… ?

Oh, before I forget,… / while I remember…
Oh, avant que j'oublie… / pendant que j'y pense…

Refuser de changer de sujet

I can't see the connection. What's that got to do with it?
Je ne vois pas le rapport. Où est le rapport ?

That's beside the point. That's irrelevant to the subject.
C'est sans rapport avec le sujet. Ça n'a rien à voir avec le sujet.

À VOUS DE PARLER !

Traduisez oralement ces énoncés.

1. Bon, il faut qu'on parle.
2. Avant que j'oublie, ton copain a laissé un message.
3. À ce propos, tu as reçu mes mails ?
4. Franchement *(Honestly)*, je ne vois pas le rapport.
5. La remarque de Clara était sans rapport avec le sujet.
6. Pat change de sujet toutes les cinq minutes.

CORRIGÉ

1. Anyway, we have to talk.
2. Before I forget, your boyfriend has left a message.
3. That reminds me / By the way / Speaking of which / Incidentally, did you get my emails?
4. Honestly, I can't see the connection / that's beside the point.
5. Clara's remark was beside the point / was irrelevant to the subject.
6. Pat changes the subject every five minutes.

19 Le rythme de l'anglais

L'anglais alterne syllabe forte (accentuée) et syllabe faible (inaccentuée). Cette alternance donne son rythme à la langue.

UNE BRÈVE COMPARAISON

Écoutez les mots suivants prononcés alternativement en français puis en anglais. Leur sens est le même d'une langue à l'autre. Comparez-les !

FRANÇAIS	ANGLAIS	FRANÇAIS	ANGLAIS
accident	accident	mâle	male
religion	religion	horrible	horrible
tradition	tradition	oranges	oranges
effort	effort	rare	rare
dollar	dollar	violence	violence
crime	crime	important	important
émotion	emotion	hôtel	hotel
différent	different	urgent	urgent
machine	machine		

L'ACCENTUATION

- Tous les mots de plus d'une syllabe ont un **accent fort**, qui est très marqué : *'effort, co'lossal.*
- Les syllabes à gauche et à droite de l'accent fort sont souvent réduites au son /ə/.

  effort /'efət/ colossal /kə'lɒsəl/ machine /mə'ʃiːn/
  important /ɪm'pɔːtənt/ urgent /'ɜːdʒənt/ horrible /'hɒrəbl/
  accessible /ək'sesəbl/

LES SONS

- L'opposition voyelles **longues** / voyelles **courtes** est fondamentale en anglais.

  hat ≠ heart sit ≠ seat pot ≠ port pull ≠ pool
- Les **diphtongues** (deux sons pour une voyelle) sont très fréquentes.

  knife loud blow cake boy

● Les consonnes posent moins de problèmes à un francophone que les voyelles.

● Il n'y a **pas de correspondance systématique** entre l'écriture d'une lettre et sa prononciation. Comparez.

accident (a = /æ/)   tradition (a = /ə/)   male (a = /eɪ/)

● Il est donc souvent difficile de savoir comment un mot se prononce si vous ne l'avez pas déjà entendu ou si vous n'avez pas consulté le **dictionnaire** qui vous fournira sa transcription phonétique. D'où l'intérêt de connaître l'alphabet phonétique.

L'ALPHABET PHONÉTIQUE

VOYELLES BRÈVES			DIPHTONGUES		
/ɪ/	big	/bɪg/	/eɪ/	mail	/meɪl/
/e/	bed	/bed/	/aɪ/	night	/naɪt/
/æ/	hat	/hæt/	/ɔɪ/	boy	/bɔɪ/
/ɒ/	sock	/sɒk/	/əʊ/	coat	/kəʊt/
/ʊ/	good	/gʊd/	/aʊ/	now	/naʊ/
/ʌ/	duck	/dʌk/	/ɪə/	here	/hɪə/
/ə/	an	/ən/	/eə/	rare	/reə/
VOYELLES LONGUES			**CONSONNES**		
/iː/	sea	/siː/	/θ/	thing	/θɪŋ/
/ɑː/	car	/kɑː/	/ð/	this	/ðɪs/
/ɔː/	port	/pɔːt/	/d/	dog	/dɒg/
/uː/	two	/tuː/	/t/	tea	/tiː/
/ɜː/	bird	/bɜːd/	/h/	hot	/hɒt/
			/ʃ/	shop	/ʃɒp/
			/ʒ/	garage	/gəˈrɑːʒ/
			/ŋ/	king	/kɪŋ/
			/j/	yes	/jes/
			/r/	red	/red/
			/w/	William	/ˈwɪljəm/

⑳ Les mots lexicaux

Le français accentue généralement la dernière syllabe. En anglais,
c'est très souvent la racine du mot qui est accentuée – souvent
la **première** syllabe – et les autres syllabes s'entendent moins.
Bien qu'il soit souvent difficile de savoir comment un mot se prononce,
il y a quelques règles simples à retenir.

◀) LES DEUX VOYELLES QU'ON ENTEND À PEINE

Comparez « une question » et *a question* /'kwestʃən/. Le petit accent
placé avant la première syllabe signale qu'elle est fortement accentuée.
Dans la dernière syllabe, le symbole /ə/ signale une voyelle qu'on entend
à peine. C'est le son qu'on trouve en français dans « petit ». Le /ə/ est la
voyelle **la plus fréquente** de l'anglais.

Il existe une autre voyelle qu'on entend à peine : /ɪ/, surtout employée
dans les syllabes inaccentuées, par exemple quand on ajoute -*es* après
les sons /s/, /z/, /dʒ/, /ʃ/.

roses /'rəʊzɪz/   pages /'peɪdʒɪz/
catches /'kætʃɪz/   manages /'mænɪdʒɪz/
wishes /'wɪʃɪz/

On entend aussi /ɪ/ dans -*ed* après /t/ et /d/.

wanted /'wɒntɪd/   decided /dɪ'saɪdɪd/

Parfois, on a le choix entre /ɪ/ et /ə/ : *captain* /'kæptɪn/ ou /'kæptən/.

Attention : /ɪ/ est à mi-chemin entre le /i/ de « gris » et le /e/ de « dé ».

◀) LES RÈGLES D'ACCENTUATION :
MOTS D'UNE SYLLABE

La syllabe est accentuée, sauf s'il s'agit d'un mot grammatical.

He was 'wearing a 'black 'shirt.

I will 'meet you at the 'bus 'stop.

🔊 LES RÈGLES D'ACCENTUATION : MOTS DE DEUX SYLLABES

▪ **Les noms** sont généralement accentués sur la **première** syllabe sauf si la syllabe de droite contient une diphtongue ou une voyelle longue, notamment dans les noms d'origine française.

desert /'dezət/ ≠ des**sert** /di'zɜːt/   **exit** /'eksɪt/ ≠ po**lice** /pə'liːs/

▪ **Les adjectifs, les adverbes** et **les verbes** suivent la même règle que les noms sauf s'ils comportent un préfixe :

always   **mur**der

mais

be**fore**   be**gin**   pre**pare**

▪ Un nom préfixé est en général accentué sur la première syllabe et le verbe correspondant sur la deuxième :

a **pro**test ≠ they pro**test**

🔊 LES RÈGLES D'ACCENTUATION : MOTS DE TROIS SYLLABES OU PLUS

▪ Le plus souvent, l'accent principal se situe sur l'avant-avant-dernière syllabe :

pho**to**graphy   **Ca**nada

▪ Les suffixes *-ed*, *-ing*, *-er*, *-or*, *-ist*, *-ism*, *-ly*, *-ness*… ne modifient pas l'accentuation.

▪ **Quelques suffixes déplacent l'accent** sur la syllabe qui précède le suffixe.

-ion, -ian, -ual, -ial	infor**ma**tion, ma**gi**cian, intel**lec**tual, influ**en**tial
-ic, -ics	me**cha**nic, mathe**ma**tics
-ity	elec**tri**city, eccen**tri**city

21 Les mots grammaticaux

FORME PLEINE ET FORME FAIBLE

Les mots grammaticaux ne sont pas accentués. À l'oral, ils ont souvent une forme **pleine** et une forme **faible**. La forme faible est la forme la plus courante. Ces mots sont prononcés rapidement.

FORME FAIBLE	Where were you at /ət/ four?
FORME PLEINE	What's he looking at /æt/?

LES AUXILIAIRES ET LES MODAUX

On emploie la forme pleine quand le mot est en fin d'énoncé ou quand il est accentué pour créer un contraste (emploi emphatique).
"You must /məst/ tell them." "Yes, I suppose I must /mʌst/."
"I think we can /kən/ do it." "Yes, we can /kæn/."

		FORME FAIBLE	FORME PLEINE
be	be	/bɪ/	/biː/
	am	/əm/	/æm/
	is	/z/	/ɪz/
	are	/ə/	/ɑː/
	was	/wəz/	/wɒz/
	were	/wə/	/wɜː/
do	do	/də/	/duː/
	does	/dəz/	/dʌz/
have	have	/həv/ ou /v/	/hæv/
	had	/həd/ ou /d/	/hæd/
	has	/həz/ ou /z/	/hæz/
modaux	can	/kən/	/kæn/
	could	/kəd/	/kʊd/
	must	/məst/	/mʌst/
	shall	/ʃəl/	/ʃæl/
	should	/ʃəd/	/ʃʊd/
	will	/l/	/wɪl/
	would	/wəd/	/wʊd/

LES PRÉPOSITIONS

Seules six prépositions ont une forme faible : *as, at, for, from, of* et *to*. En règle générale, les prépositions ne sont pas accentuées, contrairement aux particules.

BESCHERELLE ▸ l'anglais pour tous

PRÉPOSITION	FORME FAIBLE	FORME PLEINE
as	/əz/	/æz/
at	/ət/	/æt/
but	/bət/	/bʌt/
from	/frəm/	/frɒm/
of	/əv/	/ɒv/
to	/tə/	/tuː/

La préposition *for* est réduite à /fə/ : *Wait for me*. En fin de proposition, on emploie la forme pleine : *Who are you waiting for* /fɔː/?

THAT ET *THERE*

That démonstratif n'a pas de forme faible et se prononce toujours /ðæt/. *That* relatif et *that* conjonction sont presque systématiquement prononcés /ðət/.

We all know that /ðæt/. We all know that /ðət/ he won't come back.
Nous savons tous ça. Nous savons tous qu'il ne reviendra pas.

La forme faible de *there* s'emploie seulement quand il traduit « il y a » (*there is*, *there are*, *there was*...). Quand *there* signifie « là-bas », on utilise la forme pleine.

There /ðə/'s someone there /ðeə/.
Il y a quelqu'un là-bas.

LES PRONOMS

Some ne se prononce /səm/ que lorsqu'il exprime une quantité indéterminée (du, de la, des). Autrement, il se prononce /sʌm/.

I need some /səm/ money. Il me faut de l'argent.
Some /sʌm/ idiot said that... Un imbécile a dit que...

Certains pronoms personnels et déterminants possessifs ont une forme pleine ou faible. Le /h/ de *he*, *him*, *his*, *her* ne se prononce pas dans la forme faible de ces mots. Toutefois, en début de phrase, le /h/ se prononce généralement.

"I've invited them /ðəm/ for lunch." "Them /ðem/ Both of them /ðəm/?"

PRONOM PERSONNEL DÉTERMINANT POSSESSIF	FORME FAIBLE	FORME PLEINE
she	/ʃɪ/	/ʃiː/
us	/əs/	/ʌs/
our	/ɑː/	/aʊə/
we	/wɪ/	/wiː/
you	/jə/	/juː/
your	/jə/	/jɔː/
them	/ðəm/	/ðem/

22 Les sons inhabituels

LES CONSONNES

En général, leur prononciation pose moins de problèmes
aux francophones que celle des voyelles.

/θ/ (*thing*), qui se prononce comme un /s/ mais la langue bien visible
entre les dents, est différent de /ð/ (*this*) qui se prononce un peu
comme /z/ mais la langue bien visible entre les dents.
N'employez surtout pas /s/ ou /z/ !

they /ðeɪ/ ≠ day /deɪ/	those /ðəʊz/ ≠ doze /dəʊz/
then /ðen/ ≠ den /den/	mouth /maʊθ/ ≠ mouse /maʊs/
moth /mɒθ/ ≠ moss /mɒs/	think /θɪŋk/ ≠ sink /sɪŋk/
then /ðen/ ≠ zen /zen/	

/t/ (*tea*) et /d/ (*day*) sont proches du français mais la langue bien
en arrière (surtout pas contre les dents, comme en français).

Tom	table	tool	talk
dead	deep	dove	dear

Pour /h/ (*high*), de l'air doit sortir de la bouche ; cependant, n'ajoutez
pas de /h/ là où il n'y en a pas.

hi	hat	hen
hotel	hospital	

/r/ (*red*) ressemble un peu à un /w/ mais avec la gorge plus serrée.

rare	run	robot
rat	repeat	

LES VOYELLES /æ/ ET /ʌ/

/æ/ (*cat*) : son proche du /a/ de « patte » ≠ /ʌ/ (*duck*) : à mi-chemin entre
le /a/ de « patte » et le /ɑ/ de « pâte ».

cat ≠ cut   man ≠ mum   bat ≠ but   ran ≠ run   match ≠ much

🔊 VOYELLES BRÈVES ET VOYELLES LONGUES

Le non-respect de la longueur des voyelles entraîne parfois une modification du sens du mot.

➤ /ɪ/ (*big*) : son à mi-chemin entre le /i/ de «gris» et le /e/ de «dé» ≠ /iː/ (*see*) : son long.

   ship ≠ sheep   fit ≠ feet   chip ≠ cheap   it ≠ eat   hit ≠ heat

➤ /ɒ/ (*pot*) : on ouvre la bouche comme pour le /ɑ/ de «pâte» mais on prononce un /o/ ≠ /ɔː/ de *port* : son long.

   clock ≠ door   wash ≠ hall   dog ≠ fork   cost ≠ cork

En anglais américain, le son /ɒ/ n'existe pas. On emploie /ɑː/ à la place de /ɒ/ : pot /pɒt/ [GB] ≠ pot /pɑːt/ [US].

➤ /ʊ/ (*foot*) ≠ /uː/ (*moon*) ; les lèvres sont arrondies pour /uː/ mais pas pour /ʊ/.

➤ /æ/ (*cat*) ≠ /ɑː/ (*car*) : c'est le /ɑː/ long qu'on fait chez le docteur lorsqu'il examine la gorge! En anglais américain, on prononce le /r/ en fin de mot, pas en britannique.

➤ /e/ (*bed*) : proche du «ai» de «raide» ≠ /ɜː/ (*bird*) : correspond à un /ə/ très long.

   fed ≠ fur   merry ≠ mercy   lend ≠ learned   pen ≠ pearl

🔊 DIPHTONGUES (COMPOSÉES DE DEUX SONS VOYELLES)

Les diphtongues anglaises sont au nombre de huit. Les plus difficiles à produire pour les francophones sont :

➤ /əʊ/ (*coat*) : on part du son /ə/ et on va rapidement vers /ʊ/.

   boat   no   slow
   coast   low   most

En anglais américain, cette diphtongue se prononce /oʊ/.

➤ /aʊ/ (*now*) : on part du son /a/ et on va rapidement vers /ʊ/ un peu comme dans «Raoul».

   about   house   allow
   blouse   hour

23 Les consonnes

Le code de l'oral est loin de correspondre trait pour trait au code de l'écrit : une lettre ne correspond pas toujours au même son.

TH avant une voyelle	/ð/	– à l'initiale des mots grammaticaux : there, this, the, that… – lorsque vous voyez -the : breathe, southern
TH dans les autres cas	/θ/	– à l'initiale : thin, think – lorsque le mot se termine par -th : breath – avant une consonne : through
G	/g/	le plus souvent : get, gum
	/f/	enough, cough…
	/dʒ/	ginger, German
S	/s/	paradise /daɪs/, case, roots
	/z/	clumsy, lens, easy
	⚠	sure /ʃʊə/
C	/k/	camera, come
	/s/	ceiling, certainly
	⚠	ocean /ˈəʊʃən/
CH	/tʃ/	dans la plupart des cas : choice
	⚠	Chicago /ʃɪˈkɑːgəʊ/, machine /məʃiːn/, chemistry /ˈkemɪstri/
H	/h/	prononcé sauf dans :
		– hour, heir, honest, honour et leurs dérivés – les formes faibles de he, him, her, his, himself, herself, have, has, had – des mots commençant par ex- : exhibition, exhausted…
L	/l/	dans la plupart des cas : little, light, love…
		sauf dans : -alk /ɔːk/ : walk, talk -alf /ɑːf/ : half, calf -ould /ʊd/ : could, should, would
	⚠	salmon se prononce /ˈsæmən/.

24 Les voyelles

Il est souvent difficile de savoir comment une voyelle se prononce.
On peut cependant relever quelques phénomènes récurrents.
Les voyelles *a*, *e*, *i*, *o*, *u* en position **accentuée** ont chacune
deux prononciations caractéristiques. Mais tout change quand
elles sont suivies de la lettre *r*!

VOYELLE BRÈVE OU DIPHTONGUE ?

Voyelle accentuée + une ou deux consonnes = voyelle brève		
big /ɪ/	lack /æ/	luck /ʌ/
Voyelle accentuée + une consonne + e muet = diphtongue		
bite /aɪ/	lake /eɪ/	bone /əʊ/ cute /juː/

PRONONCIATION DE LA VOYELLE *A*

a	/æ/ cat, pat, matter	/eɪ/ make, paste, may
ar	/ɑː/ bar, farm, aren't	/eə/ parent, vary
⚠	/ɔː/ war, water	/e/ said

PRONONCIATION DE LA VOYELLE *E*

e	/e/ pet, met, better	/iː/ meet, these, seed
er	/ɜː/ were, her, serve	/ɪə/ here, sphere

PRONONCIATION DE LA VOYELLE *I*

i	/ɪ/ pig, milk, kill	/aɪ/ bite, time, night
ir	/ɜː/ bird, circus, first	/aɪ/ fire, wire
⚠	/aɪ/ wild /aɪ/ live (adj.)	/ɪ/ wilderness /ɪ/ live (verbe)

🔊 PRONONCIATION DE LA VOYELLE *O*

o	/ɒ/ dog, sorry, frost	/əʊ/ go, stone, don't	/ʌ/ money, other, son
or	/ɔː/ horse, lord, sword		
⚠	/ʊ/ woman	/ɪ/ women	

🔊 PRONONCIATION DE LA VOYELLE *U*

u	/ʌ/ plug, study, uncle	/ʊ/ put, butcher, push	/juː/ cute, tune
ur	/ɜː/ occur, church, purr	/jʊə/ pure, lure, curious	
⚠	/aʊə/ hour	/ɪ/ busy	

🔊 PRONONCIATION DE *EA*

ea	/iː/ sea, leave, easy	
ear	/ɪə/ hear, dear, beard	/ɜː/ heard
⚠	/iː/ lead (mener)	/e/ lead (du plomb)
	/eɪ/ great, steak	/eə/ bear

25 L'intonation

Dans une suite de plusieurs mots lexicaux, un mot est toujours davantage accentué que tous les autres, car c'est **le mot le plus important**. Il porte l'« accent de phrase ». C'est habituellement le dernier mot lexical. La convention est de le souligner.

> I 'called my 'mother this 'morning.
> 'Mary can 'swim 'faster than her 'brother.
> Do you 'know your 'neighbour's 'name?

Ce type d'accentuation est neutre. Dans une conversation, ce sont les mots qui apportent une **nouvelle information** qui sont mis en relief.

> "What's his name?" "Dickens. Charles Dickens."

Selon le message que l'on veut transmettre, l'accent de phrase peut porter sur un autre mot que le dernier mot lexical. Comparez :

> "Is Paul cooking on Sunday?" "No, it's Peter."
> [C'est bien Paul qui fait la cuisine dimanche ?]
> "Is Paul cooking on Sunday?" "No, he's cleaning."
> [Il fait la cuisine, Paul, dimanche ?]
> "Is Paul cooking on Sunday?" "No, it's on Saturday."
> [C'est bien dimanche que Paul fait la cuisine ?]

🔊 **L'INTONATION DESCENDANTE**

L'**intonation de base** de la phrase anglaise est l'intonation **descendante** :
— la voix monte sur la première syllabe accentuée ;
— elle descend légèrement et progressivement jusqu'à l'accent de phrase où elle descend brusquement.

> I 'called my 'mother at 'two.

L'intonation est **descendante** dans :
— les phrases déclaratives ;

> I love this area.   We don't need anything.

— les phrases à l'impératif ;

> Do it now!

— les phrases exclamatives ;

What a strange couple!

— les *tags*, qui sont des fausses questions.

It's nice, isn't it? (Nous sommes d'accord tous les deux, c'est agréable.)

Attention ! Les questions en *wh-* ont très souvent une intonation descendante.

Where did you go?

What's your name?

L'INTONATION MONTANTE

Dans une **question en *yes / no*,** l'intonation est **montante :** sur l'accent de phrase, la voix part du bas et monte sur la même syllabe.

Did you want to talk to Jane?

L'intonation est **montante** également :

— quand on n'a pas fini sa phrase (par exemple quand on réfléchit) ;

The problem is that er… you know…

— quand on fait une énumération ;

They're planning to visit New York, Boston, Chicago and Miami.

— quand on demande de répéter ;

"He went to Chicago." "Where?"

"She said she'll call you back." "What did she say?"

— quand le tag est une vraie question.

You can come on Monday, can't you?

Vocabulaire

L'astérisque * signale les verbes irréguliers.

•)) Tous les fichiers audio mp3
et l'entraînement associés à cette partie
sont disponibles sur le site
www.bescherelle.com/langues/anglais/pourtous.

ABRÉVIATIONS UTILISÉES

qqn : quelqu'un
qqch. : quelque chose
sb : *somebody*
sth : *something*
sg : singulier
pl. : pluriel
∅ (zéro) : absence de marqueur
adj. : adjectif
adv. adverbe
V : verbe
fig. : figuré
GB : anglais britannique
US : anglais américain

1 L'identité

How old are you?

🔊 **Vous les connaissez. Savez-vous les prononcer ?**

a name /neɪm/ ❖ age /eɪdʒ/ ❖ a baby /'beɪbi/ ❖ identity /aɪ'dentɪti/
❖ personal /'pɜːsnəl/ ❖ signature /'sɪgnətʃə/ ❖ address /ə'dres/ ❖ a woman /'wʊmən/ ❖ women /'wɪmɪn/ ❖ young /jʌŋ/ ❖ Mr /'mɪstə/ ❖ Mrs /'mɪsɪz/

L'ÉTAT CIVIL

mankind /mæn'kaɪnd/ : l'humanité
a human (being) : un (être) humain
people : les gens, les personnes

the first name, the Christian
name : le prénom
the surname, the last name :
le nom de famille
a nickname : un surnom
Miss Smith : Mademoiselle Smith
Ms /məz/ : Mme [employé pour ne pas
donner le statut marital]

a bachelor : un célibataire
a single parent : un père / une mère
célibataire
a widow : une veuve
a widower : un veuf

the ID (identity card) /ˌaɪ'diː/ :
la pièce d'identité
civil status : l'état civil
personal details : les coordonnées
an occupation : une profession

male /meɪl/ : masculin
female : féminin
single, unmarried : célibataire
married : marié
related : apparenté
divorced : divorcé

to introduce sb : présenter qqn
to shake hands with sb :
serrer la main de qqn
to call : appeler
to be called : s'appeler

L'ÂGE

a birth : une naissance
an infant : un nourrisson
a child [pl. children] : un enfant
a kid : un enfant, un gamin
the young : les jeunes
a teenager : un adolescent
a grown-up : un adulte
an elderly person : une personne
âgée
childhood /'tʃaɪldhʊd/ : l'enfance

youth : la jeunesse
middle age : la cinquantaine
old age : la vieillesse
death : la mort

to be born on... : être né le...
to come of age : atteindre
la majorité
to die : mourir
to bury /'beri/ : enterrer

UN PEU DE CONVERSATION…

- I'm Ruth, but I'm sorry I didn't catch your name.
Je m'appelle Ruth, mais désolée, je n'ai pas saisi votre nom.

- "What's your name?" "I'm called Lee."
«Comment est-ce que tu t'appelles? – Je m'appelle Lee.»

- Pleased to meet you. My name is Brad.
Enchanté. Je m'appelle Brad.

- Have you two met?
Vous vous connaissez?

- I'd like you to meet Vicky.
J'aimerais te présenter Vicky.

- You must be Laurie. I've heard so much about you.
Vous êtes certainement Laurie. J'ai tellement entendu parler de vous.

- Nice meeting you.
Ravi d'avoir fait votre connaissance.

- He is in his forties but he looks thirty.
Il a la quarantaine, mais il en paraît trente.

- Lucy was born in 1999.
Lucy est née en 1999.

- "How old are you?" "I'm fifty." "You don't look your age."
«Quel âge tu as? – J'ai cinquante ans. – Tu ne les fais pas.»

- She looks forward to coming of age to be able to vote.
Elle est pressée d'atteindre la majorité pour pouvoir voter.

MINI QUIZ

1 Traduisez: *What's his surname?*

2 Vous lisez sur une enveloppe *For the attention of Ms Graham.* Cet envoi est-il destiné à un homme ou à une femme?

3 On vous pose la question suivante: *Do you have an ID?* Que vous demande-t-on?

4 Comment dit-on: «Il est né le 1er janvier.»?

CORRIGÉ

1 Quel est son nom de famille?
2 Envoi destiné à une femme dont on ne précise pas si elle est mariée ou non.
3 On vous demande de produire une pièce d'identité.
4 *He was born on the 1st of January.* (voir p. 120)

2 La famille

I've come with all my relatives!

•)) Vous les connaissez. Savez-vous les prononcer ?

family /'fæmli/ ❖ parent /'peərənt/ ❖ grandparent /'grændpeərənt/ ❖ divorce /dɪ'vɔːs/ ❖ niece /niːs/ ❖ cousin /'kʌzn/ ❖ couple /'kʌpl/

LA STRUCTURE FAMILIALE

a family tree : un arbre généalogique
an heir /eə/ : un héritier
the offspring : la descendance
a relative : un parent

an engagement : des fiançailles
a marriage : un mariage
  [le fait d'être marié]
a wedding : un mariage
  [la cérémonie]
a bride /braɪd/ : une mariée
newlyweds : des jeunes mariés
a wife : une femme, une épouse
a husband : un mari

a mother : une mère
Mum, Mummy : Maman
a father : un père
Dad, Daddy : Papa
a daughter : une fille
a son : un fils
a brother : un frère
a sister : une sœur
twins : des jumeaux
an aunt /ɑːnt/ : une tante
an uncle : un oncle
a nephew : un neveu

to bring* up : élever
to take* after sb : ressembler à qqn

DÉSACCORDS ET RECOMPOSITION

a single-parent family : une famille monoparentale
a single parent : un père/une mère célibataire
a blended family : une famille recomposée
foster parents : des parents adoptifs
a guardian : un tuteur / une tutrice
my former : mon ex-
custody /'kʌstədi/ : la garde des enfants
alimony /'ælɪməni/ : la pension alimentaire

to be (un)faithful to sb : être (in)fidèle à qqn
to quarrel : se disputer, se brouiller
to have a fight with sb : se disputer, se battre avec qqn
to break* up / to split* up with sb : rompre avec qqn
to remarry, to get* married again : se remarier
to adopt : adopter
to foster : élever (sans adopter)

Pour désigner « grand » et « petit » au sein d'une même famille, on utilise le préfixe **grand**- : *a grandmother* (une **grand**-mère) ; *a grandson* (un **petit**-fils).
Pour désigner les membres de la belle-famille, c'est-à dire la famille par alliance, on utilise **-in-law** : *the parents-in-law* (les beaux-parents) ; *a mother-in-law* (une belle-mère).
God- est utilisé pour désigner les relations issues d'un parrainage : *a godfather* (un parrain) ; *a godson* (un filleul).
Step- permet de désigner les membres de la famille recomposée : *a step-father* (un beau-père = le mari de ma mère) ; *a step-sister* (une demi-sœur)...

◀)) UN PEU DE CONVERSATION...

● We have the same family name, but we are not related.
Nous avons le même nom de famille, mais nous ne sommes pas apparentés.

● "I'm an only child." "I could tell."
« Je suis fils / fille unique. – Ça se voit. »

● All my relatives came for my parents' wedding anniversary.
Toute ma famille est venue à l'anniversaire de mariage de mes parents.

● They broke off their engagement.
Ils ont rompu leurs fiançailles.

● My neighbours don't want to start a family yet. They still want to enjoy life.
Mes voisins ne veulent pas fonder une famille pour l'instant. Ils veulent encore profiter de la vie.

● My two kids take after my husband, but they have my brains. Thank God for that!
Mes deux enfants ressemblent à mon mari, mais ils ont mon intelligence. Dieu merci !

● Bring your partner along.
Venez avec votre conjoint.

MINI QUIZ

1 Traduisez : « Son ex-femme était hôtesse de l'air. »
2 Pour parler de sa belle-famille, on utilise soit nom + -*in-law*, soit *step*- + nom. Quelle est la différence ?
3 *Ring* désigne une bague. Qu'est-ce que *a wedding ring* ?
4 Comment traduire *One of my relatives came* et *All my relatives came* ?
5 Quelles sont les deux traductions du mot français « parents » ?

CORRIGÉ

1 *His former wife was an air hostess.*
2 Nom + -*in-law* : la famille par mariage. *Step*- + nom : la famille par remariage d'un membre de sa famille. *Mother-in-law* (belle-mère) = la mère de ma femme / de mon mari ; *step-mother* (belle-mère) = la femme de mon père qui s'est remarié.
3 Une alliance.
4 « Un membre de ma famille est venu » (ou « Un parent à moi ») et « Toute ma famille est venue. »
5 « Parents » au sens père et mère : *parents*. « Parents et amis » : *friends and relatives*. Notez aussi « des parents proches » : *close relatives* (ou *relations*).

3 L'aspect physique et la personnalité

You have no manners!

■ L'ASPECT PHYSIQUE

physical appearance: l'aspect physique
figure: la silhouette
build: la carrure
the face: le visage
the head: la tête
the brain: le cerveau
the neck: le cou
hair: les cheveux
the cheeks: les joues
a tooth [pl. *teeth*] : une dent

skin: la peau
complexion: le teint
a wrinkle: une ride

the back: le dos
a bone: un os
the belly: le ventre
the waist: la taille
a shoulder /'ʃəʊldə/ : une épaule
an arm: un bras
a hand: une main
a finger: un doigt
a leg: une jambe
a knee /niː/ : un genou
a foot [pl. *feet*] : un pied
a toe: un orteil

gigantic: gigantesque
tall: grand [taille]
big: grand [et fort]

short: petit [taille]
small: petit
tiny /'taɪni/ : minuscule

strong: fort
sturdy: robuste
weak: faible

fat: gros
thin, slim, lean: mince
slender: svelte
skinny: maigre

(platinum) blond: blond(e) (platine)
brown, dark: brun
red, ginger: roux (rousse)
bald: chauve

good-looking: beau, belle
handsome: beau [pour un homme]
attractive: séduisant, attirant
pretty: joli
cute /kjuːt/ : mignon
ugly: laid
repulsive: repoussant

naked /'neɪkɪd/ : nu
tanned: bronzé

to look: avoir l'air
to look like sb, to resemble sb :
    ressembler à qqn
to keep one's figure: garder la ligne

LES CINQ SENS

the five senses: les cinq sens	to notice: remarquer [du regard]
an eye: un œil	to glance (at): jeter un coup d'œil
an ear: une oreille	to stare (at): fixer du regard
the mouth /maʊθ/ : la bouche	to taste /teɪst/ : goûter
a flavour: un parfum [au goût]	to smell*: sentir
the nose: le nez	to sniff: renifler
a fragrance /'freɪgrəns/ : une senteur	to stink*: empester
blind /blaɪnd/: aveugle	to feel*: tâter
deaf: sourd	to rub: frotter
dumb /dʌm/ : muet	to stroke /strəʊk/ : caresser

UN PEU DE CONVERSATION…

- She is 1 metre 60 tall.
Elle mesure 1 mètre 60.

- She put on weight when she visited the States.
Elle a pris du poids pendant son séjour aux États-Unis.

- He takes after his father.
Il tient de son père.

- You can't go by looks.
Il ne faut pas se fier aux apparences.

- I have scanned the list but I did not find his name.
J'ai parcouru attentivement la liste mais je n'ai pas trouvé son nom.

- You know, they overheard your conversation.
Tu sais, ils ont entendu ce que vous disiez.

- I lost sight of him two years ago.
Je l'ai perdu de vue il y a deux ans.

MOUVEMENTS, POSITIONS ET GESTES

a step: un pas	to sit down: s'asseoir
a stride /straɪd/ : une enjambée	to stretch: s'étirer
a leap /liːp/ : un bond	to bend*: se courber
awkward /ɔːkwəd/, clumsy: maladroit	to lean*: s'appuyer, se pencher
clever: adroit	to raise one's hand: lever la main
restless: qui ne tient pas en place	to wave: faire signe de la main
to move: bouger	to push /pʊʃ/ : pousser
to rush, to dash: se précipiter	to pull /pʊl/ : tirer
to run* away: se sauver	to hold*: tenir
to lie* /laɪ/ : être allongé	to seize /siːz/ : saisir
to lie down: s'allonger	to and fro /tuː ənd frəʊ/ : de long
to stand*: être debout	en large
to stand up: se lever	on all fours: à quatre pattes
to sit*: être assis	

- Keep off the grass.
  Défense de marcher sur la pelouse.

- Could you fetch me a hammer?
  Tu peux aller me chercher un marteau?

- She lost her balance and fell down the stairs.
  Elle a perdu l'équilibre et elle est tombée dans l'escalier.

- He managed to jump out of the car before it hit the tree.
  Il a réussi à sauter de la voiture avant qu'elle ne percute l'arbre.

- Don't let anyone tread on your toes!
  Ne te laisse pas marcher sur les pieds!

- I've wasted my afternoon going back and forth.
  J'ai perdu mon après-midi en allées et venues.

LA PERSONNALITÉ

behaviour, behavior [US]:
  le comportement
a fault, a defect: un défaut
an asset: une qualité
a shortcoming: un travers
the mood: l'humeur
wisdom: la sagesse
pride /praɪd/: la fierté

good-tempered: qui a bon
  caractère
good-natured: facile à vivre
friendly: gentil, amical
nice, likeable: sympa
funny: drôle
charming: charmant

wise: sage
trustworthy: digne de confiance
brave /breɪv/: courageux
proud /praʊd/: fier
self-confident: sûr de soi

sensible: sensé
sensitive: sensible
moody: lunatique
lonely: solitaire

shy /ʃaɪ/: timide
touchy: susceptible

careful: soigneux
skilful: habile, adroit
cautious: prudent
rash: imprudent, irréfléchi
hard-working: travailleur
lazy: fainéant

casual, offhand: désinvolte
rude /ruːd/, cheeky, saucy:
  effronté, insolent
evil /ˈiːvl/: méchant
naughty /ˈnɔːti/: vilain
wicked /ˈwɪkɪd/, mean:
  méchant, vilain

inquisitive: curieux, qui aime savoir
nosy: curieux, fouineur
hard, harsh: dur, sévère
tough /tʌf/: dur, tenace, endurci
rough /rʌf/: brutal, peu raffiné
tense, uptight: tendu

to behave (oneself): bien se tenir,
  se comporter
to sulk: bouder

•))) UN PEU DE CONVERSATION...

- **He lacks personality, don't you think?**
  Il manque de personnalité, tu ne trouves pas ?

- **How would you describe your own personality: pleasant, strong, compelling, striking, formidable or domineering?**
  Comment décrirais-tu ta propre personnalité : sympathique, forte, fascinante, remarquable, intimidante ou dominatrice ?

- **She's strict but fair.**
  Elle est sévère mais juste.

- **You have no manners.**
  Tu n'as aucun savoir-vivre.

- **Your grandma is so easy-going and she has plenty of drive.**
  Ta grand-mère est si facile à vivre et elle est pleine de dynamisme.

- **Don't be such a coward. Go tell her how you feel about her.**
  Ne sois pas si lâche. Va lui dire ce que tu éprouves pour elle.

- **She takes pride in having succeeded where so many have failed.**
  Sa fierté est d'avoir réussi là où tant d'autres ont échoué.

MINI QUIZ

1 Vous connaissez le sens de *blind*. À votre avis, que signifie *colour blind* ?

2 Choisissez la bonne construction : *Why does she look like / at / Ø sad?*

3 Pensez au sens de *brain*. Traduisez : *He is brainless.*

4 Traduisez : *That's one small step for man, a giant leap for mankind.*

5 Traduisez : « Je le trouve très sympathique. »

6 Choisissez l'adjectif approprié : *He is very sensible / sensitive to criticism.*

CORRIGÉ

1 *Blind* : aveugle ; *colour blind* : daltonien.

2 *Why does she look sad?* [*look like* : ressembler / *look at* : regarder]

3 *Brain* : le cerveau. « Il n'a rien dans la tête. »

4 C'est un petit pas pour l'homme mais un bond de géant pour l'humanité.

5 *I think he is very nice.*

6 *He is very sensitive to criticism.* [*sensible* : sensé, raisonnable]

4 Les sentiments et les émotions

The weather is beginning to get me down.

🔊 **Vous les connaissez. Savez-vous les prononcer?**

love /lʌv/ ❖**a friend** /frend/ ❖**to enjoy** /ɪnˈdʒɔɪ/ ❖**jealous** /ˈdʒeləs/ ❖**joy** /dʒɔɪ/
❖**depressed** /dɪˈprest/ ❖**surprised** /səˈpraɪzd/ ❖**a shock** /ʃɒk/ ❖**aggressive**
/əˈgresɪv/ ❖**furious** /ˈfjʊəriəs/ ❖**terrified** /ˈterəfaɪd/ ❖**terrible** /ˈterəbl/

AMOUR ET HAINE

a feeling /ˈfiːlɪŋ/ : un sentiment
appeal : le charme
warmth : la cordialité, la chaleur
hate, hatred : la haine
scorn : le mépris
a date : un rendez-vous [amoureux]

friendly : amical
close : proche, intime
fond : affectueux

to be in a relationship : avoir qqn
 dans sa vie
to be fond of : aimer beaucoup
to get* on with sb : bien s'entendre
 avec qqn
to dislike : ne pas aimer
to loathe /ləʊð/, **to hate** : détester
to go* out with sb : sortir avec qqn
to be / feel* attracted to sb :
 être attiré par qqn

🔊 UN PEU DE CONVERSATION...

● She has totally captivated him: he is madly in love with her.
 Elle l'a complètement séduit: il est fou amoureux d'elle.

● For me it was love at first sight.
 Pour moi, cela a été un coup de foudre.

● I can't bear her!
 Je ne peux pas la supporter.

● I don't really fancy driving in Scotland in winter.
 Je n'ai pas vraiment envie de conduire en Écosse en hiver.

● It's not his cup of tea.
 C'est pas son truc.

● He is a keen photographer.
 C'est un passionné de photo.

● I don't care much for abstract painting.
 Je n'aime pas trop la peinture abstraite.

JOIE, SOULAGEMENT ET TRISTESSE

happiness: le bonheur
pleasure /ˈpleʒə/ : le plaisir
a delight: un grand plaisir
(job) satisfaction: la satisfaction (au travail)

relief /rɪˈliːf/ : le soulagement

sadness: la tristesse
sorrow: la peine, la douleur
grief /griːf/ : le chagrin
unhappiness: le malheur

happy: heureux
glad, pleased: content
delighted: ravi
satisfied /ˈsætɪsfaɪd/ : satisfait
satisfying, satisfactory: satisfaisant

relieved: soulagé

sorry: désolé
sad (about): triste (de)
homesick: nostalgique
gloomy: lugubre
desperate: désespéré
upset: bouleversé
depressed: déprimé

to feel* happy: se sentir bien
to be happy with sth: être satisfait de qqch.
to cheer up: reprendre courage
to cheer sb up: réconforter qqn
to comfort: consoler
to hurt*: blesser
to hurt* sb's feelings: faire de la peine à qqn
to get* sb down: déprimer qqn

UN PEU DE CONVERSATION…

- I was thrilled to meet her.
  Ça m'a fait un grand plaisir de la rencontrer. (Ça m'a vraiment fait quelque chose…)
- I'm so excited! I can't believe I passed my exam.
  Je suis si content! Je n'arrive pas à croire que j'ai été reçu à mon examen.
- To my relief / satisfaction, she then said she was joking.
  À mon grand soulagement, elle a ensuite dit qu'elle plaisantait.
- That's a relief!
  J'aime mieux ça.
- The weather is beginning to get me down.
  Ce temps commence à me déprimer.
- You can't understand how upsetting it was for me.
  Tu ne peux pas comprendre à quel point ça m'a bouleversé.
- "Don't be sad: every cloud has a silver lining." "Great!"
  « Ne sois pas triste: à quelque chose malheur est bon. – Génial! »
- Liz was overjoyed to see her friends again.
  Liz était ravie de revoir ses amis.
- You look glum, Alan. What's up?
  Tu as l'air abattu, Alan. Qu'est-ce qui se passe?

SURPRISE ET COLÈRE

disbelief: l'incrédulité

anger: la colère
a fit of anger: une colère
fury /'fjʊəri/ : la fureur

amazing: incroyable, étonnant
staggering: stupéfiant, ahurissant
startling: surprenant, saisissant
unexpected: inattendu
unbelievable, incredible: incroyable

amazed: stupéfait, ébahi
astonished: stupéfait
startled: très surpris
stunned: abasourdi
shocked /ʃɒkt/ : abasourdi, choqué
annoyed: agacé, mécontent
angry: en colère

to surprise: surprendre
to amaze /ə'meɪz/ : stupéfier
to shock: choquer, bouleverser
to aggravate sb: exaspérer qqn
to drive* sb mad: rendre fou qqn

to be taken aback: être décontenancé
to take* offence at: se formaliser de
to resent sth: être indigné par qqch.
to be speechless: être sans voix
to be cross / mad: être furieux
to be beside oneself with: être hors de soi de
to lose* one's temper: s'emporter
to lose* one's nerve: perdre son sang-froid

Un peu de conversation…

- It came as a surprise / as a shock (to me) to learn that she had failed her driving test.
  J'ai eu la surprise d'apprendre qu'elle avait raté son permis de conduire.
- Surprise, surprise, that's exactly when she called.
  Comme par hasard, c'est exactement à ce moment-là qu'elle a téléphoné.
- My neighbour has the knack of aggravating me.
  Ma voisine a le don de m'exaspérer.
- I really resented his manner.
  Son attitude m'est restée en travers de la gorge.
- It gets on my nerves.
  Ça me tape sur les nerfs.
- This drives me mad / crazy.
  Ça me rend dingue.

PEUR, ANGOISSE ET STRESS

fear: la peur
anxiety: l'angoisse
anguish: l'anxiété

disturbed by / at: perturbé par
worried about: inquiet de
worrying: inquiétant
dreadful /'dredfl/, awful: terrible
awesome: terrifiant
appalling /ə'pɔːlɪŋ/ : épouvantable

to dread /dred/ : redouter
to fear sth / sb: craindre qqch./qqn

to fear for sb: trembler pour qqn
to be afraid of sth / to do sth:
avoir peur de (faire) qqch.
to be frightened of sth / to do sth:
avoir très peur de (faire) qqch.
to shake*, to shudder: trembler
[de peur]
to have stage fright: avoir le trac
to be under stress: être stressé

to frighten, to scare: faire peur à
to threaten: menacer

📣 UN PEU DE CONVERSATION...

- As usual at Christmas, she is on edge.
  Comme d'habitude à Noël, elle est à cran.

- As a child, I was scared stiff of going out into the garden at night.
  Quand j'étais enfant, j'avais une peur bleue de sortir dans le jardin la nuit.

- The Prime Minister was appalled at those acts of terrorism.
  Le Premier ministre a été horrifié par ces attentats terroristes.

- I was stuck in a traffic jam for two hours. It was a nightmare.
  J'ai été coincée dans les embouteillages pendant deux heures. Ça a été un vrai cauchemar.

- No panic! It can wait.
  Il n'y a pas le feu; ça peut attendre.

MINI QUIZ

1 Traduisez: « Il n'aime pas trop le rap. »
2 Choisissez l'adjectif qui convient: *A lot of people get depressed / depressing in autumn.*
3 Mettez au prétérit la phrase suivante: *He feels happy in her company.*
4 Choisissez la préposition qui convient: *Are they happy of / with / at their decision?*
5 Traduisez: « Je t'ai fait de la peine? »
6 Traduisez: *Do you think he will resent my promotion?*
7 Du sens de l'expression *to lose one's temper* déduisez celui de: *Keep your temper!*

5 Pensée, opinion et croyance

Guess what! I'm getting married! Fancy that!

intelligence /ɪnˈtelɪdʒəns/ ❖ imagination /ɪˌmædʒɪˈneɪʃn/ ❖ memory /ˈmeməri/ ❖ to imagine /ɪˈmædʒɪn/ ❖ to invent /ɪnˈvent/ ❖ a religion /rɪˈlɪdʒn/ ❖ catholic /ˈkæθlɪk/ ❖ islam /ˈɪzlɑːm/ ❖ judaism /ˈdʒuːdeɪɪzm/ ❖ protestantism /ˈprɒtɪstəntɪzm/ ❖ a cathedral /kəˈθiːdrəl/ ❖ a mosque /mɒsk/ ❖ the Bible /ˈbaɪbl/

PENSER, SE SOUVENIR

thought /θɔːt/ : la pensée
the mind /maɪnd/ : l'esprit
reason : la raison
reasoning : le raisonnement
knowledge /ˈnɒlɪdʒ/ : le savoir
meaning : la signification

common sense : le bon sens, le sens commun
insight, perspicacity : la perspicacité

an argument : un débat, une dispute
a judgement : une opinion, un avis
a prejudice : un préjugé

a fancy : une idée fantasque
a fantasy : un rêve, un fantasme

a memory : un souvenir [mental]
a reminder : un rappel

conscious, aware /əˈweə/ : conscient
thinkable : imaginable
rational : sensé, doué de raison
clever, bright : intelligent
shrewd /ʃruːd/ : perspicace
witty : spirituel

relevant : pertinent
obvious : évident

mindless : stupide
dull, dim : borné

to think* : penser
to judge : juger
to assess, to appraise : estimer, évaluer
to realize /ˈrɪəlaɪz/ : se rendre compte de
to gather : déduire
to argue : se disputer, argumenter
to notice : remarquer
to take* sth into account : tenir compte de qqch.

to surmise, to assume, to presume : supposer, conjecturer
to fancy : se figurer, imaginer
to guess : deviner
to figure /ˈfɪɡə/ : penser, s'imaginer
to be unaware of : ne pas être conscient de

to remember sth, to recall sth : se souvenir de qqch.
to remind /rɪˈmaɪnd/ sb of sth : rappeler qqch. à qqn
to forget* : oublier

▸ **SOUVENIR P. 402**

● Don't worry. I'll make a note of it.
Ne t'en fais pas. J'y penserai.

● "Guess what! I'm getting married!" "Fancy that!"
« Tu sais quoi ? Je vais me marier ! – Voyez-vous ça ! »

● I can't figure it out. In my opinion, it doesn't make sense.
Ça me dépasse. À mon avis, ça n'a pas de sens.

● It rings a bell.
Ça me rappelle quelque chose.

● I can't keep track of all the things you do.
Je ne peux pas me souvenir de tout ce que tu fais.

● It slipped my mind / my memory.
Ça m'était complètement sorti de la tête.

● To my mind / To me / In my opinion, it should never have happened.
Selon moi, cela n'aurait jamais dû se produire.

● The unthinkable happened.
L'inimaginable s'est produit.

CROIRE

freedom of religion: la liberté religieuse
a god, a goddess: un dieu, une déesse
a belief: une croyance
faith: la foi
salvation: le salut
the soul /səʊl/ : l'âme
a sin: un péché
heaven /'hevn/ : le ciel, le paradis
hell: l'enfer
a devil /'devl/ : un diable

a preacher: un prédicateur
a pilgrim: un pèlerin
a pilgrimage /'pɪlgrɪmɪdʒ/ : un pèlerinage
a crusade /kruː'seɪd/ : une croisade

secularism: la laïcité
a secular education: une éducation laïque
an atheist /'eɪθiɪst/ : un(e) athée
a charm: un gri-gri
a magic spell: un sortilège

the gospel: l'évangile
Christmas: Noël
Good Friday: le Vendredi Saint
Easter: Pâques
All Saints' Day: la Toussaint
the Eid /iːd/ Festival: la fête de l'Aïd
Passover: la Pâque (juive)

holy /'həʊli/ : saint, bénit
evil /'iːvəl/ : mauvais
credulous, gullible: crédule

Christian: chrétien
Hindu /'hɪnduː/ : hindouiste
Jewish: juif
Muslim: musulman

to believe in: croire à
to worship sb: vouer un culte à qqn
to convert to: se convertir
to pray: prier
to preach: prêcher
to bewitch: envoûter

UN PEU DE CONVERSATION...

- The new president swears on the Bible to protect his country.
  Le nouveau président jure sur la Bible de protéger son pays.

- She's not religious.
  Elle n'est pas croyante.

- I was in heaven.
  J'étais au 7ᵉ ciel / aux anges.

- I don't want to be sacrificed on the altar of productivity.
  Je ne veux pas me sacrifier sur l'autel de la productivité.

MINI QUIZ

1 Trouvez deux traductions possibles pour : *Stop arguing!*

2 Choisissez la bonne construction : *Do you remember of / at / ∅ his face?*

3 Donnez deux synonymes de *to suppose*.

4 Choisissez le verbe qui convient : *Did you notice / remark what he was wearing?*

5 Traduisez : *I can't figure out that woman.*

6 Pensez au sens de *holy*. À votre avis que signifie *the Holy Land* ?

7 Prononcez à voix haute les mots transparents suivants : *Bible, catholic, protestantism, mosque, religion, cathedral.*

CORRIGÉ

1 « Arrêtez de vous disputer ! » ou « Arrête(z) de discuter ! »
2 *Do you remember his face?*
3 *To surmise / to assume / to presume.*
4 *Notice. To remark :* « faire une remarque oralement ».
5 Je n'arrive pas à comprendre cette femme.
6 La Terre Sainte.
7 Voir la transcription de ces mots page 234.

6 Prendre la parole, téléphoner

You dialled a wrong number.

language /'læŋgwɪdʒ/ ❖ grammar /'græmə/ ❖ vocabulary /vəˈkæbjʊləri/
❖ silence /'saɪləns/ ❖ to pronounce /prəˈnaʊns/ ❖ a (tele)phone /'telɪfəʊn/
❖ a mobile phone /'məʊbaɪl 'fəʊn/ ❖ an SMS /esemˈes/ ❖ an MMS /ememˈes/

PRENDRE LA PAROLE

speech /spiːtʃ/ : la parole
a speech : un discours
a mother tongue, a native language : une langue maternelle
a foreign language : une langue étrangère
slang : l'argot

a conference : un colloque, une conférence
a lecture : une conférence
a meeting : une réunion

a statement : une déclaration
a hint /hɪnt/ : une allusion
gossip : le commérage, les ragots

deep : grave [voix]
high-pitched, shrill : aigu [voix]
articulate : qui s'exprime avec aisance
talkative /'tɔːkətɪv/ : bavard
dumb /dʌm/, mute : muet
formal : soutenu
colloquial : familier

to utter /'ʌtə/ words : prononcer des mots
to raise one's voice : hausser le ton
to speak* up : parler (plus) fort, parler franchement
to cry (out) : s'écrier
to shout /ʃaʊt/ : crier, pousser des cris
to howl /haʊl/, to yell : hurler

to cheer sb : acclamer qqn
to jeer at sb, to boo : huer qqn
to mumble, to mutter : marmonner
to stammer, to stutter : bégayer
to sigh /saɪ/ : soupirer

to talk : parler, discuter
to say* sth : dire qqch.
to tell* sb sth : dire qqch. à qqn
to express sth : exprimer qqch.
to mean* : vouloir dire, signifier
to start up a conversation : engager la conversation
to chat /tʃæt/ with sb : bavarder avec qqn
to answer, to reply : répondre
to remark : remarquer oralement
to point out that : faire remarquer que, mettre en évidence
to mention sth / that : mentionner qqch. / que
to imply /ɪmˈplaɪ/ sth : laisser entendre, impliquer
to add : ajouter
to convince : convaincre
to hush /hʌʃ/ : faire taire, se taire
to keep* one's voice down : parler doucement
to shut* up : se taire

▶ DIRE P. 338

237

UN PEU DE CONVERSATION...

- He was tongue-tied from shyness.
  Il était trop timide pour parler.

- Stop telling me to speak up. I'm hoarse and I can only whisper.
  Arrête de me dire de parler plus fort. Je suis enroué et je ne peux que chuchoter.

- Her promotion has become a hot topic of conversation around the office.
  Sa promotion fait l'objet de toutes les conversations au bureau.

- I must emphasize that there is no official denial of this rumour.
  Je dois souligner le fait qu'il n'y a pas de démenti officiel à cette rumeur.

TÉLÉPHONER

a cell / mobile phone: un téléphone portable
a phone number: un numéro de téléphone
the code: l'indicatif téléphonique
extension 234: poste 234
a directory /dɪ'rektri/, a phone book: un annuaire
the dialling /'daɪəlɪŋ/ [GB] / dial [US] tone: la tonalité
an answering machine: un répondeur
voice mail: la messagerie vocale
a handsfree kit: un kit mains libres
an SMS (Short Message Service): un SMS

an MMS (Multimedia Messaging Service): un MMS
to (tele)phone, to call: téléphoner
to ring* [GB], to make* a phone call: téléphoner
to pick up, to lift the phone: décrocher le téléphone
to reach sb: joindre qqn
to get* through to sb: joindre qqn, communiquer avec qqn
to send* (a text): envoyer (un message)
to hang* up, to ring* off, to put* the phone down: raccrocher
to cut* off: couper

UN PEU DE CONVERSATION...

- Call me on 02 22 33 44 66, extension 345.
  Appelez-moi au 02 22 33 44 66, poste 345.

- "Hello! Could I speak to Ian Parker, please?" "Speaking."
  « Allô! Pourrais-je parler à Ian Parker, s'il vous plaît? – C'est lui-même. »

- Could you put Mr Lewis on / put me through to Mr Lewis?
  Pourriez-vous me passer M. Lewis?

- "Hand him over to me, please." "Hold on. / Hang on."
  « Passez-le-moi. » « Ne quittez pas. »

- Who is calling? / Who is speaking?
  C'est de la part de qui?

- My battery is running low. I need to recharge my cell phone.
  Ma batterie est faible. Il faut que je recharge mon portable.

- **The signal is very weak.**
  Le signal est très faible.

- **You dialled a wrong number.**
  Vous avez composé un faux numéro.

- **It's a bad line. We have a crossed line.**
  La ligne est mauvaise. Il y a quelqu'un d'autre sur la ligne.

- **The line is engaged** [GB] / **busy** [US]**.**
  La ligne est occupée.

- **She hung up on me! The cheek of it!**
  Elle m'a raccroché au nez! Quel toupet!

- **I'm not available to answer your call at the moment. Please, leave a message after the tone.**
  Je ne peux pas répondre à votre appel en ce moment. Veuillez laisser un message après le bip sonore.

MINI QUIZ

1 Quelle différence existe-t-il entre *say* et *tell*, qui tous deux se traduisent par «dire»?

2 Quel est le contraire du verbe *whisper*?

3 Où se trouve *the Bridge of Sighs*?

4 Trouvez un synonyme de *pronounce*.

5 Du sens de *to hush*, déduisez le sens de l'exclamation: *Hush!*

6 Donnez trois façons de dire: «Téléphone-moi.»

7 Donnez un synonyme de SMS.

8 Comment dit-on «01 99 12 34 56»?

CORRIGÉ

1 Le verbe *tell* suit toujours la construction *tell somebody something*. *Linda told me that...* Linda m'a dit que... (On ne peut pas supprimer *me*.) On peut dire *Linda said that...* ou *Linda said to me that...* Toutefois, *Linda told me that...* est plus fréquent.
2 Le contraire est *shout*, mais on dit aussi *howl*, *yell*, *cry out...*
3 À Venise. Il s'agit du Pont des Soupirs.
4 *Utter*. *Pronounce* signifie «prononcer» au sens d'«articuler». *Her name is hard to pronounce.* «Son nom est difficile à prononcer.» *Utter* est plus proche de «dire». *He didn't utter a word.* «Il n'a pas prononcé un mot.»
5 *Chut!*
6 *Call me. / Telephone me. / Phone me (up). /Ring me (up)./ Give me a call.*
7 *A text.*
8 *Oh one / nine* (ou *double nine*) / *one two / three four / five six.* «Zéro» se dit *oh* [GB] ou *zero* [US].

7 Écrire une lettre, un courriel

He wrote
"Return to sender"
on the envelope.

LE COURRIER POSTAL

the **post**: le courrier postal
a **post office**: une poste
a **postman** [GB], a **mailman** [US]:
  un facteur
delivery: la distribution
a **postbox** [GB], a **mailbox** [US]:
  une boîte aux lettres
a **letterbox**: une boîte aux lettres
  [de la maison]
a **love letter**: une lettre d'amour
a **business letter**: une lettre
  professionnelle
a **registered letter**: une lettre
  recommandée
a **self-addressed envelope**: une
  enveloppe à son nom et adresse

a **parcel**: un paquet
the **sender**: l'expéditeur
the **addressee** /ˌædres'iː/:
  le destinataire
a **stamp**: un timbre
postage paid: port payé
the **postcode**[GB], the **zip code** [US]:
  le code postal
address unknown: inconnu
  à cette adresse
please forward: prière de faire
  suivre

to **stamp**: affranchir, timbrer
to **post** [GB], to **mail** [US]: poster
to **forward** /'fɔːwəd/: faire suivre

•)) UN PEU DE CONVERSATION...

- Is postage and packing included?
  Les frais de port et d'emballage sont-ils inclus?

- Don't forget to use the postcode [GB] / zip code [US].
  N'oubliez pas d'indiquer le code postal.

- Your letter is not sufficiently stamped.
  Votre lettre n'est pas suffisamment affranchie.

- Tell him to reply by return of post.
  Dis-lui de répondre par retour du courrier.

- Has the post been / come yet?
  Le courrier est-il arrivé?

● There is no post [GB]/mail [US] this morning.
Il n'y a pas de courrier ce matin.

● It says "Return to sender" on the envelope.
Il est marqué «Retour à l'envoyeur» sur l'enveloppe.

ÉCRIRE UNE LETTRE OU UN COURRIEL

Présentation
Pour une lettre formelle, indiquez votre adresse et la date en haut
à droite.

S'adresser à son correspondant

Relations familières	Relations formelles
Dear / dearest + prénom, Dear all, Hi! Hi everybody!	Dear Sir, / Dear Madam, Dear Mr + nom, / Dear Mrs + nom,

Commencer une lettre

Relations familières	Relations formelles

It's ages since I've written...
I'm sorry I haven't written
  before...
I got your letter two days ago...
How good it was to hear from
  you...
Thank you for your letter, which
  came yesterday...
	I've just received your letter...
	I am writing to ask whether...
	Many thanks for your letter
	  of May 1st...
	In reply to your letter dated
	  May 15th...
	Please find enclosed...

Terminer une lettre

Relations familières	Relations formelles

Write soon.
See you soon.
Hope to hear from you soon.
Take care (of yourself)!
Say hi to Pat.
	We shall be pleased to send you
	  further information.
	I look forward to hearing from you.
	I should be grateful for an early
	  reply.
	My kindest regards to Pat.

Formules de politesse

Relations familières	Relations formelles
All the best. With love from... Lots of love from... Much love, as always... xxx [bises] xoxoxo [kisses and hugs]	Yours faithfully, Yours sincerely, Best regards, Yours,

LE COURRIER ÉLECTRONIQUE ET INTERNET

an internet provider: un fournisseur d'accès
a network: un réseau
a browser /'brauzə/ : un navigateur
an update: une mise à jour
a download /'daunləud/ : un téléchargement
a chat room: un forum de discussion
an attachment: un fichier joint
a backup copy: une copie de sauvegarde
piracy: le piratage
a hacker: un pirate (informatique)
a (computer) geek: un dingue de l'informatique

to log on, to go online: se connecter
to be online: être connecté
to log off, to go offline: se déconnecter
to browse /brauz/ : parcourir
to download: télécharger
to update: mettre à jour, actualiser
to open / to close a file: ouvrir / fermer un fichier
to key /ki:/ sth (in): saisir qqch.
to email: envoyer (par courrier électronique)
to attach (a document): joindre (un fichier)
to hack: pirater

▶ L'INFORMATIQUE P. 288

🔊 UN PEU DE CONVERSATION...

● Could you send me an email with your parents' address?
Pourrais-tu m'envoyer un courriel avec l'adresse de tes parents?

● Don't forget to attach your file.
N'oublie pas de joindre ton fichier.

● Don't download software from this site. It's not secured.
Ne télécharge pas de logiciels de ce site. Il n'est pas sécurisé.

● I can't log on.
Je n'arrive pas à me connecter.

MINI QUIZ

1 Réécrivez ces phrases, de façon à les rendre plus formelles:
Hi John. / It was good to see you. / Anyway, can't write long. / Write soon. / Love, Chris

2 Quel est le contraire de *sender*?

3 Comment dit-on: « Prière de faire suivre »?

4 Comment traduit-on: « Je l'ai trouvé sur Internet »?

5 Comment dit-on « se (dé)connecter »?

CORRIGÉ

1 *Dear John, Dear Mr x, / It was a pleasure to see you. / I cannot write a long letter. / I hope you can write soon. / I look forward to hearing from you. / Best regards, Chris Wordsworth*
2 *Addressee.*
3 *Please forward.*
4 *I found it on the Internet.*
5 Se connecter: *to log on / to go online.* Se déconnecter: *to log off / to go offline.*

8 La maison

There's no place like home.

Vous les connaissez. Savez-vous les prononcer ?

a squatter /'skwɒtə/ ❖ an apartment /ə'pɑːtmənt/ ❖ a house /haʊs/
❖ a balcony /'bælkəni/ ❖ a door /dɔː/ ❖ a garage /'gærɑːʒ/ ❖ a hall /hɔːl/
❖ the toilet /'tɔɪlət/ ❖ a chair /tʃeə/ ❖ a table /'teɪbl/ ❖ to wash /wɒʃ/
❖ soap /səʊp/

LES TYPES DE MAISON

accommodation : le logement
my place, my home : chez moi
a high-rise building, a tower block : une tour d'habitations
a flat [GB], an apartment [US] : un appartement
a residence : une demeure
a furnished house / flat : un meublé
a caravan [GB], a trailer [US] : une caravane
a shelter : un abri

for sale /fɔː seɪl/ : à vendre

to let [GB], for rent [US] : à louer
the owner /'əʊnə/ : le propriétaire
a tenant /'tenənt/ : un locataire
the rent : le loyer

to own : posséder
to rent, to let* (out) : louer
to move in / out : emménager / déménager
to evict, to turn out a tenant : expulser un locataire
to have a house-warming party : pendre la crémaillère

▸ LA VILLE P. 266

UN PEU DE CONVERSATION...

● There's no place like home.
On n'est vraiment bien que chez soi.

● We're having a house built.
Nous faisons construire une maison.

● We've fallen behind with the rent, but the landlord (owner) is accommodating.
Nous sommes en retard pour payer le loyer, mais le propriétaire est accommodant.

● Because of the shortage of affordable housing, there are more and more homeless people.
À cause de la crise du logement, il y a de plus en plus de sans-abri.

LES DIFFÉRENTES PARTIES DE LA MAISON

a gate /geɪt/ : une grille
a fence : une clôture
a lock : une serrure
a wall : un mur

a front / back garden : un jardin devant / derrière la maison
a yard : une cour

a roof : un toit
a chimney : une cheminée [extérieure]
an aerial /'eərɪəl/ : une antenne

a French window : une porte-fenêtre
a sash window : une fenêtre à guillotine
a bow /bəʊ/ window : une fenêtre en arc de cercle
a shutter : un volet
a blind /blaɪnd/, a shade : un store

a bedroom : une chambre
a guest / spare room : une chambre d'amis

a study /'stʌdi/ : un bureau
the toilet [GB] : les toilettes

a bathroom : une salle de bains, [US] les toilettes
a kitchen : une cuisine

the ground floor [GB], the first floor [US] : le rez-de-chaussée
the stairs : l'escalier
a lift [GB], an elevator [US] : un ascenseur
a floor, a storey : un étage

a loft : un grenier, un «loft»
an attic : un grenier
a cellar : une cave
a basement : un sous-sol

roomy : spacieux
neat and tidy /niːt ənd taɪdi/ : bien rangé
spotless : parfaitement propre
snug, cosy : douillet
convenient : commode
dusty /'dʌsti/ : poussiéreux
messy : en désordre

to mow* the lawn : tondre la pelouse

•)) UN PEU DE CONVERSATION...

- We live in a one-bedroom apartment.
  Nous vivons dans un deux pièces.

- Our windows look out onto a busy street.
  Nos fenêtres donnent sur une rue animée.

- Are you coming downstairs or do you want me to go upstairs?
  Tu descends ou tu veux que je monte?

- Neighbourhood watch schemes are strong in this area.
  Le système de surveillance assuré par les habitants est très actif dans ce quartier.

- We're having the attic converted.
  Nous sommes en train de faire aménager le grenier.

- Their living room is warm and cosy, unlike their dining room.
  Leur salon est très chaleureux, contrairement à leur salle à manger.

LE MOBILIER, L'ÉCLAIRAGE ET LE CHAUFFAGE

furniture: les meubles
a wardrobe: une armoire
a cupboard /ˈkʌbəd/ : un placard
a drawer /drɔː/ : un tiroir

a settee, a couch /kaʊtʃ/ : un canapé
a stool /stuːl/ : un tabouret

a desk: un bureau
a bookcase: une bibliothèque
a shelf: une étagère

a carpet: un tapis
a wall-to-wall carpet: une moquette
a sink: un évier
a tap [GB], **a faucet** [US]: un robinet
the dustbin [GB], **the trash (garbage) can** [US]: la poubelle

(domestic) appliances: les appareils (ménagers)
a cooker: une cuisinière
a fridge, a refrigerator: un frigo
a freezer: un congélateur
a washing machine: une machine à laver le linge
a dishwasher: une machine à laver la vaisselle
an (a microwave) oven: un four (à micro-ondes)

a washbasin: un lavabo
a bath(tub): une baignoire
a (bath)towel /taʊəl/ : une serviette (de bain)

a (tooth)brush: une brosse (à dents)
toothpaste: du dentifrice
a comb /kəʊm/ : un peigne
shampoo: du shampoing
a hairdrier /ˈheədraɪə/ : un sèche-cheveux

a tissue /ˈtɪʃuː/ : un mouchoir en papier
cotton (wool): du coton
make-up: le maquillage
lipstick: le rouge à lèvres
a nail file /ˈneɪlfaɪl/ : une lime à ongles
nappies [GB], **diapers** [US]: des couches

a mattress: un matelas
a pillow: un oreiller
a cushion /ˈkʊʃn/ : un coussin

a sheet /ʃiːt/ : un drap
an eiderdown, a comforter: un édredon, une couette
a blanket: une couverture

a plug: une prise
a bulb: une ampoule
(central) heating: le chauffage (central)
an electric heater: un radiateur électrique
a fireplace: une cheminée

to vacuum /ˈvækjuːm/, **to hoover**: passer l'aspirateur
to clean: nettoyer
to wipe /waɪp/ : essuyer
to take a bath / a shower /ʃaʊə/ : prendre un bain / une douche
to shave: se raser

UN PEU DE CONVERSATION...

- They must be home: there are lights on in their house.
  Ils doivent être chez eux: il y a de la lumière dans leur maison.
- Could you turn on the heater, please?
  Tu peux allumer le chauffage, s'il te plaît?
- The flush won't work.
  La chasse d'eau ne marche pas.
- Do not tumble dry.
  Ne pas passer au sèche-linge.

FORMES, COULEURS ET MATIÈRES

a shape: une forme
a tip: un bout, une pointe
an edge: un bord
an arrow: une flèche
a (dotted) line: une ligne
(pointillée)

height /haɪt/ : la hauteur
length: la longueur
width /wɪdθ/ : la largeur
depth: la profondeur
weight /weɪt/ : le poids

gold: l'or
silver: l'argent
lead /led/ : le plomb
stone: la pierre
marble: le marbre
wood: le bois
concrete: du béton
iron /aɪən/ : l'acier

wide, broad: large
narrow: étroit
thick: épais

straight: droit
smooth: lisse
soft: doux, mou
hard: dur
rough /rʌf/ : rugueux, rêche

heavy /'hevi/ : lourd
light: léger

deep: profond
shallow: peu profond

colourful: aux couleurs vives
brick red: rouge brique
fluorescent pink: rose fluo
nut brown: brun noisette (châtain)
navy blue: bleu marine
emerald green: vert émeraude
canary yellow: jaune canari
slate grey: gris ardoise

to shape: former
to shrink*: rétrécir

to dye: teindre
to fade: se décolorer

- They come in all shapes and sizes.
  Il y en a une variété infinie.

- You told me the colours wouldn't run. But look!
  Some of the colour of the shirt has run onto the socks.
  Vous m'avez dit que les couleurs ne déteindraient pas. Mais regardez:
  la chemise a déteint sur les chaussettes.

- I didn't sleep well, the walls of my room are paper-thin.
  Je n'ai pas bien dormi, les murs de ma chambre sont minces comme du papier.

- As you know, it's just the tip of the iceberg.
  Comme tu le sais, ce n'est que la partie visible de l'iceberg.

- Their country won three gold medals, six silver
  and eleven bronze.
  Leur pays a remporté trois médailles d'or, six d'argent et onze en bronze.

- Tom has bought a dark green suit and a light red shirt.
  He's colour-blind.
  Tom a acheté un costume vert foncé et une chemise rouge clair. Il est daltonien.

MINI QUIZ

1 Comment dit-on « un logement » ?

2 Comment dit-on : « Où sont les toilettes ? »

3 Traduisez « un trois pièces ».

4 Que signifie : *I live on the third floor* ?

5 Comment dit-on « un meuble » ?

6 Quelle est la différence entre *a fireplace* et *a chimney* ?

7 Traduisez la phrase suivante : *Cut along the dotted line.*

8 Pensez à la manière dont est formé l'adjectif composé correspondant à « bleu marine ». Comment diriez-vous « vert pomme » ?

CORRIGÉ

1 *A place to live.* Le mot *accommodation* est indénombrable (voir p. 75).

2 *Where's the toilet?* [GB] / *Where's the restroom* (dans un lieu public) / *bathroom* (chez quelqu'un) ? [US] On évite d'employer le mot *toilet* aux États-Unis.

3 *A two-bedroom flat / apartment.*

4 « J'habite au troisième étage » [GB] mais « au deuxième étage » [US]. Le rez-de-chaussée se dit *the ground floor* [GB] mais *the first floor* [US].

5 *A piece of furniture.* Le nom *furniture* (les meubles) est indénombrable.

6 *A fireplace* : une cheminée dans une pièce ; *a chimney* : une cheminée sur le toit.

7 Découpez suivant le pointillé.

8 Bleu marine : *navy blue* ; vert pomme : *apple green.*

9 La cuisine

Have you ever been to the Big Apple?

•)) Vous les connaissez. Savez-vous les prononcer ?

beef /biːf/ ❖ **mutton** /'mʌtn/ ❖ **a steak** /steɪk/ ❖ **salmon** /'sæmən/
❖ **fruit** /fruːt/ ❖ **a peach** /piːtʃ/ ❖ **a carrot** /'kærət/ ❖ **a tomato** /tə'mɑːtəʊ/
❖ **salt** /sɔːlt/ ❖ **pepper** /'pepə/ ❖ **sugar** /'ʃʊgə/ ❖ **a barbecue** /'bɑːbɪkjuː/

VIANDES, POISSONS, ŒUFS ET FROMAGES

meat /miːt/ : (de) la viande
veal : du veau
lamb /læm/ : de l'agneau

poultry /'pəʊltri/ : de la volaille
free range chickens : des poulets
   élevés en plein air
turkey : de la dinde
goose : de l'oie
a goose [pl. geese] : une oie
duck : du canard

ham : du jambon
a sausage /'sɒsɪdʒ/ : une saucisse
a chop /tʃɒp/ : une côtelette
kidneys : des rognons

fish : le poisson, du poisson
tuna /'tjuːnə/ : du thon
cod /kɒd/ : du cabillaud
a trout /traʊt/ : une truite
a herring : un hareng
(smoked) salmon : du saumon fumé

a scale /skeɪl/ : une écaille
a (fish)bone : une arête
a fin : une nageoire

seafood : des fruits de mer

a shellfish : un crustacé
a lobster : un homard
a shrimp [GB/US], **a prawn** [GB] :
   une crevette
mussels /mʌslz/ : des moules
a scallop : une coquille Saint-Jacques
an oyster : une huître
a shell : une coquille

a boiled egg : un œuf à la coque
a hard-boiled egg : un œuf dur
scrambled eggs : des œufs brouillés
a fried egg : un œuf sur le plat

goat's / sheep's milk cheese :
   du fromage de chèvre / de brebis
full-fat / low-fat cheese :
   du fromage entier / allégé
cottage cheese : du fromage blanc
grated /'greɪtɪd/ **cheese** :
   du fromage rapé
dairy produce : des laitages

lean /liːn/ : maigre
fat : gras

tender : tendre
tough /tʌf/ : dur

FRUITS ET LÉGUMES

fruit : des fruits
vegetables : des légumes

a tangerine : une clémentine
a lemon : un citron
a lime /laɪm/ : un citron vert
a grapefruit /'greɪpfruːt/ : un pamplemousse

a berry : une baie
a cherry : une cerise
an apple /'æpl/ : une pomme
a pear /peə/ : une poire
a plum : une prune
grapes /greɪps/ : du raisin
a pineapple /'paɪnæpl/ : un ananas

a hazelnut /'heɪzlnʌt/ : une noisette
a chestnut : un marron
a walnut /'wɔːlnʌt/ : une noix
peanuts : des cacahuètes

peel : l'écorce, le zeste
a pip, a stone : un noyau
stewed /stjuːd/ fruit : de la compote

a potato : une pomme de terre
beans : des haricots
peas : des petits pois
cabbage : du chou
lettuce /'letɪs/ : de la laitue
herbs : des fines herbes
asparagus : des asperges
cauliflower /'kɒlɪˌflaʊə/ : du chou-fleur
spinach /'spɪnɪtʃ/ : des épinards
maize [GB], corn [US] : du maïs
a mushroom : un champignon
a cucumber /'kjuːkʌmbə/ : un concombre

ripe /raɪp/ : mûr
not ripe : vert
bitter : amer
hard : dur
soft : doux
juicy : juteux

to bite* : mordre
to gather : cueillir [des fruits], ramasser [des champignons]

INGRÉDIENTS

flour /flaʊə/ : la farine
yeast /jiːst/ : de la levure
seasoning : l'assaisonnement

spices : les épices
garlic : l'ail
parsley : le persil
basil /'bæzl/ : le basilic

mustard : de la moutarde
salad cream : de la mayonnaise
a sweetener : un édulcorant

sweet : sucré
sour /saʊə/ : aigre
mild /maɪld/ : doux
spicy /'spaɪsi/ : épicé

◀)) UN PEU DE CONVERSATION...

● Chicken korma is not as hot as vindaloo curry.
Le korma de poulet n'est pas aussi fort que le curry vindaloo.

● I wouldn't eat horse for a million dollars.
Pour rien au monde je ne mangerais du cheval.

● Which dressing do you prefer : French dressing or blue cheese?
Quelle sauce de salade préfères-tu : de la vinaigrette ou de la sauce au roquefort?

● Which flavour would you like : strawberry, raspberry or blackcurrant?
Quel parfum voudriez-vous : fraise, framboise ou cassis?

- I've always wondered why leek is the emblem of Wales.
  Je me suis toujours demandé pourquoi le poireau est l'emblème du pays de Galles.

- Have you ever been to the Big Apple?
  Tu es déjà allé à New York?

FAIRE LA CUISINE

a recipe /'resɪpi/ : une recette
the leftovers: les restes

cutlery: les couverts
a knife [pl. knives] : un couteau
a spoon: une cuillère
a fork: une fourchette

a ladle /'leɪdl/ : une louche
a strainer: une passoire
a pot: une marmite
a frying pan: une poêle (à frire)
a saucepan: une casserole
a lid: un couvercle
a handle: une poignée
a dish: un plat
a bowl /bəʊl/ : un bol, un saladier
a container: un récipient,
  une barquette

a tin opener [GB], a can opener
  [US]: un ouvre-boîtes
a cork: un bouchon

a corkscrew: un tire-bouchon
a cap, a top: une capsule, un bouchon
kitchen roll: de l'essuie-tout
kitchen foil: du papier aluminium
cling film: du film transparent

to peel: peler, éplucher
to chop, to mince: hacher
to slice: couper (en tranches)
to pour /pɔː/ : verser
to beat*: battre
to mix, to blend: mélanger
to cook: (faire) cuire, cuisiner
to heat /hiːt/ : chauffer
to warm up: faire (ré)chauffer
to (deep-)fry /'diːpfraɪ/ : frire,
  faire frire
to bake /beɪk/ : cuire au four
to boil: (faire) bouillir
to grill, to broil: griller
to burn: (laisser) brûler

► AU RESTAURANT P. 280

UN PEU DE CONVERSATION...

- Preheat the oven to 180 °C (350 °F).
  Préchauffez le four à 180 °.

- How long should I allow it to simmer?
  Je dois laisser mijoter combien de temps?

- Grate the carrots and put them in a saucepan with vegetable stock and butter.
  Râpez les carottes et mettez-les dans une casserole avec du bouillon de légumes et du beurre.

- Dinner is ready! I laid / set the table for four.
  À table! J'ai mis quatre couverts.

- Shall I clear the table?
  Veux-tu que je débarrasse la table?

- I'll put the kettle on for some tea.
  Je vais faire chauffer de l'eau pour le thé.

MINI QUIZ

1 Comment dit-on « un poisson », « deux poissons » ?

2 Traduisez : « J'aimerais du fromage de brebis allégé. »

3 Comment dit-on « bœuf », « veau », « mouton », « porc » ?

4 Comment dit-on « un fruit » ?

5 Pensez à la couleur de ces baies : la mûre et la myrtille. À votre avis, quels sont les mots qui leur correspondent en anglais : *blackberry / blueberry* ?

6 Connaissez-vous ces différentes façons de consommer les pommes de terre : *chips* [GB] / *French fries* [US] ; *fried potatoes* ; *roast potatoes* ; *baked potatoes* ; *mashed potatoes* ; *a potato salad* ?

7 Associez chacun des verbes avec un nom, puis traduisez le nom.
Verbes : a. *bake* ; b. *boil* ; c. *roast* ; d. *grate* ; e. *slice* ; f. *chop* ; g. *peel* ; h. *soak* ; i. *fry* ; j. *beat*
Noms : 1. *knife* ; 2. *whisk* (ou *beater*) ; 3. *oven* ; 4. *frying pan* ; 5. *saucepan* ; 6. *pot* ; 7. *chopper* ; 8. *peeler* ; 9. *grater* ; 10. *basin*

CORRIGÉ

1 *A fish, two fish.* Certains noms de poissons sont invariables : *two trout, three salmon*…

2 *I'd like some low-fat sheep's milk cheese.*

3 S'il s'agit de viande, on a recours aux mots d'origine française : *beef, veal, mutton, pork*. Si l'on parle d'animaux, on dit *an ox* (*a cow*), *a calf, a sheep, a pig*.

4 *A piece of fruit* et non *a fruit* (voir p. 75).

5 *A blackberry* : une mûre ; *a blueberry* : une myrtille.

6 *Chips* [GB] / *French fries* [US] : des frites ; *fried potatoes* : des pommes de terre sautées ; *roast potatoes* : des pommes de terre rôties ; *baked potatoes* : des pommes de terre au four ; *mashed potatoes* : de la purée ; *a potato salad* : une salade de pommes de terre.

7 a3 (four) ; b5 (casserole) ; c6 (marmite) ; d9 (râpe) ; e1 (couteau) ; f7 (hachoir) ; g8 (éplucheur) ; h10 (bassine) ; i4 (poêle) ; j2 (fouet, batteur)

10 Les courses

Jeans will never go out of fashion.

•))) Vous les connaissez. Savez-vous les prononcer ?

a bank /bæŋk/ ❖ **a cheque (check)** /tʃek/ ❖ **cash** /kæʃ/ ❖ **a price** /praɪs/
❖ **a slogan** /ˈsləʊɡən/ ❖ **discount** /ˈdɪskaʊnt/ ❖ **a supermarket**
/ˈsuːpəˌmɑːkɪt/ ❖ **shopping** /ˈʃɒpɪŋ/ ❖ **clothes** /kləʊðz/ ❖ **fashion** /ˈfæʃn/
❖ **a sweatshirt** /ˈswetʃɜːt/ ❖ **boots** /buːts/

ALLER À LA BANQUE

a banknote [GB], **a bill** [US] : un billet de banque
a coin : une pièce (de monnaie)
(small) change : de la (petite) monnaie
a currency /ˈkʌrənsi/ : une devise
a chequebook [GB], **a checkbook** [US] : un chéquier
a charge card : une carte de paiement
a cashpoint [GB], **an ATM** [US] : un distributeur automatique
a PIN (Personal Identification Number) : un numéro de code
a (current) account : un compte (courant)

savings : des économies
a loan : un prêt
a mortgage /ˈmɔːɡɪdʒ/ : un prêt immobilier
a share /ʃeə/ : une action
a transfer : un virement
a debt /det/ : une dette
an overdraft : un découvert

to withdraw* : retirer
to lend* : prêter
to borrow (from sb) : emprunter (à qqn)
to repay*, **to pay* back**, **to reimburse** : rembourser
to invest : investir, placer de l'argent

•))) UN PEU DE CONVERSATION...

- Could you type your PIN, please?
  Pourriez-vous saisir votre code, s'il vous plaît?

- You have to write him a cheque for £100.
  Tu dois lui faire un chèque de 100 livres.

- I'm sorry I can't help you. I'm 200 euros in the red.
  Je suis désolé de ne pas pouvoir t'aider. J'ai 200 euros de découvert.

- He has bought his new car on credit.
  Il a acheté sa nouvelle voiture à crédit.

- We put down a deposit of 1,000 euros on our trip to Australia last week.
  On a versé un acompte de 1 000 euros pour notre voyage en Australie la semaine dernière.

- What's the current exchange rate of the dollar?
  Quel est le taux de change actuel du dollar?

FAIRE LES COURSES

trade /treɪd/ : le commerce
online business: le commerce sur Internet
a consumer: un consommateur
consumer society: la société de consommation
the cost of living: le coût de la vie

hype /haɪp/ : un battage publicitaire
a signboard: une enseigne
a hoarding [GB], a billboard [US]: un panneau publicitaire
a folder: un dépliant
a coupon, a voucher /'vautʃə/ : un bon de réduction
a perk: un avantage annexe
a special offer: une promotion

a producer /prə'djuːsə/ : un producteur
a product: un produit
a retailer: un détaillant
a wholesaler /'həul‚seɪlə/ : un grossiste
a customer, a patron /'peɪtrən/ : un client
a purchase /'pɜːtʃəs/ : un achat

a shop [GB], a store [US]: un magasin
a shopwindow: une vitrine
chain stores: des magasins à succursales multiples

a factory outlet: un magasin d'usine
a shopping mall: un centre commercial

a bakery /'beɪkəri/, a baker's shop: une boulangerie
a butcher's shop: une boucherie
a fish shop: une poissonnerie
the fish / meat counter: le rayon poissons / viande
a delicatessen, a deli: un traiteur, une épicerie fine

a cash desk, a check-out: une caisse
a cashier: un caissier
a trolley: un chariot
shoplifting: le vol à l'étalage

expensive: cher
fair: raisonnable
cheap /tʃiːp/ : bon marché
economical: économique
free: gratuit
genuine /'dʒenjuɪn/ : authentique
sold out: épuisé

to sell*: vendre
to buy*, to purchase: acheter
to spend*: dépenser
to clear: liquider
to supply /sə'plaɪ/ : fournir
to wrap (up): envelopper
to deliver: livrer

► POIDS ET MESURES EN PAGES DE GARDE

UN PEU DE CONVERSATION...

- What's your favourite brand of cereal?
  Quelle est ta marque préférée de céréales?

- I'm sometimes attracted to products which say "Seen on TV".
  Je suis parfois attiré par les produits marqués «Vu à la Télé».

- Are you in the queue [GB] / in the line [US]?
  Vous faites la queue?

- Could I have a free sample, please?
  Je pourrais avoir un échantillon gratuit, s'il vous plaît?

- It's a present. Can you gift wrap it for me, please?
  C'est pour offrir. Vous pouvez me faire un paquet-cadeau?

- Cash or charge?
  Vous payez en espèces ou par carte?

- Here is your receipt. Keep it in case you bring it back.
  Voilà votre ticket de caisse. Gardez-le en cas de retour.

ACHETER DES VÊTEMENTS

a department store : un grand magasin
a department /dɪˈpɑːtmənt/ : un rayon
a flea market : un marché aux puces
a shop assistant, a sales clerk [US] : un(e) vendeur(-se)

a brand : une marque
a label /ˈleɪbl/ : une étiquette
[décrivant un produit]
a tag : une étiquette [prix]
sales /seɪlz/ : les soldes
a bargain /ˈbɑːgɪn/ : une affaire

a garment : un vêtement
sportswear : les articles de sport
men's wear : les vêtements pour hommes
children's wear : les vêtements pour enfants

a coat : un manteau
a jacket : une veste
a shirt : une chemise
a tie /taɪ/ : une cravate
a suit /suːt/ : un costume
a jumper, a sweater /ˈswetə/ : un pull
a dress : une robe
a skirt : une jupe
a blouse /blaʊz/ : un chemisier

a scarf : une écharpe, un foulard
a pair of trousers [GB] / of pants [US] : un pantalon
a belt : une ceinture

tights /taɪts/ : un collant
a bra : un soutien-gorge
knickers [GB], panties [US] : une culotte [femme]
underpants : un slip [homme]

a sock : une chaussette
loafers : des mocassins
slippers : des pantoufles

leather /ˈleðə/ : du cuir
denim : du jean [tissu]
wool : de la laine
silk : de la soie

loose /luːs/ : ample
tight /taɪt/ : serré
casual : décontracté, sport
trendy : branché
smart : chic
old-fashioned : démodé

to go* window-shopping : faire du lèche-vitrines
to try on : essayer [vêtement]
to fit : bien aller [taille]
to suit : bien aller [couleur, forme...]
to match : aller bien avec

► TAILLES EN PAGES DE GARDE

UN PEU DE CONVERSATION...

- "Can I help you?" "Thanks, I'm just browsing."
  «Vous désirez quelque chose ? – Merci, je regarde seulement.»

- These T-shirts come in four sizes.
  Ces tee-shirts sont disponibles en quatre tailles.

- Jeans will never go out of fashion.
  Le jean ne passera jamais de mode.

- Those Bermuda shorts are two sizes too big.
  Ce bermuda est trop grand de deux tailles.

- This pair of jeans is too tight round the waist. I'll take it back to the shop and try to get a refund.
  Ce jean est trop serré à la taille. Je vais le rapporter à la boutique et essayer de me le faire rembourser.

- I need a new rucksack but I'll wait until the sales are on.
  J'ai besoin d'un nouveau sac à dos mais je vais attendre jusqu'à ce qu'il y ait des soldes.

MINI QUIZ

1 Que désigne *an ATM* aux États-Unis ? Donnez l'équivalent en Grande-Bretagne.

2 Choisissez la bonne construction : *I don't like buying things on / at / with credit.*

3 Traduisez : *Patrons are always right.*

4 Choisissez l'adjectif approprié : *They sell new books at economic / economical prices.*

5 Traduisez : «J'ai besoin d'un nouveau jean.»

6 Choisissez le verbe approprié : *Blue suits / matches / fits you.*

CORRIGÉ

1 *ATM (Automated Teller Machine)* désigne un distributeur de billets : *a cashpoint* [GB]. On dit aussi *a cash dispenser / machine*.
2 *I don't like buying things on credit.*
3 Les clients ont toujours raison.
4 *Economical prices. Economic* désigne ce qui est du domaine de l'économie, par exemple *an economic policy* : une politique économique.
5 *I need a new pair of jeans.*
6 *Blue suits you.*

11 Les médias, les loisirs

What's on tonight?

Absolutely nothing, as usual.

LA PRESSE ÉCRITE

information /,ɪnfə'meɪʃn/ :
l'information
censorship : la censure
quality press : la presse de qualité
gutter press : la presse à scandale
a tabloid /'tæblɔɪd/ : un journal
populaire
a journal /'dʒɜːnəl/ : une revue
spécialisée
a daily : un quotidien
a weekly : un hebdomadaire
a monthly : un mensuel

an issue /'ɪʃuː/ : un numéro
a subscription : un abonnement
a copy : un exemplaire

a topic : un sujet
an inquiry /ɪn'kwaɪəri/ : une enquête
current affairs : les problèmes
d'actualité, l'actualité

the headlines : les gros titres
a heading /'hedɪŋ/ : un titre

a column /'kɒləm/ : une rubrique,
une chronique
an ad(vertisement) : une publicité
a classified /'klæsɪfaɪd/ ad : une
petite annonce
a cartoon : un dessin humoristique
a caricature, a satirical cartoon :
une caricature
a photograph (a photo) : une photo
a photographer : un(e)
photographe

(un)biased /ʌn'baɪəst/ : (im)partial
significant : important, significatif
dependable : fiable
trivial /'trɪviəl/ : sans importance

to report (on) : faire un reportage
(sur)
to cover sth : assurer la couverture
de qqch.

to quote : citer
to censor : censurer

UN PEU DE CONVERSATION...

- I read it in the (news)paper this morning.
  Je l'ai lu dans le journal ce matin.

- This information was given full-page coverage in the dailies.
  Une page entière a été consacrée à cette information dans les quotidiens.

- The story I read in the paper said the candidate intended to withdraw.
  L'article que j'ai lu dans le journal disait que le candidat avait l'intention de se retirer.

- There's a small item about her on page 14.
  Il y a un petit article sur elle page 14.

- There's not much about the event in the media.
  Les médias ne parlent pas beaucoup de cet événement.

- The accident wasn't even reported in the papers.
  L'accident n'a même pas été mentionné dans les journaux.

- I enjoy reading glossies but they are awfully expensive.
  J'aime bien lire les magazines de luxe mais ils sont terriblement chers.

LA RADIO ET LA TÉLÉVISION

the news: les nouvelles
a piece of news: une nouvelle

a TV set: un poste de télévision
the remote (control): la télécommande
an aerial /'eəriəl/ [GB], an antenna [US]: une antenne
a satelite /'sætəlaɪt/ dish: une antenne parabolique
a (pay) TV channel /'tʃænl/ : une chaîne (à péage)

a newscast: un bulletin d'information
a newsflash: un flash info
a television / TV serial /'sɪəriəl/ : un feuilleton télévisé
a television / TV series /'sɪəriːz/ : une série télévisée
a television / TV film/movie: un téléfilm
a variety show: des variétés
a chat show, a talk show: une causerie télévisée
a game / quiz show: un jeu télévisé
a commercial: un spot (publicitaire)

a commercial break: une pause publicitaire
a listener: un(e) auditeur(-trice)
a TV viewer /ˌtiːˈviː ˈvjuːə/ : un(e) téléspectateur(-trice)
the (audience) ratings: les indices d'écoute
an anchorman/-woman: un(e) présentateur(-trice)
a host: un(e) animateur(-trice)

state-owned: public
live /laɪv/ : en direct
dull /dʌl/ : morne
thrilling: palpitant

to broadcast*: diffuser, émettre
to channel-hop, to flick from one channel to the next: zapper
to record /rɪˈkɔːd/ : enregistrer
to rerun*: rediffuser
to watch TV: regarder la télévision
to be glued to the television: être collé à la télévision
to switch on/off: allumer/éteindre (la radio, la télévision)

◀)) UN PEU DE CONVERSATION...

- "Stay tuned! The news is next, after the break."
  «Restez avec nous. Les informations vont suivre après la publicité.»

- Can you turn the TV down, please? I'm trying to work.
  Tu peux baisser le son de la télé, s'il te plaît? J'essaie de travailler.

- "What's on tonight?" "Absolutely nothing, as usual."
  «Qu'est-ce qu'il y a ce soir? – Absolument rien, comme d'habitude.»

- They keep arguing over which program to watch.
  Ils n'arrêtent pas de se disputer pour savoir quel programme ils vont regarder.

- I'm not going to watch the series tonight, it's a repeat.
  Je n'ai pas l'intention de regarder le feuilleton ce soir, c'est une rediffusion.

- There's certainly more to life than being a couch potato.
  Il y a certainement mieux à faire dans la vie que de rester vautré devant la télé.

- We need to buy a new TV set; we'd like to get a wide-screen TV.
  Il faut qu'on s'achète un nouveau téléviseur. On aimerait bien une télé grand écran.

■ LE CINÉMA, LE THÉÂTRE, LA MUSIQUE

entertainment: les divertissements

a cinema [GB], a movie theater [US]: un cinéma

a film [GB], a movie [US]: un film

a blockbuster: un film à grand succès

a dubbed film: un film doublé

a preview: une avant-première

a trailer: une bande-annonce

a script, a screenplay: un scénario

subtitles /'sʌbˌtaɪtlz/: des sous-titres

an actor / an actress: un acteur / une actrice

a (film) director: un réalisateur

a shot: un plan

a close-up shot: un gros plan

a low-angle shot: une contre-plongée

special effects: des effets spéciaux

the soundtrack: la bande sonore

a play: une pièce

the plot: l'intrigue

a character: un personnage

a dramatist, a playwright: un auteur dramatique

a show: un spectacle

the cast: la distribution

a rehearsal: une répétition

a performance: une représentation

a stage /steɪdʒ/: une scène

the wings /wɪŋz/: les coulisses

the audience: les spectateurs, le public

a concert hall: une salle de concert

an orchestra: un orchestre [classique]

a band: un orchestre [jazz], un groupe de rock

a choir /kwaɪə/: une chorale

the rhythm: le rythme

the lyrics: les paroles

entertaining: distrayant

tedious /'tiːdiəs/, boring: ennuyeux

trendy: à la mode

weird /wɪəd/, odd: bizarre

to rehearse /rɪ'hɜːs/: répéter [un rôle]

to perform (a role): interpréter (un rôle)

to act: jouer [un rôle]

to star (in): être la vedette (dans)

to attend: assister à

to applaud /ə'plɔːd/: applaudir

🔊 UN PEU DE CONVERSATION...

- Do you know when his next film will be released?
  Sais-tu quand sortira son prochain film?

- It has become one of the most-quoted films of the 21st century.
  It's brilliant. It's a film definitely not to be missed.
  C'est devenu l'un des films les plus cités du XXIe siècle. Il est génial.
  C'est un film qu'il ne faut vraiment pas rater.

- The novel was excellent but the film they made from it was
  a complete flop.
  Le roman était excellent mais le film qu'ils en ont tiré a été un bide total.

- Can I book seats online?
  Est-ce que je peux réserver des places par Internet?

- You can collect your tickets at the box office.
  Vous pouvez passer prendre vos billets au guichet (du théâtre).

- Does the play have a happy ending?
  Est-ce que la pièce finit bien (a un *happy end*)?

- Interested in a season ticket? Apply online now.
  Une carte d'abonnement vous intéresse? Demandez-la en ligne maintenant.

- The cast was/were fine but the direction was poor.
  La distribution était bonne, mais la mise en scène était médiocre.

▮ LES LIVRES, LES MUSÉES

a paperback: un livre de poche
a hardback: un livre relié / cartonné

a bookshop [GB], a bookstore [US]:
  une librairie
a bookseller: un(e) libraire
a secondhand bookseller:
  un(e) bouquiniste
a library /'laɪbrəri/:
  une bibliothèque

an author /'ɔːθə/: un(e) auteur(e)
a title /'taɪtl/: un titre
the cover: la couverture
the table of contents: la table
  des matières

fiction: les œuvres de fiction
a novel: un roman
a short story: une nouvelle
a detective novel: un polar

a comic strip: une bande dessinée
poetry: la poésie

an exhibition: une exposition
a preview: un vernissage
an exhibit: une pièce exposée
a work of art: une œuvre d'art
a masterpiece: un chef-d'œuvre
a picture, a painting: un tableau

committed: engagé
gifted: doué
skilful: habile
commonplace: banal
ugly /'ʌgli/: laid
fake /feɪk/: faux

to depict: dépeindre
to stand* for: représenter
to criticize /'krɪtɪsaɪz/: critiquer

- The main character is a middle-aged woman.
  Le personnage principal est une femme qui a la cinquantaine.

- I wish I could read more but, you know, I'm tied up with my work.
  J'aimerais pouvoir lire davantage mais, tu sais, je suis très prise par mon travail.

- Why do cookery books sell so well?
  Pourquoi les livres de cuisine se vendent-ils si bien?

- The exhibition features more than a hundred works of art.
  L'exposition présente plus de cent chefs-d'œuvre.

- She finds it difficult to understand abstract art.
  Elle trouve que c'est difficile de comprendre l'art abstrait.

- There's an exhibition of paintings by Renoir on in London.
  Il y a en ce moment à Londres une exposition Renoir.

MINI QUIZ

1 Que signifie *journal* en anglais?

2 Le terme *story* désigne-t-il toujours une histoire?

3 *A photograph*: est-ce une personne ou un objet?

4 Corrigez la phrase suivante: *There's an exposition of paintings by Renoir on in London.*

5 Quel public désigne *the audience*: un public de théâtre ou celui de la télévision?

6 Traduisez la phrase suivante: *The cast were fine, but the direction was poor.*

CORRIGÉ

1 *Journal* désigne une revue spécialisée.

2 *Story* peut également désigner un article de presse.

3 *A photograph*, c'est un objet: une photographie. Un photographe: *a photographer*.

4 *There's an **exhibition** of paintings by Renoir on in London.*

5 *The audience* désigne le public du théâtre. Celui de la télévision: *viewers*.

6 La distribution était bonne mais la mise en scène était médiocre.

12 Le sport et la santé

He couldn't go out last night, he had a splitting headache

▮ FAIRE DU SPORT

training, coaching: l'entraînement
fitness: la forme

football [GB], **soccer** [US]: le football
athletics: l'athlétisme
archery /'ɑːtʃəri/ : le tir à l'arc
fencing: l'escrime
(ice) skating /'aɪs skeɪtɪŋ/ :
   le patinage (sur glace)
a skating rink: une patinoire
rowing /'rəʊɪŋ/ : l'aviron

a race /reɪs/ : une course
an event /ɪ'vent/ : une épreuve

a field, a pitch: un terrain
a team: une équipe
a ref(eree): un arbitre
a friendly (match): un match
   amical
a draw: un match nul

the changing-room,
   the locker-room: le vestiaire

a tracksuit: un survêtement
a jersey, a shirt: un maillot
a dope test: un contrôle
   anti-dopage

rough /rʌf/ : brutal
(un)fair: (in)juste
tired: fatigué
exhausted: épuisé

to warm up: s'échauffer
to pant: haleter
to be out of breath: être hors
   d'haleine
to overtake*: devancer, dépasser
to hit*: frapper, taper sur
to kick: donner un coup de pied
to score (a goal): marquer (un but)
to miss (a goal): rater (un but)
to win*: gagner
to lose*: perdre
to bet*: parier

⚫)) UN PEU DE CONVERSATION...

- He does weight training at the local gym every Friday night.
  Il fait de la musculation tous les vendredis soirs dans la salle de gym du
  quartier.

- I haven't practiced for a long time, that's why I'm so rusty.
  Je ne me suis pas entraîné depuis longtemps, c'est pourquoi je suis si rouillé.

- I thought I could beat him but he is more than a match for me.
  Je pensais pouvoir le battre mais je ne fais pas le poids contre lui.

- "Did you do much sport at your school?" "Yes, there were lots of sporting facilities."
  « Tu faisais beaucoup de sport au lycée ? – Oui, il y avait beaucoup d'installations sportives. »

- The Six Nations Championship is one of the great sporting events of the year.
  Le Tournoi des Six Nations est un des grands événements sportifs de l'année.

- The stadium is specifically designed for the future World cup.
  Le stade est spécialement conçu pour la future Coupe du monde.

- It's an annual bicycle race, broken into several stages, in which the winner wears a yellow jersey.
  C'est une course de vélo annuelle, composée de plusieurs étapes, dans laquelle le gagnant porte un maillot jaune.

■ SURVEILLER SA SANTÉ

health /helθ/ : la santé
fitness : la forme
natural medicine : la médecine douce

sickness : la maladie
an illness, a disease /dɪˈziːz/ : une maladie
an injury /ˈɪndʒəri/, a wound /wuːnd/ : une blessure
pain, ache /eɪk/ : la douleur
a fever /ˈfiːvə/, a temperature : de la fièvre
blood pressure : la tension

a cold : un rhume
a sore throat : une angine
a headache /ˈhedeɪk/ : un mal de tête
(a) stomach ache : des maux d'estomac
(a) toothache /ˈtuːθeɪk/ : un mal de dents

a decay : une carie
a sting : une piqûre
a scratch : une égratignure
a blister : une ampoule
a bruise /bruːz/ : un bleu
a sprain : une entorse

a G.P. (General Practitioner) : un généraliste
a nurse /nɜːs/ : un(e) infirmier(-ère)
a patient /ˈpeɪʃnt/ : un malade
a chemist /ˈkemɪst/ : un pharmacien
a dental surgeon : un chirurgien-dentiste
a consulting room, a surgery : un cabinet de consultation
the emergency department : les urgences

a prescription : une ordonnance
a drug, a medicine : un médicament
a pill : un pilule
a tablet : un comprimé
a pain killer : un analgésique
Band-Aid : un pansement adhésif
a bandage : un pansement
an injection : une injection, une piqûre
a scar : une cicatrice

healthy /ˈhelθi/ : en bonne santé
ill, sick : malade
weak : faible
swollen : enflé

to feel* well / bad / ill : se sentir bien / mal / malade
to hurt* : faire mal
to suffer : souffrir
to hurt oneself, to injure oneself : se blesser
to sneeze : éternuer
to breathe /briːð/ : respirer
to cough /kɒf/ : tousser
to throw* up : vomir

to faint : s'évanouir
to look after sb : s'occuper de qqn
to cure /kjʊə/ : soigner
to X-ray : radiographier
to have a scan : passer un scanner
to have an operation : se faire opérer
to rest : se reposer
to recover : se rétablir
to heal : se cicatriser, guérir

UN PEU DE CONVERSATION…

- He couldn't go out last night, he had a splitting headache.
  Il n'a pas pu sortir hier soir, il avait un mal de tête atroce.

- Did you have a flu vaccine this autumn ?
  Vous vous êtes fait vacciner contre la grippe cet automne ?

- Quit smoking and go on a diet, you'll feel better!
  Arrêtez de fumer et faites un régime, vous vous sentirez mieux !

- I don't know whether I should have an X-ray or an MRI.
  What I know is that I don't want to be operated upon.
  Je ne sais pas si je devrais passer une radio ou une IRM. Ce que je sais, c'est que je ne veux pas être opéré.

- They gave me an epidural when I was giving birth.
  I was so glad I was anesthetized.
  Ils m'ont fait une péridurale pour mon accouchement. J'étais si contente d'être sous anesthésie.

- Brian said he felt ill / sick, so I've made an appointment with the doctor.
  Brian a dit qu'il ne se sentait pas bien : j'ai pris rendez-vous chez le médecin.

- I'm glad to see you're up and about again.
  Ça fait plaisir de voir que tu es de nouveau sur pied.

MINI QUIZ

1 Donnez par écrit un synonyme de *a drug*.
2 Traduisez : *The nurse is going to give you an injection*.
3 Dans un match, que désigne *the ref* ?

CORRIGÉ
1 A *medicine*.
2 L'infirmier / L'infirmière va vous faire une piqûre.
3 L'arbitre.

13 Les lieux qui nous entourent

I prefer country life to life in the city.

a **village** /'vɪlɪdʒ/ ❖ a **flower** /'flaʊə/ ❖ a **lake** /leɪk/ ❖ a **mountain** /'maʊntɪn/ ❖ a **glacier** /'glæsiə/ ❖ an **ocean** /'əʊʃn/ ❖ a **street** /striːt/ ❖ a **bus** /bʌs/ ❖ **pollution** /pə'luːʃn/ ❖ **radioactive** /ˌreɪdiəʊ'æktɪv/ ❖ **nuclear** /'njuːklɪə/ ❖ to **recycle** /ˌriː'saɪkl/

LA CAMPAGNE

the **country** /'kʌntri/ : la campagne
the **landscape** : le paysage
the **land** : la terre
the **ground** /graʊnd/ : le sol

a **cottage** /'kɒtɪdʒ/ : une petite maison (à la campagne)
a **thatched cottage** : une chaumière
a **hedge** : une haie
a **fence** : une barrière, une clôture

a **pond** : une mare, un étang
a **stream** /striːm/ : un ruisseau
a **hill** : une colline
a **bank** : un talus
a **ditch** : un fossé
a **bush** /bʊʃ/ : un buisson
a **slope** /sləʊp/ : une pente
a **wood** : un bois

a **lane** /leɪn/ : un chemin
a **path** : un sentier
a **track** : une piste
a **mountain top** : une cime
a **pass** : un col

a **leaf** [pl. *leaves*] : une feuille
a **blade of grass** : un brin d'herbe
a **root** : une racine

ivy : du lierre
a **mushroom** : un champignon

a **daisy** : une pâquerette, une marguerite
a **daffodil** : une jonquille
a **poppy** : un coquelicot, un pavot
lily-of-the-valley : du muguet

a **fir tree** /'fɜːtriː/ : un sapin
an **oak** : un chêne
a **maple** /'meɪpl/ : un érable
a **birch** : un bouleau
a **willow** : un saule

wildlife /'waɪldlaɪf/ : la faune
a **sanctuary**, a **reserve** : une réserve

a **bear** /beə/ : un ours
a **fox** : un renard
a **wolf** [pl. *wolves*] /wʊlvz/ : un loup
a **squirrel** : un écureuil
a **hare** /heə/ : un lièvre
a **deer** [pl. *deer*] : un cerf

an **eagle** : un aigle
a **raven** /'reɪvn/ : un corbeau
an **owl** /'aʊl/ : une chouette, un hibou
a **dove** /dʌv/ : une colombe
a **nightingale** : un rossignol
a **blackbird** : un merle
a **sparrow** : un moineau
a **feather** : une plume
a **wing** : une aile

a bee: une abeille
a wasp: une guêpe
a fly [pl. *flies*]: une mouche
a butterfly [pl. *-ies*]: un papillon
an ant: une fourmi
a spider /'spaɪdə/ : une araignée
a snail: un escargot
a worm /wɜːm/ : un ver
a frog: une grenouille

picturesque, quaint: pittoresque
lofty: élevé
snow-capped: couronné de neige
secluded: retiré, à l'écart
quiet: calme
outdoor: de plein air

to climb /klaɪm/ : grimper, escalader
to hike /haɪk/ : faire des randonnées

▸ L'AGRICULTURE ET LA PÊCHE P. 290

LA MER

the sea: la mer
the seaside: le bord de mer
the coast: la côte
the shore: le rivage
a harbour: un port

a beach /'biːtʃ/ : une plage
the sand: le sable
pebbles: des galets
a cliff: une falaise
a wave /weɪv/ : une vague
the tide /taɪd/ : la marée
seaweed: les algues

a gull: une mouette

a (sea) shell: un coquillage
a whale /weɪl/ : une baleine
a seal: un phoque
a shark: un requin

rough /rʌf/ : houleux
smooth: calme
shallow: peu profond

to go* for a swim: aller nager
to bathe /beɪð/ : se baigner
to sunbathe: prendre un bain
  de soleil
to go scuba diving: faire
  de la plongée sous-marine

▸ L'AGRICULTURE ET LA PÊCHE P. 290
▸ VIANDES, POISSONS, ŒUFS, FROMAGES P. 248

UN PEU DE CONVERSATION...

- I prefer country life to life in the city.
J'aime mieux vivre à la campagne qu'à la ville.

- Bird-watching is his favourite pastime.
L'observation des oiseaux est son passe-temps préféré.

- If you'll excuse me. I have other fish to fry.
Si vous voulez bien m'excuser, j'ai d'autres chats à fouetter.

- Wake up, sweetheart! The early bird catches the worm.
Lève-toi, mon ange! L'avenir appartient à ceux qui se lèvent tôt.

- There's something fishy about this business.
Il y a quelque chose de louche dans cette histoire.

- The sea was so rough that we couldn't go out to sea. The next day it was smooth and the crossing was plain sailing!
La mer était tellement agitée qu'on n'a pas pu sortir en mer. Le lendemain, elle était calme et la traversée s'est passée comme sur des roulettes!

LA VILLE

the outer /'aʊtə/ suburbs: la grande banlieue
the suburbs, the outskirts: la banlieue
a city: une grande ville
a town /taʊn/ : une ville
the city centre [GB], downtown [US]: le centre-ville
inner city areas: des quartiers déshérités

the town hall: la mairie
the mayor: le (la) maire
the police station: le commissariat
a church: une église
a graveyard, a churchyard: un cimetière

a block: un pâté de maisons
a block of flats [GB]: un immeuble
a skyscraper: un gratte-ciel

the high street [GB], the main street [US]: la rue principale
a one-way street: une rue à sens unique
an alley, a lane /leɪn/ : une ruelle
a cul-de-sac /'kʌldəsæk/, a dead end: une impasse

a streetlight: un réverbère
the pavement /'peɪvmənt/ [GB], the sidewalk [US]: le trottoir
a square /skweə/ : une place
a public garden: un square
a car park, a parking lot [US]: un parking

the crowd /kraʊd/ : la foule
the passers-by: les passants
a pedestrian /pɪˈdestriən/ : un piéton
a pedestrian / zebra crossing [GB]: un passage pour piétons

the traffic: la circulation
traffic lights: les feux de circulation
a traffic jam: un embouteillage
the rush hour: l'heure de pointe

a taxi, a cab: un taxi
a tram(car) [GB], a streetcar [US]: un tramway
the underground [GB], the subway [US]: le métro
a fast / non-stop train: un train rapide / direct

busy /'bɪzi/, lively: animé
noisy: bruyant
crowded /'kraʊdɪd/ : bondé
sprawling /'sprɔːlɪŋ/ : tentaculaire [ville / banlieue]
unsafe: dangereux

to swarm /swɔːm/ : grouiller, fourmiller
to rush about/around: courir çà et là
to queue (up) [GB], to line up [US]: faire la queue
to cross: traverser
to commute: faire la navette journalière banlieue / ville

▶ **VOYAGER EN VOITURE P. 277**

▶ **VOYAGER EN VOITURE P. 277**

◀)) UN PEU DE CONVERSATION...

● We live at number 10.
Nous vivons au numéro 10.

● I enjoy shopping in the new pedestrian precinct.
J'aime faire les courses dans la nouvelle zone piétonne.

● She lives two blocks [US] away from here.
Elle vit à deux rues d'ici.

- There is a newsagent's (shop) just round the corner.
  Il y a un marchand de journaux au coin de la rue.

- Can you tell me the way to the post office, please?
  Pouvez-vous m'indiquer le chemin de la poste, s'il vous plaît?

- Turn right at the next crossroads, it's just by the school.
  Tournez à droite au prochain carrefour, c'est tout près de l'école.

- I can't stand the hustle and bustle of big cities.
  Je ne supporte pas l'effervescence des grandes villes.

- They keep complaining about the din of the traffic.
  They should move out.
  Ils n'arrêtent pas de se plaindre du vacarme de la circulation.
  Ils devraient déménager.

LA PROTECTION DE L'ENVIRONNEMENT

environmental protection : la protection de l'environnement
a species /'spiːʃiːz/ : une espèce
fossil fuel /'fjuːəl/ : un combustible fossile
global warming : le réchauffement de la planète
the ozone layer /'əʊzəʊn 'leɪə/ : la couche d'ozone
a spray can : un atomiseur

damage /'dæmɪdʒ/ : les dégâts
a threat /θret/, a menace : une menace
a hazard : un danger
conservation, preservation : la sauvegarde

nuclear waste : les déchets nucléaires
litter : les détritus [au sol]
rubbish, trash, garbage : les ordures
a dump : une décharge

an oil tanker : un pétrolier
an oil slick : une nappe de pétrole, une marée noire

a recycling plant : une usine de recyclage
renewable /rɪ'njuːəbl/ energy : l'énergie renouvelable

spoilt : défiguré
poisonous, toxic : toxique
endangered : menacé d'extinction
extinct : disparu, éteint
scarce /skeəs/ : rare

tainted : contaminé
disposable : jetable

unpolluted : non pollué
harmless : inoffensif
environment-friendly : respectueux de l'environnement
reusable : réutilisable
well insulated : bien isolé

to threaten /'θretn/ : menacer
to endanger, to jeopardize : mettre en danger
to wreck : détruire, démolir
to waste /weɪst/ : gaspiller
to deplete /dɪ'pliːt/ : épuiser
to deforest : déboiser
to damage, to harm : abîmer
to foul /faʊl/, to defile : souiller
to spill* : se déverser
to throw* away : jeter
to dump, to discard, to get* rid of : se débarrasser de

- The selective sorting of household waste makes recycling efficient.
Le tri sélectif des ordures ménagères rend efficace le recyclage.

- I don't think you should use pesticides in your garden: are you aware that they upset the natural balance of the soil?
Je pense que tu ne devrais pas utiliser de pesticides dans ton jardin : est-ce que tu te rends compte qu'ils bouleversent l'équilibre naturel de la terre ?

- Is much effort made to promote carpooling?
Est-ce qu'on fait beaucoup d'efforts pour encourager le co-voiturage ?

- Climate change is becoming a reality: we'll have more flooding and droughts.
Le changement climatique devient une réalité : on va subir davantage d'inondations et de périodes de sécheresse.

- Some people think that windmills are an eyesore.
Certains trouvent que les éoliennes sont hideuses.

- Natural resources are running out. That's why we need to use renewable energy.
Les ressources naturelles s'épuisent. Voilà pourquoi on doit utiliser des énergies renouvelables.

- We've switched to organic farming. We've banned artificial fertilizers, pesticides and nitrates.
Nous sommes passés à l'agriculture biologique. Nous avons interdit les engrais chimiques, les pesticides et les nitrates.

- Do you think punishing dumping at sea and degassing would be a solution?
Pensez-vous que punir le déversement des déchets en mer et le dégazage serait une solution ?

- Our firm has invested a lot of money in alternative energy.
Notre entreprise a beaucoup investi dans l'énergie de substitution.

- I'm studying the effects of acid rain on soil erosion, biodiversity and ground water.
J'étudie les conséquences des pluies acides sur l'érosion des sols, la biodiversité et la nappe phréatique.

- We only use recyclable components.
Nous n'utilisons que des composants recyclables.

MINI QUIZ

1 Traduisez : *You're on the right track.*

2 Comment diriez-vous « la marée haute » ?

3 Traduisez : *I'll take a cab to the airport.*

4 Traduisez : « Y a-t-il un parking près de chez lui ? »

5 Traduisez : *The negotiations have reached a dead end.*

6 Du sens du verbe *commute*, déduisez le sens de *a commuter train.*

7 Traduisez : *Slow down, there's a zebra crossing ahead.*

8 Du sens de *harmless*, déduisez le sens de *harmful.*

9 Pensez au sens de *environment-friendly*. À votre avis, sur la boîte de quel produit peut-on lire l'expression *dolphin friendly* (*a dolphin* : un dauphin) ?

10 Traduisez : « Le tigre est une espèce en danger. »

11 Traduisez : *Walruses* (les morses) *are threatened with extinction.*

12 Sur une autoroute américaine, qu'est-ce que *a carpool lane* ?

14 Le temps qu'il fait

It looks like rain.

a **thermometer** /θə'mɒmɪtə/ ❖ a **barometer** /bə'rɒmɪtə/ ❖ a **tsunami** /tsu'nɑːmi/ ❖ an **avalanche** /'ævəlɑːntʃ/ ❖ a **cyclone** /'saɪkləʊn/ ❖ a **tornado** /tɔː'neɪdəʊ/

LA PLUIE, LE VENT ET LE FROID

the **weather forecast**: la météo,
  les prévisions météorologiques
a **weather** /'weðə/ **report**:
  un bulletin météo(rologique)

a **cloud** /klaʊd/ : un nuage
a **raindrop**: une goutte de pluie
a **shower** /ʃaʊə/ : une averse
a **puddle** /'pʌdl/ : une flaque d'eau
April showers: les giboulées
  de mars

drizzle: le crachin
mist: la brume
fog: le brouillard

a **storm**: une tempête
a **thunderstorm**: un orage
the **thunder**: le tonnerre
a **thunderbolt**, a **clap of thunder**:
  un coup de tonnerre
a **flash of lightning**: un éclair

a **gust of wind**: une rafale de vent
a **force 6 gale**: un vent de force 6

hail: la grêle
a **hailstone**: un grêlon

a **snowflake**: un flocon de neige
ice: la glace, le verglas
an **icicle** /'aɪsɪkl/ : un glaçon
frost: la gelée, le gel

a **hurricane**: un ouragan
a **tidal** /'taɪdl/ **wave**: un raz-de-
  marée

a **sudden rise in the water level**:
  une crue subite
flooding, a **flood**: une inondation
a **landslide**: un glissement de terrain

changeable: variable
unsettled: changeant, instable
rainy, **wet**: pluvieux

cool: frais
chilly: frisquet
bleak /bliːk/ : froid, triste et froid
dull /dʌl/ : gris, triste
icy /'aɪsi/ : glacé, glacial
snowbound: bloqué par la neige

to **blow***: souffler
to **freeze***: geler
to **melt**, to **thaw**: fondre

⏺))) UN PEU DE CONVERSATION...

- Could you close the window, please? I feel a draught.
  Tu pourrais fermer la fenêtre, s'il te plaît? Je suis dans un courant d'air.

- The sky is a bit overcast. It looks like rain.
  Le ciel est un peu couvert. On dirait qu'il va pleuvoir.

- It was raining cats and dogs / buckets. I got soaked / drenched to the skin.
  Il pleuvait des cordes. J'ai été trempé jusqu'aux os.

- "What's the weather like in Dublin?" "It's pouring (with rain)."
  « Quel temps fait-il à Dublin? – Il pleut à verse. »

- I'm freezing, chilled to the bone.
  Je suis gelé, transi de froid.

- How can you not be depressed in this miserable weather?
  Comment peux-tu ne pas déprimer par ce temps affreux?

- We were snowed in for two weeks last winter.
  Nous avons été bloqués par la neige pendant deux semaines l'hiver dernier.

- The flood damage is estimated to have cost several million euros.
  On estime que les dégâts de l'inondation ont coûté plusieurs millions d'euros.

- I prefer walking on snow to walking on burning sand.
  Je préfère marcher dans la neige que sur du sable brûlant.

- They won by a landslide victory.
  Ils ont remporté une victoire écrasante.

LE BEAU TEMPS, LE SOLEIL ET LA CHALEUR

a rainbow: un arc-en-ciel
a sunny spell, a bright interval: une éclaircie
sunshine: le soleil [la lumière du soleil]

warmth: la chaleur [douce]
a heat wave: une vague de chaleur
dog days: la canicule
drought /draʊt/ : la sécheresse
a fire: un incendie

fine: beau
hot: très chaud
warm: chaud, doux
bright: radieux, éclatant
clear: clair, pur
dry: sec

humid /'hjuːmɪd/, damp: humide
close: lourd, mal aéré
stifling /'staɪflɪŋ/ : étouffant
sultry: lourd, étouffant

−10° Celsius = 14 ° Fahrenheit	10° Celsius = 50 ° Fahrenheit
0° Celsius = 32 ° Fahrenheit	20° Celsius = 68 ° Fahrenheit

- **The sky is bright, let's make the most of it.**
  Le ciel est dégagé. Profitons-en.

- **On a clear day you can see Dover.**
  Par temps clair, on peut voir Douvres.

- **The weatherman said it would clear up in the afternoon, after a few scattered showers.**
  M. Météo a dit que ça va s'éclaircir dans l'après-midi après quelques ondées éparses.

- **It was scorching hot last week, we had to sit in the shade every afternoon.**
  Il faisait une chaleur torride la semaine dernière, on a dû rester assis à l'ombre tous les après-midi.

- **It's going to be another scorching hot day.**
  Il va encore faire une chaleur caniculaire aujourd'hui.

- **San Francisco is in an earthquake zone.**
  San Francisco est dans une zone sismique.

MINI QUIZ

1 Dit-on : *We had wonderful weather* ou *We had a wonderful weather* ?

2 Quel est le prétérit et le participe passé du verbe *freeze* ?

3 Dit-on : *There will be a lot of cloud* ou *a lot of clouds* ?

4 Traduisez : « Il pleut des cordes. »

5 Trouvez un synonyme de *humid*.

6 Quelle différence existe-t-il entre *drought* et *draught* ?

7 Traduisez : « Il fait lourd. »

CORRIGÉ

1 *We had wonderful weather* (voir p. 75 et 90).
2 Prétérit : *froze* ; participe passé : *frozen*.
3 Les deux. Dans les bulletins météorologiques, *cloud* est souvent employé au singulier.
4 *It's raining cats and dogs.* / *It's raining buckets.*
5 *Damp.*
6 *Drought* /draʊt/ : la sécheresse. *A draught* /drɑːft/ : un courant d'air.
7 *It's sultry / close.*

It looks like rain.

15 Le temps qui passe

How time flies.

🔊 **Vous les connaissez. Savez-vous les prononcer ?**

the night /naɪt/ ❖ the afternoon /ˌɑːftəˈnuːn/ ❖ the evening /ˈiːvnɪŋ/
❖ a minute /ˈmɪnɪt/ ❖ a week /wiːk/ ❖ a month /mʌnθ/ ❖ a year /jɪə/
❖ a century /ˈsentʃri/ ❖ the present /ˈpreznt/ ❖ the future /ˈfjuːtʃə/
❖ obsolete /ˈɒbsəliːt/ ❖ archaic /ɑːˈkeɪɪk/

LE JOUR ET LA NUIT

(at) daybreak, dawn /dɔːn/ :
(à) l'aube, l'aurore
the sunrise /ˈsʌnraɪz/ : le lever
du soleil
a sunset : un coucher de soleil
dusk, twilight /ˈtwaɪlaɪt/ :
le crépuscule, la semi-obscurité
at nightfall : à la tombée de la nuit

all through the day :
toute la journée
tonight /təˈnaɪt/ : ce soir
all day (long) : toute la journée

last night : hier soir, la nuit dernière
by night : de nuit
all night (long) : toute la nuit

tomorrow morning : demain matin
the morning before : la veille
au matin
yesterday afternoon : hier après-midi
the day before yesterday : avant-hier

🔊 UN PEU DE CONVERSATION...

● He got home in the early / small hours (of the morning).
Il est rentré au petit matin.

● Don't worry. I'll do it first thing in the morning.
Ne t'en fais pas. Je le ferai demain à la première heure.

● I usually take a nap in the afternoon.
Je fais habituellement une sieste l'après-midi.

● We celebrated far into the night.
Nous avons fait la fête jusque tard dans la nuit.

■ LA MESURE DU TEMPS

a (wrist)watch: une montre (-bracelet)

a stopwatch: un chronomètre

a clock: une horloge

an alarm clock: un réveil

the hand: l'aiguille

the dial /'daɪəl/ : le cadran

the time difference: le décalage horaire

jet lag: la fatigue due au décalage horaire

daylight saving time: l'heure d'été

to time: chronométrer

to be on time: être à l'heure

to arrive in time: arriver à temps

to be early: être en avance

to be late: être en retard

■ DIRE L'HEURE

- 5:00
  It's five (o'clock).
  It's about five.
  Il est environ cinq heures.

  8:00
  It's eight (o'clock).
  It's eight o'clock sharp.
  Il est 8 heures précises.

- 12:00
  It's twelve (p.m.). / It's noon. / It's midday.
  It's twelve (a.m.). / It's midnight.
  It's dead on twelve.
  Il est midi/minuit pile.

- 6:15
  It's six fifteen.
  It's a quarter past six.

  8:30
  It's eight thirty.
  It's half past eight.

- 9:45
  It's nine forty-five.
  It's a quarter to ten.

- 1:57
  It's one fifty-seven.
  It's three minutes to two.

  3:02
  It's three oh two.
  It's two minutes past three.

- a.m. (abréviation de *ante meridiem*): du matin
  3 a.m.: 3 heures du matin
  p.m. (abréviation de *post meridiem*): de l'après-midi
  7 p.m.: 7 heures du soir, 19 heures

●)) UN PEU DE CONVERSATION...

- By my watch it is precisely one o'clock.
  À ma montre, il est exactement une heure.

- My watch is fast; yours is slow.
  Ma montre avance; la tienne retarde.

- I was so tired I slept round the clock.
J'étais si fatigué que j'ai fait le tour du cadran.

- Did you set the alarm clock for 7 o'clock?
As-tu mis le réveil à 7 heures?

- (How) time flies!
Comme le temps passe vite!

LE PASSÉ, LE PRÉSENT ET L'AVENIR

the past: le passé
B.C. (before Christ):
    avant Jésus-Christ
A.D. (Anno Domini):
    après Jésus-Christ

an event /ɪ'vent/ : un événement
the current month/year: le mois,
    l'année en cours
in the near future: dans un proche
    avenir
next time: la prochaine fois
in the long run: à long terme,
    à la longue
the deadline: la date limite
fate /feɪt/ : le destin, la fatalité

short-lived: de courte durée
brief /briːf/ : bref, passager
momentary: momentané
provisional, temporary: provisoire
endless: sans fin

daily: quotidien, tous les jours
up to date: moderne, au goût du jour
current /'kʌrənt/ : actuel
old-fashioned: démodé
out of date, outdated: démodé,
    dépassé

in those days: en ce temps-là
formerly: autrefois
lately, recently: dernièrement,
    récemment
from then on: à partir
    de ce moment-là

currently: en ce moment
these days, nowadays, in this day
    and age: de nos jours
from now on: dorénavant
soon: bientôt
sooner or later: tôt ou tard

now and then, from time to time:
    de temps en temps
for ages: pendant un temps fou

to go* on: continuer
to keep* (on) doing sth:
    continuer à faire qqch.
to last: durer
to expect, to anticipate: s'attendre à
to look forward to:
    attendre avec impatience
to postpone: repousser
to be on schedule /'ʃedjuːl/,
    /'skedjuːl/ : être dans les temps
    [programme]

UN PEU DE CONVERSATION...

- Let bygones be bygones.
Oublions le passé! / Passons l'éponge!

- That's when he said "It's now or never!"
C'est à ce moment-là qu'il a dit: « C'est maintenant ou jamais! »

- In present-day Ireland things are completely different.
Dans l'Irlande d'aujourd'hui les choses sont totalement différentes.

- The outlook (for them) is rather rosy.
Les choses se présentent assez bien (pour eux).

- I'm afraid it's too good to last.
  Je crains que ce soit trop beau pour durer.

- Stay focussed. Your future is at stake.
  Reste concentré. Ton avenir est en jeu.

- We don't know what the future holds / has in store for us.
  Nous ne savons pas ce que l'avenir nous réserve.

MINI QUIZ

1 Comment dit-on « à midi » ?

2 Comment dit-on « ce soir » ?

3 Expliquez le sens des mots *wristwatch* et *stopwatch*.

4 Traduisez : « Je vais encore être en retard. »

5 Sachant que *hand* signifie « aiguille », traduisez *the second hand, the minute hand, the hour hand*.

6 Dans quel cas dit-on *o'clock* ?

7 Quelle différence y a-t-il entre *twelve a.m.* et *twelve p.m.* ?

8 Quelle différence fait-on entre *up to date* et *update* ?

9 Comment dit-on « dorénavant » ?

10 Traduisez : « J'ai hâte de les voir. »

11 Pouvez-vous deviner les différents sens de *daily, weekly* et *monthly* ?

CORRIGÉ

1 *At twelve. / At noon.*

2 *Tonight.*

3 *Wrist* : poignet ; littéralement donc *wristwatch* : montre du poignet. *Stopwatch* : littéralement, la montre qu'on peut arrêter.

4 *I'm going to be late again.*

5 La trotteuse, la grande aiguille, la petite aiguille.

6 Uniquement quand on ne donne pas les minutes : *two o'clock*, et non *two thirty o'clock*.

7 *Twelve a.m.* : minuit et *twelve p.m.* : midi.

8 *Up to date* signifie « moderne, à la page, le plus récent ». *An update / to update* est un terme d'informatique : « une mise à jour, mettre à jour ».

9 *From now on.*

10 *I look forward to seeing them.* (voir p. 156)

11 *A daily* : un quotidien ; *daily* (adj.) : la consommation quotidienne ; *daily* (adv.) : quotidiennement.
A weekly : un hebdomadaire ; *my weekly shopping* : mes courses pour la semaine. *I'm paid weekly.* Je suis payé à la semaine.
A monthly : un mensuel ; *monthly* (adj.) : mensuel ; *monthly* (adv.) : mensuellement, tous les mois.

16 Les voyages

He was booked again for speeding yesterday.

SE DÉPLACER

travel : les voyages
a journey, a trip : un voyage
a route : un itinéraire
a package /'pækɪdʒ/ holiday :
    un voyage organisé
a tour /tʊə/ : une visite

luggage : les bagages

a suitcase /'suːtkeɪs/ : une valise
a border : une frontière
the customs [sg ou pl.] : la douane

abroad : à l'étranger
remote : lointain
close : proche

VOYAGER EN VOITURE

a truck, a lorry [GB] : un camion
a 4WD (4-wheel drive) : un 4 x 4
a driving licence, a driver's license
    [US] : un permis de conduire

the bonnet [GB], the hood [US] :
    le capot
a windscreen [GB], a windshield
    [US] : un pare-brise
a windscreen wiper
    /'wɪndskriːnˌwaɪpə/ : un essuie-
    glace
the boot [GB], the trunk [US] :
    le coffre
a number [GB] / license [US] plate :
    une plaque d'immatriculation
a door : une portière
a tyre /taɪə/ [GB], a tire [US] : un pneu

a (spare) wheel : une roue
    (de secours)
a bumper : un pare-chocs
a horn, a hooter : un klaxon
an indicator : un clignotant

a seat : un siège
a seat belt : une ceinture de sécurité
a steering wheel : un volant
a brake /breɪk/ : un frein

a lane /leɪn/ : une file, une voie
a ring road, an orbital, a beltway
    [US] : un périphérique
a speedway, an expressway :
    une voie express
a motorway, a freeway [US] :
    une autoroute

a tollgate : un péage

a diversion /daɪˈvɜːʃn/ : une déviation
a bend : un virage
a roundabout /ˈraʊndəbaʊt/ :
   un rond-point
a crossroads : un croisement,
   un carrefour

petrol /ˈpetrəl/ [GB], gas [US] :
   de l'essence
a breakdown : une panne
a parking fine / ticket :
   une contravention

unleaded /ʌnˈledɪd/ , leadfree :
   sans plomb
careful : prudent

careless, reckless : imprudent
slippery /ˈslɪpəri/ : glissant

to hire, to rent : louer
to get* into a car : monter en voiture
to get* out of a car : descendre
   de voiture
to change gear /gɪə/ : changer
   de vitesse
to back : faire marche arrière
to overtake*, to pass : doubler
to skid : déraper
to slow down : ralentir
to hoot : klaxonner

▸ LA VILLE P. 266

VOYAGER EN TRAIN, EN AVION, EN BATEAU

a station /ˈsteɪʃn/ : une gare
a platform : un quai
the fare /feə/ : le prix du billet
a single [GB] / one-way [US] ticket :
   un aller simple
a return [GB] / round-trip [US]
   ticket : un aller-retour
a connection : une correspondance
a carriage, a coach, a car [US] :
   une voiture [train]

a flight : un vol
the departure lounge : la salle
   d'embarquement
a gate /geɪt/ : une porte
a boarding pass : une carte
   d'embarquement
an aisle /aɪl/ : une allée [dans un avion]
a wing /wɪŋ/ : une aile
a cockpit : une cabine [d'avion]

a liner /ˈlaɪnə/ : un paquebot
a cabin : une cabine [de bateau]

vacant /ˈveɪkənt/ : libre [place]
crowded, packed : bondé
roomy : spacieux
non refundable : non remboursable

to fly* : voyager en avion
to book : réserver
to cancel /ˈkænsəl/ : annuler
to delay : retarder
to stamp : composter
to check in : enregistrer
to take* off : décoller
to land : atterrir

to sail : voyager en bateau
to cruise /kruːz/ : faire une croisière
to be seasick : avoir le mal de mer

(•)) UN PEU DE CONVERSATION...

● Buckle up [US] / Fasten your seat belt, please, even if you're
   sitting in the rear.
   Attachez votre ceinture, s'il vous plaît, même si vous êtes assis à l'arrière.

● Yield [US] / Give way [GB] to traffic on the left.
   Priorité à gauche.

● I'm in the wrong lane.
   Je ne suis pas dans la bonne file.

- Dual carriageway [GB] / Four-lane road ahead.
  Début d'une route à quatre voies.

- I've run out of petrol. Could you give me a lift to the next filling station / service station?
  Je suis en panne d'essence. Est-ce que vous pourriez me conduire à la prochaine station service?

- Does this hire agreement offer unlimited mileage?
  Est-ce que ce contrat de location offre un kilométrage illimité?

- He was booked again for speeding yesterday.
  Il a encore eu une contravention pour excès de vitesse hier.

- Can you fetch me from St Pancras station at ten?
  Tu peux venir me chercher à la gare de Saint-Pancras à dix heures?

- What time does the next ferry sail?
  À quelle heure est le prochain ferry?

- We'll have to get up early: the check-in is three hours before the time of departure!
  Il va falloir nous lever tôt: on enregistre trois heures avant le départ!

- Does this price include airport taxes and insurance?
  Est-ce que ce prix comprend les taxes d'aéroport et l'assurance?

- This piece of luggage is too big, it will have to go in the hold.
  Ce bagage est trop volumineux, il faudra le mettre en soute.

- Could I have a window seat, please? I'd like to take pictures.
  Est-ce que je pourrais avoir une place côté hublot, s'il vous plaît? J'aimerais prendre des photos.

- Our non-stop flight to Tokyo was exhausting.
  Notre vol sans escale jusqu'à Tokyo a été épuisant.

MINI QUIZ

1 Traduisez: *Is the Golden Gate a toll bridge?*

2 Que signifie *route* en anglais?

3 Traduisez le texte de cette pancarte routière: *Get in lane.*

4 Vous allez prendre l'avion. On vous donne *an aisle seat*: allez-vous être assis près d'un hublot?

5 Traduisez: «Pourquoi le vol est-il retardé?»

CORRIGÉ
1 Le *Golden Gate* est-il un pont à péage?
2 *Route* désigne un itinéraire.
3 Mettez-vous dans la bonne file.
4 Non, *an aisle seat* est un siège côté couloir.
5 *Why is the flight delayed?*

SÉJOURNER ET VISITER

a resort /rɪˈzɔːt/ : un lieu de séjour
a camp(ing) site : un camping
an inn : une auberge
a (youth) hostel : une auberge
de jeunesse
a vacancy /ˈveɪkənsi/ : une chambre
libre
a single room : une chambre simple
a double room : une chambre
double

full board : pension complète
posh : chic
to escape : s'échapper
to call at : faire une étape
to go* sightseeing : faire du
tourisme, visiter un endroit
to check in : remplir la fiche d'hôtel
to (un)pack : (dé)faire ses valises
to check out : régler la note

⏺)) UN PEU DE CONVERSATION...

- Would you have accommodation for two people for the weekend?
Auriez-vous de la place pour deux personnes ce week-end?

- Accommodation can be cheaper if you book online.
Le logement est parfois moins cher si on réserve en ligne.

- I'd like to go somewhere off the beaten track.
J'aimerais aller quelque part hors des sentiers battus.

- They offer tailor-made wildlife journeys.
Ils proposent des voyages sur mesure pour observer la vie sauvage.

- The Taj Mahal is really worth a visit.
Ça vaut vraiment la peine de visiter le Taj Mahal.

- Next time, I'll travel light!
La prochaine fois, j'emporterai peu de bagages.

- We stayed in a beautiful four-star hotel. We had a room with a sea view. And with derricks.
Nous étions dans un bel hôtel quatre étoiles. Nous avions une chambre avec vue sur la mer. Et sur des derricks.

- The sign said NO VACANCIES, so there's no need to enquire.
Le panneau disait COMPLET. Ce n'est donc pas la peine de se renseigner.

- Do you have any vacancies for next month?
Est-ce qu'il vous reste des chambres pour le mois prochain?

ALLER AU RESTAURANT

a meal /miːl/ : un repas
a full English breakfast : un petit
déjeuner complet à l'anglaise
at lunch time : à l'heure du déjeuner
a tea break /ˈtiː breɪk/ : une pause
café
a lunch break : une pause déjeuner

a packed lunch : un panier-repas
junk food : la nourriture industrielle
a diner /ˈdaɪnə/ : un petit restaurant
a takeaway, a takeout [US] :
un traiteur de plats à emporter
a coffee shop, a teashop,
a tearoom : un salon de thé

an all-you-can-eat buffet: un buffet à volonté

a waiter / a waitress: un serveur / une serveuse

an appetizer /ˈæpɪtaɪzə/ : un amuse-gueule, un hors-d'œuvre

a starter: un hors-d'œuvre

a course /kɔːs/ : un plat

a three-course meal: un repas qui comporte trois plats

a beverage /ˈbevrɪdʒ/ : une boisson

sparkling / still water: de l'eau gazeuse / plate

tap water: de l'eau du robinet

a soft drink: une boisson sans alcool

a fizzy drink [GB], a soda [US]: un soda

fruit juice: un jus de fruit

draught /drɑːft/ beer: de la bière pression

lager: de la bière blonde

stout /staʊt/ : de la bière brune

the wine list: la carte des vins

house wine: la cuvée du patron

the bill [GB], the check [US]: l'addition

a tip: un pourboire

tasty /ˈteɪsti/ : savoureux

superb /suːˈpɜːb/ : merveilleux [repas]

lavish: somptueux, copieux

light: léger [repas]

heavy: lourd

stodgy: bourratif

raw /rɔː/ : cru

underdone, rare: saignant

medium: à point

well done: bien cuit

overdone: trop cuit

charcoal-grilled: grillé au feu de bois

crisp: croustillant

to be hungry: avoir faim

to be starving: mourir de faim [fig.]

to be thirsty: avoir soif

to eat* out: manger au restaurant

to dine /daɪn/ : dîner

to serve: servir

to taste: goûter

to sip: boire à petites gorgées

▸ LA CUISINE P. 250

UN PEU DE CONVERSATION…

- I'd like to book a table for Saturday at 8 o'clock, please. There will be six of us.
  Je voudrais réserver une table pour samedi à 20 heures, s'il vous plaît. Nous serons six.

- Are you all set? / Are you ready to order?
  Vous êtes prêts à commander? / Vous avez choisi?

- I'll have the day's special for my main course.
  Comme plat principal, je prendrai le plat du jour.

- For my starter, I'll have the soup and for my main course the sausages.
  En entrée, je vais prendre la soupe et les saucisses en plat principal.

- How would you like your steak cooked?
  Quelle cuisson pour votre steak?

- Can we have the bill, please?
  Vous pouvez nous donner l'addition, s'il vous plaît?

- Service is not included.
  Le service n'est pas compris.

1 À l'extérieur d'un hôtel, vous lisez la pancarte *NO VACANCIES*. Quel est l'équivalent français?

2 À partir de l'expression signifiant «pension complète», déduisez l'expression équivalant à «demi-pension».

3 D'après le sens de *resort*, déduisez le sens de *ski / seaside / summer resort*.

4 Choisissez les deux mots possibles: *Have a good travel / trip / journey!*

5 Que désigne *a diner*?

6 Quel type d'eau peut-on commander dans un restaurant?

7 Demandez si le service / le pourboire est compris.

17 L'éducation

You should think twice before dropping maths.

education /ˌedjuˈkeɪʃn/ ❖ **a university** /juːnɪˈvɜːsɪti/ ❖ **a pupil** /ˈpjuːpl/
❖ **a student** /ˈstjuːdnt/ ❖ **a teacher** /ˈtiːtʃə/ ❖ **a uniform** /ˈjuːnɪfɔːm/
❖ **literature** /ˈlɪtrɪtʃə/ ❖ **science** /ˈsaɪəns/ ❖ **biology** /baɪˈɒlədʒi/

LE SYSTÈME ÉDUCATIF

a school: une école, une université [US]

a nursery school: une école maternelle

a primary /ˈpraɪməri/ **school**: une école primaire

a comprehensive [GB] / **high** [US] **school**: un établissement d'enseignement secondaire

a state school: une école publique

a public school: une école privée [GB] / publique [US]

a college: une faculté

a medical school: une faculté de médecine

an engineering college: une école d'ingénieurs

a business /ˈbɪznɪs/ **school**: une école de commerce

the school staff: les professeurs

the headmaster / headmistress: le directeur / la directrice / le proviseur

a lecturer: un maître de conférences

a professor: un professeur d'Université

a subject: une matière

a class, a period: un cours

a lecture /ˈlektʃə/ : un cours magistral

a schoolmate: un camarade de classe

tuition /tjuˈɪʃn/ **fees**: les frais de scolarité

a scholarship, a grant [GB]: une bourse d'études

a term: un trimestre

a sixth former [GB]: un élève de terminale

outstanding: exceptionnel
gifted, talented: doué
brilliant /ˈbrɪljənt/ : brillant
hard-working: travailleur
painstaking: appliqué
absent-minded: distrait
disruptive: perturbateur
strict: sévère
lenient /ˈliːniənt/ : indulgent

to educate: éduquer [rôle de l'école]
to bring* up: éduquer, élever [rôle des parents]
to teach*: enseigner
to train: former
to attend a lecture: assister à un cours
to learn*: apprendre
to know*: savoir

Quatre termes, aux USA, s'appliquent aux lycéens (*high school students*) à partir de la seconde et aux étudiants (*college, university*) : *a fresher (freshman)* : un élève/un étudiant de 1re année ; *a sophomore* : un élève/un étudiant de 2e année ; *a junior* : un élève/un étudiant de 3e année ; *a senior* : un élève/un étudiant de dernière année.

LES EXAMENS

a paper /'peɪpə/ : un devoir
a test : un devoir sur table
a proficiency test : un test de niveau
a school report : un bulletin scolaire
an examination (exam) : un examen
a competitive exam : un concours

A levels [GB] : examen à la fin de la terminale
a degree, a diploma : un diplôme
a high-school diploma [US] : un diplôme de fin d'études secondaires
a bachelor's degree : une licence
a master's degree : un mastère

a PhD : un doctorat

poor : insuffisant
average : moyen
fair : assez bien
very good : très bien

to assess : évaluer
to sit* [GB] / **take* an exam** : se présenter à un examen
to pass an exam : être reçu à un examen
to fail an exam : échouer à un examen
to graduate : obtenir un diplôme

DANS LA SALLE DE CLASSE

a classroom : une salle de classe
chalk /tʃɔːk/ : de la craie
a (black)board : un tableau (noir)
a whiteboard : un tableau blanc
a marker (pen) : un marqueur
a desk : un bureau

a textbook : un manuel
an exercise book : un cahier
a ruler /'ruːlə/ : une règle
an eraser, a rubber : une gomme
a (ball-point) pen : un stylo (à bille)
a felt pen : un feutre

a pencil : un crayon
a highlighter /'haɪlaɪtə/ : un surligneur

to write down : prendre des notes
to improve /ɪm'pruːv/ : faire des progrès
to behave oneself : bien se conduire
to deserve : mériter
to reward /rɪ'wɔːd/ : récompenser
to chat /tʃæt/ : bavarder
to bully : tyranniser
to suspend : exclure

 UN PEU DE CONVERSATION...

- If you want to attend this course, you have to register / sign up / enrol first.
  Si vous voulez assister à ce cours, il faut d'abord vous inscrire.

- They are fairly strict on the dress code.
  Ils sont plutôt sévères sur la manière dont on s'habille.

- You should think twice before dropping maths.
  Tu devrais y réfléchir à deux fois avant d'abandonner les maths.

- She got some good marks / grades in her continuous assessment this term.
  Elle a eu de bonnes notes au contrôle continu ce trimestre.

- "I don't know what this word means." "Well, just look it up in a dictionary."
  «Je ne sais pas ce que ce mot veut dire. – Eh bien! Tu n'as qu'à le chercher dans le dictionnaire.»

- Why did you skip yesterday's class?
  Pourquoi as-tu séché le cours d'hier?

- He is very knowledgeable. I was quite surprised to learn that he is self-taught.
  Il est très cultivé. J'ai été assez surprise d'apprendre qu'il est autodidacte.

- What's the school-leaving age in Britain?
  Jusqu'à quel âge l'école est-elle obligatoire en Grande-Bretagne?

- Do many young people drop out of high school in your country?
  Est-ce que beaucoup de jeunes quittent le lycée avant le bac dans votre pays?

MINI QUIZ

1 *School* = l'école. Aux États-Unis, que peut aussi désigner ce terme?

2 Dans quel pays l'expression *a public school* désigne-t-elle une école privée?

3 Quand on parle de *college*, parle-t-on d'enseignement secondaire?

4 Traduisez : *The lecture lasted two hours.*

5 Comment dit-on «passer un examen»?

6 Quelles sont les formes du prétérit et du participe passé de *know* et *teach*?

CORRIGÉ
1 *School* peut aussi désigner l'université aux États-Unis.
2 En Grande-Bretagne.
3 Non, on désigne une faculté (enseignement supérieur).
4 La conférence (le cours magistral) a duré deux heures.
5 *To sit / to take an exam.*
6 *Know / knew / known. Teach / taught / taught.*

18 Le travail

How long has he been running this company?

•)) Vous les connaissez. Savez-vous les prononcer ?

business /'bɪznɪs/ ❖ **a colleague** /'kɒliːg/ ❖ **a manager** /'mænɪdʒə/
❖ **to study** /'stʌdi/ ❖ **research** /rɪ'sɜːtʃ/ ❖ **a computer** /kəm'pjuːtə/
❖ **a virus** /'vaɪrəs/ ❖ **mass production** /mæs prə'dʌkʃn/ ❖ **hi-tech** /ˌhaɪ'tek/
❖ **obsolete** /'ɒbsəliːt/ ❖ **a pesticide** /'pestɪsaɪd/ ❖ **fertiliser** /'fɜːtɪlaɪzə/

L'ENTREPRISE

the public / private sector: le public / le privé

a company /'kʌmpəni/ : une société

a multinational company / corporation / business: une multinationale

small and medium-sized companies / enterprises: les PME

a firm: une entreprise

the head office: le siège social

a subsidiary /səb'sɪdiəri/ : une filiale

an office: un bureau

the premises: les locaux

the management: la direction

a managing director [GB], a chief executive officer (CEO) [US]: un P.-D.G.

the board (of directors): le conseil d'administration

the sales department: le service des ventes

a takeover bid: une OPA (Offre Publique d'Achat)

the staff: le personnel

a team: une équipe

a workmate: un collègue

an executive: un cadre

a sales representative: un représentant (de commerce)

an accountant /ə'kaʊntənt/ : un(e) comptable

an employee: un(e) employé(e)

a secretary: un(e) secrétaire

the works council / committee: le comité d'entreprise

a training course: un stage de formation

a break /breɪk/ : une pause

a luncheon voucher /'vaʊtʃə/ : un ticket repas

a company car: une voiture de fonction

skilled: qualifié

automated: automatisé

remote-controlled: télécommandé

sophisticated: perfectionné

hi-tech /ˌhaɪ'tek/ : de pointe

versatile /'vɜːsətaɪl/ : polyvalent

to produce /prə'djuːs/ : produire

to process: transformer

to buy* up / take* over a company: racheter une entreprise

to merge: fusionner

▸ LES COMPOSANTES DE LA SOCIÉTÉ P. 292
▸ LE TRAVAIL: CONFLITS ET SOLUTIONS P. 293

🔊 UN PEU DE CONVERSATION...

- **Can you phone again at office hours, please?**
  Pouvez-vous rappeler aux heures de bureau?

- **She has been promoted: they've made her General Manager as from next week!**
  Elle a eu une promotion: à partir de la semaine prochaine, elle devient chef de service.

- **What could my career prospects within this company be?**
  Quelles pourraient être mes perspectives de carrière dans cette société?

- **His life has changed since he has worked flexitime.**
  Sa vie a changé depuis qu'il a des horaires flexibles.

- **They are very eager to cooperate in the new plans for the factory.**
  Ils sont très enthousiastes à l'idée de coopérer aux nouveaux projets concernant l'usine.

- **How long has he been running this company?**
  Depuis combien de temps dirige-t-il cette société?

- **Is this trip for pleasure or business?**
  Vous faites ce voyage pour votre plaisir ou c'est un voyage d'affaires?

- **We do business with a number of Chinese companies.**
  Nous faisons des affaires avec un certain nombre de sociétés chinoises.

▮ LA RECHERCHE APPLIQUÉE

industrial research: la recherche appliquée
an engineer /ˌendʒɪˈnɪə/ : un ingénieur
a scientist /ˈsaɪəntɪst/ : un savant, un scientifique
a thinktank: un groupe d'experts

progress: les progrès
an advance: un progrès
a breakthrough: une grande découverte
a patent /ˈpætnt/ : un brevet

industrial piracy: l'espionnage industriel
brain drain: la fuite des cerveaux

innovative: novateur
efficient: efficace
reliable /rɪˈlaɪəbl/ : fiable
significant: significatif
hazardous /ˈhæzədəs/ : dangereux

to search for: chercher
to experiment: expérimenter
to carry out an experiment: faire une expérience
to foresee*: prévoir
to improve /ɪmˈpruːv/ : améliorer
to devise /dɪˈvaɪz/ : mettre au point
to tamper with: manipuler, falsifier

🔊 UN PEU DE CONVERSATION...

- **Would you be ready to take part in this experiment?**
  Serais-tu prêt à participer à cette expérience?

- **Cloning human beings might have unexpected consequences.**
  Le clônage humain pourrait avoir des conséquences inattendues.

- **I just can't work it out.**
  Ça me dépasse.

- Our research is more advanced today, but other labs are catching up with us.
  À l'heure actuelle, nos recherches sont plus avancées mais d'autres laboratoires sont en train de nous rattraper.

- This is really a chicken-and-egg problem.
  C'est vraiment la vieille histoire de l'œuf et de la poule.

L'INFORMATIQUE

computer science, computing: l'informatique
a computer scientist / analyst: un informaticien
data /'deɪtə/ : les données

a laptop: un portable
a screen: un écran
a keyboard /'kiːbɔːd/ : un clavier
a mouse /maʊs/ : une souris
a mouse pad: un tapis de souris
a printer: une imprimante

software: les logiciels
a software program / package: un logiciel
a USB flash drive / connection: une clé / une connexion USB
a microchip /'maɪkrəʊtʃɪp/ : une puce (électronique)
a code number: un code d'accès

an update: une mise à jour

computerized: informatisé
state-of-the-art: dernier cri
top-of-the-line / top-of-the-range: haut de gamme
time-saving: qui économise du temps
user-friendly: convivial

to switch on / off: mettre en route / éteindre
to start up: démarrer
to open / close a file: ouvrir / fermer un fichier
to run*: exécuter
to save: sauvegarder
to update: mettre à jour
to telecommute /ˌtelɪkə'mjuːt/ : télétravailler
to crash: (se) planter

▶ LE COURRIER ÉLECTRONIQUE ET INTERNET P. 242

UN PEU DE CONVERSATION...

- Not being computer-literate is becoming a handicap in today's world.
  Ne pas savoir se servir d'un ordinateur devient un handicap dans le monde d'aujourd'hui.

- Yesterday, I deleted a whole file, and I have no backup, that's why I'm so upset!
  Hier, j'ai effacé tout un fichier et je n'ai pas de sauvegarde, voilà pourquoi je suis si contrarié!

- "What's wrong?" "The printer doesn't work."
  «Qu'est-ce qui ne va pas? – L'imprimante ne marche pas.»

- On this plane, all the seats are equipped with a touch screen.
  Dans cet avion, toutes les places sont équipées d'un écran tactile.

- "Computers cannot cure the world's ills," Bill Gates once declared.
  «Les ordinateurs ne peuvent pas guérir les malheurs du monde», a un jour déclaré Bill Gates.

MINI QUIZ

1 Lorsque vous utilisez le mot *employee*, désignez-vous un employeur?

2 Déduisez du sens de *staff* le sens de *a staff canteen*.

3 Écrivez le mot anglais correspondant à «ingénieur».

4 Choisissez le mot qui convient: *They should ban animal experiments / experiences*.

5 Choisissez le mot qui convient: *They have made significant progresses / progress*.

6 Traduisez: «Ce logiciel est convivial.»

CORRIGÉ

1 Non, on désigne un employé.

2 *Staff*: le personnel. *A staff canteen*: un restaurant d'entreprise.

3 *Engineer*.

4 *They should ban animal experiments*. (*experience*: expérience vécue)

5 *They have made significant progress*. *Progress* est un indénombrable (voir p. 75).

6 *This software application is user-friendly*.

L'INDUSTRIE

a factory, a plant: une usine
an assembly plant:
  une usine de montage
an assembly line:
  une chaîne de montage
a textile /'tekstaɪl/ mill:
  une usine textile

a workshop: un atelier
a warehouse /'weəhaʊs/:
  un entrepôt
a branch: une succursale

a manufacturer, a maker:
  un fabricant
a skilled worker: un ouvrier qualifié

a craftsman: un artisan
a subcontractor: un sous-traitant

maintenance: l'entretien
goods: des produits
spare /speə/ parts: des pièces
  détachées
a safety standard: une norme
  de sécurité

good-quality: de bonne qualité
shoddy: bâclé

to produce /prə'djuːs/: produire
to process: transformer
to handle: manipuler

UN PEU DE CONVERSATION...

- The cost of raw materials has recently risen significantly.
  Le coût des matières premières a récemment subi une forte augmentation.

- They spent £25 million on R & D (Research and Development) last year.
  Ils ont dépensé 25 millions de livres en recherche et développement l'an passé.

- At the turn of the century, China's market for consumer goods rocketed.
  Au début du siècle, le marché chinois des produits de consommation courante a explosé.

L'AGRICULTURE ET LA PÊCHE

farming : l'agriculture
industrial farming : l'agriculture intensive
organic farming : l'agriculture bio
dairy farming : l'industrie laitière
fish farming : la pisciculture
fishing : la pêche
a trawler /'trɔːlə/ : un chalutier

agricultural implements : l'outillage agricole
a barn : une grange
a greenhouse : une serre
hay : du foin
straw /strɔː/ : de la paille
a seed : une graine
the land : la terre
a field : un champ
a meadow /'medəʊ/ : un pré, une prairie
a crop : une récolte

the yield : le rendement
a herd : un troupeau [gros animaux]
a flock : un troupeau [moutons, oies...]
cattle /'kætl/ : le bétail
the livestock : le cheptel, les animaux d'élevage

wholesome : sain [nourriture]
sustainable : durable

to plough /plaʊ/, to plow [US] : labourer
to sow* /səʊ/ : semer
to reap : moissonner
to grow* (cereals) : cultiver (des céréales)
to harvest : récolter
to pick : cueillir
to breed* : élever
to feed* : nourrir

▸ LA CAMPAGNE P. 264

◉)) UN PEU DE CONVERSATION...

- Have you ever tried to grow your own tomatoes? It's easy and it's fun.
  Est-ce que tu as déjà essayé de faire pousser des tomates? C'est facile et sympa.

- Are you scared of GM food?
  Tu as peur de la nourriture issue d'OGM?

- How long did your father work on a farm?
  Pendant combien de temps ton père a-t-il travaillé à la ferme?

- I'd like a dozen free-range eggs, please.
  Je voudrais une douzaine d'œufs de poules élevées en plein air.

- I think battery farming should be outlawed.
  Je pense que l'élevage en batterie devrait être interdit.

- You don't need a fishing license to fish in a pond. But I'm a professional fisherman.
  On n'a pas besoin de permis pour pêcher dans un étang.
  Mais moi, je suis pêcheur professionnel.

- These farmers use traditional methods. They have banned all pesticides on their farms.
  Ces agriculteurs utilisent des méthodes traditionnelles. Ils ont banni tout pesticide de leurs fermes.

— **MINI QUIZ**

1 Du sens de *tool*, déduisez celui de *a machine tool*.

2 Traduisez : *Handle with care.*

3 D'après le sens du verbe *pick*, devinez la signification de la pancarte suivante vue sur le bord d'une route : *PICK YOUR OWN.*

4 D'après l'expression désignant « l'agriculture biologique », trouvez la manière dont on dit « la nourriture bio ».

5 Traduisez cette expression : *You reap what you have sown.*

6 Vous connaissez le nom *milk*. À votre avis, que veut dire *to milk a cow* ?

7 Traduisez : « Elle vit dans une ferme. »

8 Traduisez *the greenhouse effect* et *greenhouse gas.*

— **CORRIGÉ**

1 Une machine-outil.

2 Manipulez avec précaution.

3 Pancarte signalant qu'un producteur vous propose de venir cueillir des fruits pour votre propre consommation.

4 *Organic food.*

5 Vous récoltez ce que vous avez semé.

6 *Milk* : du lait ; *to milk a cow* : traire une vache.

7 *She lives on a farm.*

8 « L'effet de serre » et « le gaz à effet de serre ».

19 La vie en société

Their living standard has improved.

LES COMPOSANTES DE LA SOCIÉTÉ

the social scale: l'échelle sociale
a social issue /'ɪʃuː/ : un problème
de société
a citizen: un citoyen
a senior citizen: une personne âgée

a two-tier /'tuːtɪə/ society:
une société à deux vitesses
the affluent society: la société
d'abondance
the ruling class: la classe dirigeante
the upper classes: les classes
supérieures
an upstart: un parvenu
the middle class: la classe moyenne
the working class: la classe ouvrière

an income: un revenu
a wage /weɪdʒ/, a salary: un salaire
a taxpayer: un contribuable

a political refugee: un réfugié
politique
an asylum /ə'saɪləm/ seeker:
un demandeur d'asile

an illegal worker / immigrant:
un clandestin
a moonlighter: un travailleur
au noir
an outcast /'aʊtkɑːst/ : un paria
the homeless: les sans-abri

welfare: l'aide sociale
a shelter: un centre d'accueil,
un foyer
a prejudice: un préjugé
a gap: un fossé

privileged: privilégié
wealthy /'welθi/ : riche
well-off: aisé
average /'ævrɪdʒ/ : moyen
uprooted: déraciné
undocumented: sans papiers

to trust: faire confiance à
to improve: améliorer
to relieve: soulager
to depend on: dépendre de

● Their living standard has improved.
Leur niveau de vie s'est amélioré.

● There is still a disparity between the salaries of men and women.
Il y a encore une disparité entre le salaire des hommes et celui des femmes.

● Would you say that affirmative action can help to bridge the gap between the haves and the have-nots?
Diriez-vous que la discrimination positive peut aider à combler le fossé entre les nantis et les démunis?

● I want something better than just keeping up with the Joneses.
Je voudrais faire mieux que juste chercher à ne pas être en reste avec les voisins.

● She has been in dire straits since her husband died.
Elle est dans une situation très difficile depuis la mort de son mari.

LE TRAVAIL : CONFLITS ET SOLUTIONS

the unemployed: les chômeurs
relocation, outsourcing: la délocalisation
a job seeker: un demandeur d'emploi
the dole / unemployment benefit(s): l'allocation chômage
an allowance: une indemnité
training: la formation

a trade union: un syndicat
a strike /straɪk/: une grève
a demonstration: une manifestation

a covering [GB] letter, a cover [US] letter: une lettre de motivation
a job interview: un entretien d'embauche

a fixed-term contract: un CDD
an open-ended contract: un CDI
a pay rise: une hausse de salaire

vacant /'veɪkənt/: libre, à pourvoir
overworked: surmené

to work overtime: faire des heures supplémentaires
(to be made) redundant: (être) licencié pour raisons économiques
to dismiss: licencier
to fire, to sack: virer
to resign /rɪˈzaɪn/: démissionner

to look for a job: chercher du travail
to apply (for): postuler
to hire /haɪə/: embaucher
to retire: partir à la retraite

▸ L'ENTREPRISE P. 286

● Do you think she's fit for the job?
Tu crois qu'elle est faite pour cet emploi?

● Applicants must speak English fluently.
Les candidats doivent parler anglais couramment.

- Has the position been filled?
  Avez-vous trouvé quelqu'un pour ce poste?

- Many students do odd jobs in order to pay for their studies.
  Beaucoup d'étudiants font des petits boulots pour payer leurs études.

- He is fed up with the rat race and has decided to take early retirement.
  Il en a marre de la compétition acharnée et a décidé de prendre une retraite anticipée.

LA JUSTICE

an offence /əˈfens/ : un délit
a second offence : une récidive

a burglary : un cambriolage
money laundering : le blanchiment d'argent sale
insider trading : un délit d'initié
misuse of company property : un abus de biens sociaux

abuse /əˈbjuːs/ : les mauvais traitements
child abuse : la maltraitance des enfants
arson : un incendie volontaire
a riot /raɪət/ : une émeute

a trespasser : un intrus
[dans une propriété privée]
a thief, a robber : un voleur
a robbery, a theft : un vol
a hooligan, a thug : un voyou

a law : une loi
a right : un droit
a law court : un tribunal
the courtroom : la salle d'audience
a case /keɪs/ : une affaire
a trial /traɪəl/ : un procès

the defendant, the accused : l'accusé
a lawyer, a barrister [GB], an attorney [US] : un(e) avocat(e)
the prosecution : la partie plaignante, l'accusation
a witness : un témoin

evidence : des preuves
a proof : une preuve

guilt /gɪlt/ : la culpabilité
a culprit : un coupable
the verdict : le verdict
a sentence : une peine, une sentence
a fine /faɪn/ : une amende
a prison, a jail : une prison

law-abiding : respectueux des lois
lawful, legal : légal
unlawful, illegal : illégal
guilty /ˈgɪlti/ : coupable
underage : mineur
battered : battu [enfant / femme]
tough /tʌf/ : dur, sévère
lenient /ˈliːniənt/, merciful : clément, indulgent

to rob sb of sth, to steal* sth from sb : voler qqch. à qqn
to ransack : piller, saccager
to assault, to mug, to attack : agresser
to hit*, to strike* : frapper
to ill-treat : maltraiter
to kill : tuer
to shoot* sb : abattre qqn
to murder : assassiner
to slaughter/ˈslɔːtə/ : massacrer
to rape /reɪp/ : violer

to prosecute : poursuivre en justice
to charge : inculper
to sentence : condamner
to appeal : faire appel
to release /rɪˈliːs/ : relâcher
to pardon : grâcier
to deter : dissuader

◦)) UN PEU DE CONVERSATION...

- Is there a point-system driving licence (driver's license [US]) in your country?
Y a-t-il un permis à points dans votre pays?

- Your car will be towed away if you park on a double yellow line.
Ta voiture va être emportée à la fourrière si tu te gares sur une double ligne jaune.

- The man claimed that he had been sexually harassed by the female manager.
L'homme a prétendu qu'il avait été victime de harcèlement sexuel par la dirigeante de l'entreprise.

- Three suspects were taken into custody Monday morning.
Trois suspects ont été mis en garde à vue lundi matin.

MINI QUIZ

1 Vous connaissez le mot *privileged*; à votre avis, que veut dire *the underprivileged*?

2 Traduisez: *He was hired on a fixed-term contract.*

3 Traduisez: *Admission prices are $20 for adults; $15 for senior citizens; $5 for children.*

4 Traduisez: «Est-ce que tu fais des heures supplémentaires?»

5 Donnez un synonyme de *the dole*.

6 Traduisez le texte de la pancarte suivante: *Trespassers will be prosecuted.*

7 Traduisez: *They did not have enough evidence to charge her.*

8 Quel est le prétérit du verbe *strike*?

CORRIGÉ

1 *Privileged*: privilégié; *the underprivileged* (adjectif substantivé): les défavorisés.
2 Il a été embauché avec un contrat à durée déterminée.
3 Les prix d'entrée sont: 20 dollars pour les adultes; 15 pour les personnes du 3e âge; 5 pour les enfants.
4 *Do you work overtime?*
5 *(Unemployment) benefits.*
6 Défense d'entrer sous peine de poursuites.
7 Ils n'avaient pas assez de preuves pour l'inculper.
8 *Struck.*

20 La politique

She has strong views on the proposed changes.

VOTE VOTE VOTE

🔊 Vous les connaissez. Savez-vous les prononcer ?

power /paʊə/ ❖ **a democracy** /dɪˈmɒkrəsi/ ❖ **socialism** /ˈsəʊʃəlɪzm/
❖ **a nation** /ˈneɪʃn/ ❖ **a vote** /vəʊt/ ❖ **a parliament** /ˈpɑːləmənt/
❖ **a soldier** /ˈsəʊldʒə/ ❖ **a victory** /ˈvɪktəri/ ❖ **a negotiation** /nɪˌɡəʊʃiˈeɪʃn/
❖ **diplomacy** /dɪˈpləʊməsi/ ❖ **debt** /det/ ❖ **humanitarian** /hjuˌmænɪˈteəriən/

LES INSTITUTIONS DÉMOCRATIQUES

politics /ˈpɒlɪtɪks/ : la politique,
les opinions politiques
a state /steɪt/ : un État
a head of state : un chef d'État
the ruling party : le parti au pouvoir
a policy /ˈpɒləsi/ : une politique
[ligne de conduite]
a left-wing politician : un homme /
une femme politique de gauche
a right-wing politician : un homme /
une femme politique de droite
a (political) platform :
un programme (politique)
commitment : l'engagement

a government /ˈɡʌvnmənt/ :
un gouvernement
a ministry, a department :
un ministère
a minister, a secretary : un(e)
ministre, un(e) secrétaire d'État
a prime /praɪm/ **minister** :
un(e) Premier ministre

a bill : un projet de loi
a law /lɔː/ : une loi
an Act of Parliament [GB] : une loi
votée par le Parlement
the House of Commons [GB] :
la Chambre des communes

a Member of Parliament (an MP)
[GB] : un député
a Euro /ˈjʊərəʊ/ **MP** : un député
européen
Congress : le Congrès
the House of Representatives [US] :
la Chambre des représentants
the Senate [US] : le Sénat
a congressman [US] : un député
a senator [US] : un sénateur

a polling station : un bureau de vote
a ballot paper : un bulletin de vote
an opinion poll : un sondage
d'opinion

conservative : conservateur
labour [GB] : travailliste
middle-of-the-road : modéré,
centriste

persuasive : convaincant
uncommitted : indécis
debatable /dɪˈbeɪtəbl/ : discutable
mainstream : traditionnel, dominant

to head /hed/ : être à la tête de
to run for : être candidat à
to elect : élire
to support : soutenir
to side /saɪd/ **with / against** :
prendre parti pour / contre

UN PEU DE CONVERSATION…

- This channel is even-handed in its coverage of election news.
  Cette chaîne est impartiale dans sa manière de couvrir les élections.
- Unemployment will undoubtedly be once more at the centre of the political agenda.
  Le chômage sera sans doute de nouveau au centre de l'ordre du jour politique.
- She has strong views on the proposed changes.
  Elle a des idées bien arrêtées sur les changements proposés.
- He holds that people should rely on themselves more.
  Il soutient que les gens devraient davantage se prendre en charge.
- Do many people challenge the continuity of the Monarchy?
  Est-ce que beaucoup de gens contestent la continuité de la monarchie?

LES RELATIONS INTERNATIONALES

the United /juˈnaɪtɪd/ Nations,
the UN: les Nations Unies, l'ONU
a power /paʊə/ : une puissance
an embassy: une ambassade
an NGO: une ONG
Doctors without Borders :
  Médecins sans Frontière
affluence /ˈæfluəns/ : l'abondance
scarcity: le manque, la pénurie
a plight /plaɪt/ : une situation désespérée
help, aid: l'aide

emergency relief /rɪˈliːf/ :
  l'aide d'urgence
a project, a scheme /skiːm/ :
  un programme
fair trade: le commerce équitable
scarce: peu abondant
plentiful: abondant
to run* into debt: s'endetter
to intervene /ˌɪntəˈviːn/ : intervenir
to dispatch: expédier
to deal* out: distribuer
to relieve: soulager

▸ NATIONALITÉS EN PAGES DE GARDE

UN PEU DE CONVERSATION…

- Oxfam (the Oxford Committee for Famine Relief) provides training in farming methods in poorer countries.
  Oxfam apporte une formation en matière d'agriculture dans les pays les plus pauvres.
- The metropolises of developing countries are often overcrowded.
  Les métropoles des pays émergents sont souvent surpeuplées.
- Globalisation has tended to aggravate inequalities.
  La mondialisation a eu tendance à aggraver les inégalités.

LA GUERRE ET LA PAIX

a war : une guerre
the front : le front
a battle : une bataille
a flag : un drapeau
an ally [pl. *allies*] /'ælaɪ/ : un allié
a suicide bombing : un attentat
  suicide
retaliatory measures /'meʒəz/ :
  des mesures de représailles

a deterrent /dɪ'terənt/ : un moyen
  de dissuasion
a gun : un fusil
a weapon /'wepən/ : une arme
a sniper /'snaɪpə/ : un tireur
  embusqué

a defeat : une défaite
the casualties : les morts et les
  blessés, les pertes
collateral damage : des dommages
  collatéraux
the death toll : le nombre de morts,
  le bilan
the wounded : les blessés
a hostage : un otage

a prisoner of war (POW) :
  un prisonnier de guerre
a veteran : un ancien combattant

the right to interfere /ˌɪntə'fɪə/ :
  le droit d'ingérence
peace talks : des pourparlers de paix
a treaty /'triːti/ : un traité
an agreement : un accord
a summit : un sommet

civilian : civil
gallant /'gælənt/ : courageux, brave
deadly, lethal /'liːθl/ : mortel

to fight* : se battre
to invade : envahir
to destroy : détruire
to fire at sb, to shoot* at sb :
  tirer sur qqn
to kill : tuer
to shoot* down : abattre

to flee* : fuir
to surrender : se rendre
to rescue /'reskjuː/ : secourir
to ratify /'rætɪfaɪ/ : ratifier

 UN PEU DE CONVERSATION...

- The possession of this territory has always been a bone
  of contention between the two countries.
  La possession de ce territoire a toujours été une pomme de discorde
  entre les deux pays.

- The police have discovered in time that a bomb had been
  planted near a supermarket.
  La police a découvert à temps qu'une bombe avait été posée
  près d'un supermarché.

- Anti-personnel mines should be outlawed.
  Les mines anti-personnelles devraient être proscrites.

- The War of American Independence broke out in 1775.
  La guerre d'Indépendance américaine a éclaté en 1775.

MINI QUIZ

1 Comment dit-on « l'indépendance » ? Écrivez le mot.

2 Que vous demande-t-on si l'on vous dit : *What are your politics?*

3 Choisissez le terme qui convient : *What is your country's economic politics / policy / politician?*

4 Traduisez : « Qu'est-ce qui est à l'ordre du jour (au programme) aujourd'hui ? »

5 Vous connaissez le sens de *a polling station*. À votre avis, que veut dire *to go to the polls* ?

6 Qu'est-ce que *an MP* ?

7 Quel est le nom (en anglais) des deux chambres qui composent le Congrès américain ?

8 Du sens de *a deterrent* déduisez celui de *nuclear deterrence*.

9 Quel est le prétérit du verbe *fight* ?

10 Un des sens de *to wave* est « agiter ». De manière familière et péjorative, qui désigne-t-on comme des *flag wavers* ?

11 Comment dit-on « un blessé » ?

12 Traduisez : *They fired questions at him.*

13 Du sens de *globalisation* déduisez le sens de *global warming*.

14 Quel est le contraire de *plentiful* ?

CORRIGÉ

1 *Independence.*

2 *Quelles sont vos opinions politiques ?*

3 *What is your country's economic policy?*

4 *What's on the agenda today?*

5 *To go to the polls* : aller voter.

6 *An MP = a Member of Parliament* : un député [GB].

7 *The House of Representatives and the Senate.*

8 *A deterrent* : un moyen de dissuasion. *Nuclear deterrence* : la dissuasion nucléaire.

9 *Fought.*

10 Cette expression désigne les gens qui sont toujours prêts à agiter le drapeau de leur pays : des chauvins.

11 *A wounded person / man* (*the wounded*, adjectif substantivé suivi du pluriel, désigne les blessés).

12 Ils l'ont bombardé de questions.

13 *Globalisation* : la mondialisation. *Global warming* : le réchauffement de la planète.

14 *Scarce.*

Traduction :

trouver le mot juste

Abréviations utilisées

qqn : quelqu'un
qqch. : quelque chose
sb : *somebody*
sth : *something*
sg : singulier
pl. : pluriel
∅ (zéro) : absence de marqueur
V : verbe
GB : anglais britannique
US : anglais américain

À (LIEU)

à + lieu géographique précis → *in*

- Elvis Presley a vécu à Memphis, **aux** États-Unis.
Elvis Presley lived **in** Memphis, **in** the United States.

à + lieu d'activités collectives / point précis → *at*

- Ils se sont rencontrés à l'université.
They met **at** university.

- Je t'attendrai à l'arrêt du bus.
I'll wait for you **at** the bus stop.

à + localisation horizontale → *on*

- Assieds-toi à ma gauche.
Sit **on** my left, will you?

- Le restaurant est **au** rez-de-chaussée.
The restaurant is **on** the ground floor.

à + lieu où l'on va → *to*

- Il va à la piscine le lundi.
He goes **to** the swimming pool on Mondays.

> **NOTEZ BIEN**
> à la radio : **on** the radio
> à la télévision : **on** television

À (TEMPS)

à + heure / nom de fête → *at*

- Les cours commencent à huit heures.
Classes start **at** eight.

- Je ne sais pas où il sera à Noël.
I don't know where he will be **at** Christmas.

à + saison / siècle → *in*

- Est-ce que cet arbre perd ses feuilles à l'automne ?
Does this tree shed its leaves **in** autumn?

- Shakespeare est né **au** XVIe siècle.
Shakespeare was born **in** the sixteenth century.

« jusqu'à » → *to*

- Ce magasin est ouvert du lundi **au** jeudi.
This shop is open from Monday **to** Thursday.

➠ «lors de» → *when* + proposition

● Il ne sera pas là à leur départ.
He will not be here **when they leave**.

À (AUTRES SENS)

➠ à qui ? à moi...

● À qui est ce portable ? Ce portable est à Mary.
Il est à elle.
Whose cell phone is this ? This cell phone is **Mary's**.
It is **hers**.

▶ Génitif p. 114, pronoms possessifs p. 112

➠ nom + à + nom

● J'aime la glace **au** café.
I like **coffee ice cream**.

● Elle a horreur des chaussures à talons hauts.
She hates **high-heeled** shoes.

● Il portait une chemise à manches courtes.
He was wearing a shirt **with** short sleeves.

▶ Noms composés p. 83, adjectifs composés p. 123

➠ à pied → *go on foot, walk*

● Tu y es allé à pied ?
Did you **go** there **on foot** ?
Did you **walk** there ? [plus fréquent]

➠ à + mesure → *by*

● Ces œufs sont vendus à la douzaine.
These eggs are sold **by** the dozen.

● Il est payé **au** mois.
He is paid **by** the month.

➠ à + nombre

● Nous y sommes allés à six.
Six of us went there.

● On peut tenir à trente dans cette salle.
This room can hold **thirty** people.

▶ Adjectifs et verbes + préposition p. 127 et 60

À PEINE (QUE)

▬ à peine → *barely, scarcely, hardly*

- Il y avait **à peine** assez de nourriture pour le dîner.
  There was **barely** enough food for dinner.

- Elle m'a **à peine** adressé la parole.
  She **scarcely** spoke to me.

- Je viens **à peine** de commencer.
  I have **hardly** started.

> **NOTEZ BIEN**
> Ne pas confondre les deux adverbes *hardly* et *hard*.
> They really work **hard**.
> Ils travaillent vraiment **dur**.
> He **hardly** looked at her.
> Il l'a **à peine** regardée.

▬ à peine... que → *hardly, scarcely... when*

- Nous avions **à peine** commencé à jouer **qu'**il se mit à pleuvoir.
  We had **hardly** started playing **when** it started to rain.
  ▸ ORDRE DES MOTS DANS LES NÉGATIVES P. 138

ACCEPTER (DE)

▬ accepter qqch. → *accept sth*

- Il n'a pas **accepté** sa défaite.
  He did not **accept** his defeat.

▬ donner le droit d'entrer → *admit*

- Ils ne l'ont pas **accepté** dans ce club parce qu'il ne portait pas de cravate.
  They did not **admit** him to this club because he did not have a tie.

▬ accepter de → *agree to* + verbe

- Il a enfin **accepté de** venir.
  At long last, he **agreed to** come.

> **NOTEZ BIEN**
> Ne jamais employer *accept + to*.

ACCEPTER QUE

➡ «consentir» → *agree to* + nom / possessif + V-*ing*

- Ils n'accepteront pas que tu rentres à une heure du matin.
  They won't **agree to you (your) coming** back home at one o'clock in the morning. [*You coming* est plus oral.]

▸ **DÉTERMINANT + V-*ING* P. 157**

➡ «admettre» → *accept that* + proposition

- J'accepte que ce soit difficile.
  I **accept that** it is (that it might be) difficult.

- J'accepte que mon point de vue sur cette guerre soit erroné.
  I **accept that** my perspective on this war could be wrong.

ACCORD (ÊTRE D'ACCORD)

➡ «avoir le même avis» → *agree with sb* / *agree that* + proposition

- Elle est toujours d'accord avec lui.
  She always **agrees with** him.

- Je ne suis pas d'accord avec eux.
  I **don't agree with** them.

- Ils sont tous d'accord pour dire que ça a été un échec.
  They all **agree that** it was a failure.

NOTEZ BIEN
On ne dit surtout pas ~~I am agree~~.

➡ «accepter» → *agree to sth*

- A-t-il été d'accord avec ta proposition?
  Did he **agree to** your proposal?

AIMER

➡ aimer qqn / qqch. → *like, love sb / sth*

- Elle aime le lait froid.
  She **likes** cold milk.

- Je suis sûr que tu vas adorer cet endroit.
  I'm sure you'll **love** the place. [*Love* est plus fort que *like*.]

➡ aimer faire qqch. → *like, love, enjoy* + V-*ing*

- Mon chat aime se chauffer au soleil.
  My cat **likes** (**loves** / **enjoys**) bask**ing** in the sun.

▸ **VERBES + V-*ING* P. 154**

j'aimerais / il aimerait faire qqch. → *I / he would like to* + verbe

- Est-ce que tu **aimerais** partir maintenant?
  Would you **like to** go now?

j'aimerais / il aimerait que qqn fasse qqch. → *I / he would like sb to*
+ verbe

- Elle **aimerait** qu'il se joigne à nous.
  She **would like him to** join us.

- J'aurais aimé qu'il soit d'accord.
  I **would have liked him to** agree.

  ▸ **VERBES + INFINITIF AVEC** *TO* P. 150

ALLER

aller (mouvement) → *go to*

- Il **va** souvent **aux** États-Unis.
  He often **goes to** the United States.

- Je suis **allée en** Alaska il y a dix ans.
  I **went to** Alaska ten years ago.

> **NOTEZ BIEN**
> *Have / has been* implique que l'on est rentré, *have / has gone* implique
> que l'on n'est pas revenu.
> « Où es-tu allé? »
> "Where have you **been**?"
> « Où est-il? – Il est **allé** à la poste. »
> "Where is he?" "He has **gone** to the post office."

aller + activité → *go + V-ing*

- J'aimerais **aller faire des courses** avec elle.
  I'd like to **go shopping** with her.

- Tous les étés, il **va à la pêche** en Écosse.
  Every summer, he **goes fishing** in Scotland.

aller + verbe de mouvement → *go and* + verbe

- **Va chercher** le journal.
  Go and get the newspaper.

- Il ira lui **rendre visite** demain.
  He will **go and** visit her tomorrow.

aller (avenir proche) → *be going to / be about to / will* + verbe

- Il ne **va** pas démissionner maintenant.
  He **is not going** to resign now.

- Le spectacle **va** commencer.
  The show **is about to** begin.
- «Ces sacs sont trop lourds. – Attends, je **vais** t'aider.»
  "These bags are too heavy." "Wait, **I'll** help you."

▸ **Parler de l'avenir p. 50**

ALORS QUE

➡ «pendant que» →*while, when* + proposition

- Je l'ai rencontré **alors que** je faisais un stage de formation.
  I met him **when** I was on a training course.

➡ «en revanche» →*whereas, while* + proposition

- Il n'aime pas l'opéra **alors qu'**elle adore ça.
  He does not like opera **whereas (while)** she loves it.

➡ «bien que» / «même si» →*though, although* + proposition

- Il est mort d'un cancer du poumon **alors qu'**il ne fumait pas.
  He died of lung cancer **although** he didn't smoke.

APPRENDRE

➡ «recevoir un enseignement» →*learn to* + verbe / *learn how to* + verbe

- Il **apprend** l'anglais depuis cinq ans.
  He has been **learning** English for five years.
- À quel âge as-tu **appris** à lire?
  How old were you when you **learnt (how) to** read?

➡ «donner un enseignement» →*teach* (*how to* + verbe)

- Il m'a **appris** le latin.
  He **taught** me Latin.
- Elle leur **apprend** à dessiner.
  She **teaches** them (**how**) **to draw**.

APRÈS

➡ après + nom → *after* + nom / pronom

- Il va toujours au lit **après** le déjeuner / **après** moi.
  He always goes to bed **after** lunch / **after** me.

➡ après + infinitif → *after* + V-*ing* / proposition

- **Après avoir attendu** deux heures, il perdit patience et s'en alla.
  After waiting (After he had waited) for two hours,
  he ran out of patience and went away.

- Je prendrai une décision **après avoir discuté** du problème avec lui.
  I will make a decision **after discussing (after I have discussed)** the matter with him.

  ▸ CONJONCTIONS DE TEMPS P. 163

«ensuite» → *afterwards*

- Que s'est-il passé **après** ?
  What happened **afterwards** ?

« plus tard » → *later*

- Il claqua la porte et revint avec un bouquet de fleurs quelques minutes **après**.
  He slammed the door and came back with a bunch of flowers a few minutes **later**.

APRÈS (D'APRÈS)

d'après moi / nous → *in my opinion, I think / in our opinion, we think*

- **D'après moi**, il a toutes les chances de réussir.
  In my opinion (I think) he is very likely to succeed.

NOTEZ BIEN
Ne jamais dire ~~According to me~~.

d'après une source extérieure → *according to*

- **D'après** lui, ce sera encore pire dans deux ans.
  According to him, things will be even worse in two years.

- **D'après** ce qu'on dit, il prendra sa retraite bientôt.
  According to what people say, he will soon retire.

ARRÊTER

arrêter de faire qqch. → *stop + V-ing*

- **Arrête de** l'interrompre quand il parle.
  Stop **interrupting** him when he speaks.

- Ils s'arrêtèrent **de** manger lorsqu'elle entra.
  They stopped **eating** when she came in.

s'arrêter pour faire qqch. → *stop to + verbe*

- Il s'arrêta **pour** regarder la carte.
  He stopped **to** look at the map.

- Il faut s'arrêter **pour** téléphoner.
  We must stop **to** make a call.

ARRIVER

➥ **arriver à + ville / pays** → *arrive in*
- Ils arriveront à New York demain.
  They will arrive **in** New York tomorrow.

➥ **arriver à + autre lieu** → *arrive at*
- Ils arriveront à l'aéroport Kennedy.
  They will arrive **at** JFK airport.

➥ **« se produire »** → *happen*
- Ça peut **arriver** à n'importe qui.
  It can **happen** to anyone.
- Qu'est-il **arrivé** lorsqu'elle a appris qu'il ne reviendrait pas ?
  What **happened** when she learnt he wouldn't come back ?

➥ **« réussir à »** → *can* + verbe / *manage to* + verbe / *succeed in* + V-*ing*
- Elle n'**arrive** pas encore à s'habiller seule.
  She **can't** dress herself yet.
- J'**arriverai** à ne pas être à découvert à la fin du mois.
  I'll **manage to** stay in the black at the end of the month.
- **Arriveront**-ils à trouver un remède contre le cancer ?
  Will they **succeed in** find**ing** a cure against cancer ?   ▸ CAN P. 36

ASSEZ

➥ **« suffisamment »** → *enough*
- L'eau n'est pas **assez** chaude.
  The water is not warm **enough**.
- Il parlait **assez** fort pour que je l'entende.
  He was speaking loud **enough** for me to hear him.

  NOTEZ BIEN
  Enough se place **après** l'adjectif, l'adverbe, le verbe.

➥ **« plutôt »** → *quite, pretty / rather*
- Ce livre est **assez** intéressant.
  This book is **quite** interesting.
- Elle m'a raconté une histoire **assez** incroyable.
  She has told me **quite an** incredible story.
  [Remarquez la structure *quite* + article + nom.]
- On s'est levés **assez** tôt, alors on est plutôt fatigués.
  We got up **pretty** early, so we are **rather** tired.

- Ta voiture est **assez** vieille, tu devrais en changer.
  Your car is **rather** old, you ought to change it.
- C'est une idée **assez** bête.
  It's a **rather** stupid idea.

➡ « relativement » → *fairly*

- Vos résultats sont **assez** bons mais ils pourraient être meilleurs.
  Your results are **fairly** good but they could be better.
- Elle chante **assez** bien mais ce n'est pas une professionnelle.
  She sings **fairly** well but she is no professional.

➡ assez de → *enough + nom*

- Est-ce qu'on a **assez de** temps pour passer au bureau ?
  Do we have **enough** time to drop by the office?

➡ en avoir assez de / que → *have enough of, be fed up with*

- J'en ai **assez de** leurs revendications !
  I**'ve had enough of** their demands!
  I**'m fed up with** their demands!
- Son patron **en a assez** qu'ils arrivent en retard.
  His boss **has had enough of them (their)** being late.

ATTENDRE, S'ATTENDRE À

➡ attendre qqn / qqch. → *wait for sb / sth*

- Tu m'as **attendu** combien de temps ?
  How long did you **wait for** me?
- J'**attends** sa réponse.
  I am **waiting for** his answer.

➡ attendre qqn / qqch. de prévu → *expect sb / sth*

- Elle **attend** un bébé pour le 8 décembre.
  She**'s expecting** a baby for 8th December.
- Je n'**attendais** pas un tel cadeau de leur part.
  I did not **expect** such a present from them.

➡ attendre que qqn fasse qqch. → *wait for sb to do sth*

- Ils ont **attendu que** Jimmy parte.
  They **waited for** Jimmy **to** leave.
- Il **attend** qu'elle se décide.
  He is **waiting for her to** make up her mind.

▬ s'attendre à ce que → *expect sb to* + verbe

● Tout le monde **s'attend à ce que** Mark revienne bientôt.
Everybody **expects Mark to** come back soon.

● Je ne **m'attendais** pas à ce qu'ils applaudissent ma proposition à deux mains.
I did not **expect them to** approve so heartily of my proposal.

▸ VERBES + INFINITIF AVEC *TO* P. 150

AUCUN

▬ aucun(e) + nom → *no / not any* + nom

● Je n'ai pris (absolument) **aucune** photo.
I did**n't** take **any** photos (at all). / I took **no** photos.

> **NOTEZ BIEN**
> En tête de phrase et dans certaines expressions, seul *no* est possible.
> **Aucun** homme n'a jamais mis les pieds sur Mars.
> **No** man has ever set foot on Mars.
>
> Je n'en ai **aucune** idée.
> I have **no** idea.

▬ aucun (de + nom / pronom) → *none (of)*

● « Y a-t-il un message ? – **Aucun.** »
"Is there a message?" "**None.**"

● **Aucun de** ces régimes ne lui convient.
None of these diets suit(s) him.

● **Aucun d'entre** nous ne comprit ce qui se passait.
None of us realized what was happening.

▬ sans aucun(e) + nom → *without any* + nom

● Tu as fait ça **sans aucune** aide ?
Did you do it **without any** help?

● Il se débrouillera **sans aucun** problème.
He'll manage **without any** problems.

▬ « ni l'un ni l'autre de » → *neither (of)*

● **Aucun de** ces deux livres ne me plaît.
I like **neither of** these books.

● Les deux frères se faisaient face. **Aucun d'eux** ne parlait.
The two brothers were facing each other. **Neither** spoke.

▸ QUANTITÉ NULLE P. 96

AUSSI

pour reprendre une phrase → *so / too*

- «Il aimait faire la cuisine. – Elle **aussi**.»
  "He liked cooking." "**So did she.**"

- Il passe des heures à surfer sur le Net et elle **aussi**.
  He spends hours surfing the net and **she does too.**

  ▸ REPRISES BRÈVES P. 144

«de plus» → *also, too, as well*

- Elle parle anglais et elle parle **aussi** portugais couramment.
  She speaks English and she **also** speaks Portuguese fluently /
  and she speaks Portuguese fluently **too**.

«tellement» / «autant» → *so, that*

- Si j'avais su que c'était **aussi** loin, je ne serais pas venue.
  If I had known it was **so** far (**that** far), I wouldn't have come.

«à ce point» → *such a(n)* / ∅ + adjectif + nom

- Tu as déjà vu un **aussi** beau temps en Écosse?
  Have you ever seen **such** lovely weather in Scotland?

- Tu ne peux pas manquer une exposition **aussi** remarquable.
  You can't miss **such** an outstanding exhibition.
  [Remarquez la structure *such* + article + adjectif + nom.]   ▸ **EXCLAMATION P. 148**

AUSSI... QUE...

aussi... que... → *as... as...*

- Ce logiciel est **aussi** convivial **que** l'autre.
  This software application is **as** user-friendly **as** the other.

- C'est **aussi** facile **que** ça en a l'air.
  It's **as** easy **as** it looks.

pas aussi que... → *not as... as, not so... as*

- Elle n'est **pas aussi** âgée qu'elle en a air.
  She is not **as** old **as** she looks.   ▸ **COMPARATIF D'ÉGALITÉ P. 131**

AUTANT

«tellement» (quantité) → *so much*

- Je ne pensais pas qu'il m'aimait **autant**.
  I didn't think he loved me **so much**.

➥ «tellement» (nombre) → *so many*

- Il a pris beaucoup de photos. Je ne pensais pas qu'il en prendrait **autant**.
  He has taken lots of pictures. I didn't think he would take **so many**.

➥ en + verbe + autant → *the same, as much*

- Essaie d'en faire **autant**.
  Try to do **the same**. / Try to do **as much**.

AUTANT DE

➥ autant de → *so much* + sg / *so many* + pl.

- Je ne m'attendais pas à ce qu'il montre **autant de** courage.
  I did not expect him to show **so much** courage.

- Pourquoi as-tu acheté **autant de** livres?
  Why did you buy **so many** books?

➥ autant de... que → *as much* + sg + *as / as many* + pl. + *as*

- Prends **autant de** temps **que** tu veux.
  Take **as much** time **as** you like.

- Est-ce qu'il y avait **autant de** gens qu'hier au stade?
  Were there **as many** people at the stadium **as** yesterday?

> **NOTEZ BIEN**
> À la forme négative, on emploie aussi *not* **so** *much / many.*
> Elle n'a **pas** autant d'argent de poche.
> She **hasn't** got **so much** pocket money.
> Elle n'achète **pas autant** de DVD **que** son frère.
> She does **not** buy **so many** DVDs **as** her brother.

▸ **BEAUCOUP DE** P. 102

AUTANT (D'AUTANT QUE)

➥ d'autant que → *especially as*

- Fais une sauvegarde, **d'autant** qu'il y a souvent des pannes de courant.
  Save your file, **especially as** power failures are frequent.

➥ d'autant plus... que → *all the* + comparatif + *as, since, because*

- Il conduit **d'autant plus** lentement qu'il pleut.
  He's driving **all the more** slowly **as (since / because)** it's raining.

▸ **COMPARATIFS DE SUPÉRIORITÉ** P. 133

AUTRE + NOM

» « différent » → *other*

- J'aimerais que vous m'apportiez d'**autres** arguments.
  I'd like you to give me **other** arguments.

- Pourquoi est-ce que tu n'essaies pas **un autre** jour ?
  Why don't you try **another** day ?
  [deux mots en français, un seul en anglais]

» « en plus » → *more*

- On voudrait deux **autres** express, s'il vous plaît.
  We'd like **two more** espressos, please.

» autre chose / autre part → *something, anything else / somewhere else*

- Est-ce que je peux faire **autre chose** pour t'aider ?
  Can I do **anything else** to help you ?

- Je voudrais aller **autre part**.
  I'd like to go **somewhere else**.

» pas d'autre(s) → *no other*

- Il n'y a **pas d'autre** chemin pour y aller.
  There is **no other** way to get there.

- Je n'avais **pas d'autres** chaussures à mettre.
  I had **no other** shoes to wear.

AUTRE (PRONOM)

» un autre / l'autre / les autres → *another (one) / the other (one) / the others*

- Ce parapluie est cassé, prends-en **un autre**.
  This umbrella is broken, take **another one**.

- Un de ses fils vit en Espagne, **l'autre** vit en France.
  One of his sons lives in Spain, **the other** (one) lives in France.

- Ces gâteaux sont faits maison, j'ai acheté **les autres** au supermarché.
  These cakes are home-made, I bought **the others** at the supermarket.

» d'autres → *others*

- Certains étudiants écoutaient, **d'autres** discutaient.
  Some students were listening, **others** were chatting.

▸ **les autres en général → *other people***
- Il croit toujours que **les autres** ont tort.
  He always thinks **other people** are wrong.

▸ **l'un... l'autre / les uns... les autres → *each other / one another***
- Mes deux chats ont peur **l'un de l'autre**.
  My two cats are afraid of **each other** (of one another).

▸ **quelqu'un / personne d'autre (que) → *someone / nobody else (but)***
- Demande à quelqu'un **d'autre**.
  Ask **someone else**.
- Personne **d'autre** n'a parlé.
  Nobody else spoke.
- Personne **d'autre que** lui n'a le code d'accès.
  Nobody else but him has the entry code.

▸ **rien d'autre (que) → *not anything / nothing (else) (but)***
- Tu n'as rien d'**autre** à faire que de regarder la télévision ?
  Do**n't** you have **anything (else)** to do **but** watch TV ?
- Je n'ai rien acheté d'**autre** que du fromage.
  I've bought **nothing (else) but** cheese. ▸ *ANY* P. 100

AVANT (DE / QUE)

▸ **avant + nom → *before / by / within***
- Je reviendrai **avant** midi.
  I'll be back **before** noon.
- Il me faut ce rapport **avant** lundi.
  I must have this report **by** Monday. [by = d'ici]
- Ce sera terminé **avant** un mois.
  It will be finished **within** a month. [within = en moins de]

▸ **« auparavant » → *before, beforehand, first***
- Tu devrais lui en parler **avant**.
  You should tell him **beforehand (first)**.

▸ **« autrefois » → *previously, formerly / used to + verbe***
- **Avant**, il conduisait un SUV.
  Previously (Formerly), he drove an SUV.
  He **used to** drive an SUV.

■ durée + avant → durée + *before(hand), earlier, previously*
- J'ai revu ce film à la télévision, je l'avais vu en salle **quelques mois avant.**
  I've seen this film again on TV. I had seen it at the cinema **a few months before(hand).**
- **Quelques jours avant,** elle était allée au centre commercial.
  A few days earlier, she had been to the mall.

■ avant de / que → *before* + V-*ing* / proposition
- Appelle-moi **avant de** partir.
  Call me **before** leav**ing** (**before you leave**).
- Il a réfléchi au problème **avant de** se décider.
  He thought things over **before** mak**ing** up his mind (**before** he made up his mind).
- Accepte sa proposition **avant qu**'il (ne) change d'avis.
  Accept his proposal **before** he changes his mind.
- Elle s'en alla **avant qu**'il (ne) soit trop tard.
  She went away **before** it was too late.

AVOIR L'AIR

■ avoir l'air + adjectif → *seem / look / sound* + adjectif
- Jenny **avait l'air** déçue.
  Jenny **seemed** disappointed. [*seem* = impression générale]
- Il **a l'air** intelligent.
  He **looks** bright. [*look* = impression visuelle]
- Son projet n'a pas **l'air** très intéressant.
  His project doesn't **sound** very interesting.
  [*sound* = d'après ce que j'ai lu ou entendu]

■ avoir l'air de + nom → *look like* + nom
- Elle **a l'air** d'une princesse.
  She **looks like** a princess.   ▸ RESSEMBLER P. 396

■ avoir l'air de + verbe → *look as if (as though), seem to*
- Elle **avait l'air de** ne pas vouloir comprendre.
  She **looked as if** she didn't want to understand.
- Ça **a l'air** de marcher.
  It **seems to** be working.
- Tu **as l'air de** ne pas aimer ça.
  You don't **seem to** like it. (You **seem** not **to** like it.)

BEAUCOUP

▸ « une grande quantité » → *very much, a great deal, a lot*

- Merci **beaucoup** d'être venu.
  Thank you **very much** for coming.

- Il voyage **beaucoup**.
  He travels **a great deal**.

- Il va falloir que tu travailles **beaucoup** pour réussir.
  You'll have to work **a lot** to succeed.

▸ « un grand nombre de gens » → *many*

- **Beaucoup** pensaient qu'il était mort.
  Many thought he was dead.   ▸ *A LOT OF, MUCH, MANY* P. 102

BEAUCOUP DE

▸ *much* + sg / *many* + pl. / *a lot of, lots of*

- Est-ce qu'il passe **beaucoup de** temps à faire la cuisine ?
  Does he spend **much** time cooking ?

- Il n'y a pas eu **beaucoup de** visiteurs étrangers.
  There weren't **many** foreign visitors.

- **Beaucoup de** gens pensent qu'il a raison.
  Lots of people think he is right.

▸ *a great deal, a great amount of* + sg

- Il dépense **beaucoup** d'argent à acheter des livres.
  He spends **a great amount of** money on books.

▸ *a great number, a large number of* + pl.

- **Beaucoup de** téléspectateurs ont été déçus.
  A large number of viewers were disappointed.
  ▸ **BEAUCOUP DE** P. 102

BEAUCOUP PLUS (MOINS, TROP)

▸ *beaucoup plus* → *much, a lot, far* + comparatif + *than*

- Ce serait **beaucoup plus** facile de lui envoyer un courriel.
  It would be **much** easi**er** to email him.

- C'était **beaucoup plus** intéressant **que** je ne le pensais.
  It was **much more** (**far more**) interesting **than** I thought.

- **beaucoup plus de** → *much more, far more* + sg / *many more, far more* + pl.
  - J'ai besoin de **beaucoup plus de** sommeil qu'autrefois.
    I need **much more (far more)** sleep than I used to.
  - Maintenant, **beaucoup plus** de consommateurs choisissent des produits bio.
    Nowadays, **many more** consumers choose organic products.

- **beaucoup moins de** → *much less* + sg / *far fewer* + pl.
  - Il y a **beaucoup moins de** circulation le dimanche.
    There is **much less** traffic on Sundays.
  - **Beaucoup moins de** gens lisent le journal.
    Far fewer people read newspapers.

- **beaucoup trop** → *much too, far too* + adjectif / adverbe
  - Elle conduit **beaucoup trop** vite.
    She drives **much too** fast.

- **beaucoup trop de** → *much too much, far too much* + sg / *far too many* + pl.
  - Parce qu'ils mangent **beaucoup trop de** nourriture de mauvaise qualité, **beaucoup trop de** jeunes Américains sont obèses.
    Because they eat **much too much (far too much)** junk food, **far too many** young Americans are obese.

    ▸ COMPARATIFS P. 131

BESOIN (AVOIR BESOIN DE)

- **avoir besoin de qqn / qqch.** → *need sb / sth*
  - Il n'a tout de même pas **besoin de** deux voitures !
    He does not **need** two cars, does he?

- **avoir besoin de + infinitif** → *need to* + verbe
  - J'ai **besoin d'**y réfléchir.
    I **need to** think it over.

- **ne pas avoir besoin de + infinitif** → *needn't* auxiliaire + verbe
  - Tu **n'**as **pas besoin de** te lever aussi tôt.
    You **needn't** get up so early.

Au passé, à la forme négative, ne pas confondre *did not need to* («ce n'était pas une obligation») et *need not have* + participe passé («ce n'était pas la peine»).

I had an e-ticket. I didn't need to queue.
J'avais un billet électronique. Je n'ai pas été obligé de faire la queue.

How stupid of me! I needn't have queued: I had a pass!
Quel idiot! Ce n'était pas la peine que je fasse la queue : j'avais un passe!

➡ **avoir besoin que** → *need sb to* + **verbe**

- J'ai **besoin que** tu me prêtes ton portable.
  I **need you to** lend me your mobile.

➡ **qqch. a besoin de** → *need, want* + **V-ing**

- Ma voiture a **besoin** d'être révisée.
  My car **needs (wants)** servic**ing**.

BIEN

➡ **bien / mieux** → *well / better*

- «Est-ce que tu as **bien** dormi? – Oui, **mieux** qu'hier.»
  "Did you sleep **well**?" "Yes, **better** than yesterday."

- Ton régime est **bien** équilibré.
  Your diet is **well**-balanced.

De nombreux adjectifs composés commencent par *well* : *well-behaved* (obéissant), *well-kept* (bien entretenu), *well-paid* (bien payé).

➡ **«en bonne santé»** → *well, fine, good*

- «Comment ça va aujourd'hui? – Bien, merci.»
  "How are you today?" "**Well / Fine**, thanks."
  "How are you doing today?" "**Good**." [très oral]

➡ **bien + adjectif** → *very, really* + **adjectif**

- Il a eu l'air **bien** déçu.
  He looked **very** disappointed.

➡ **bien + comparatif** → *much, far* + **comparatif**

- Notre chiffre d'affaires est **bien** meilleur que l'année dernière.
  Our turnover is **far** better than last year.

faire bien de → *be right to* + verbe

- Vous avez **bien** fait de me prévenir.
  You were **right** to warn me.

▸ Bien que (contraste) p. 165
▸ Mieux p. 364

BON

« de qualité » / « compétent » → *good (better / the best)*

- Il est **bon** en maths et en informatique.
  He is **good at** maths and **with** computers.

- La **meilleure** solution serait de partir demain.
  The **best** solution would be to leave tomorrow.

▸ Comparatifs p. 131, superlatifs p. 135

« utilisable » → *valid*

- Mon passeport n'est plus **bon**.
  My passport is no longer **valid**.

« exact » → *right*

- Il a trouvé la **bonne** réponse.
  He got the **right** answer.

C' (C'EST)

simple pronom de rappel → ∅

- Regarder la télévision tout le dimanche, c'est abrutissant.
  Watching TV all Sunday is mind-numbing.

> **Notez bien**
> Quand on peut supprimer « c' » dans « c'est », on **ne** le traduit **pas** :
> « Regarder la télévision (c')est abrutissant. »

reprise d'un nom de personne → *he / she*

- « Tu connais Edward Hopper ? – Oui, c'est mon peintre américain préféré. »
  "Do you know Edward Hopper?" "Yes, **he** is my favourite American painter."

- C'était la plus jolie fille qu'il avait jamais rencontrée.
  She was the most attractive girl he had ever met.

> **Notez bien**
> Surtout **ne pas** employer *it*.

▬ **reprise dans une réponse brève → nom ou pronom + auxiliaire**

● «Qui a gagné le concours? – C'est Larry. (C'est lui.)»
"Who won the contest?" "**Larry did. (He did.)**"

▬ **en référence à une situation → *it***

● C'est encore loin?
Is **it** still a long way?

● C'était l'heure de partir.
It was time to go.

▬ **annonce ce qui suit → *it***

● C'est difficile de se garer dans cette rue.
It's difficult to park in this street.

▬ **reprise d'un segment qui précède → le plus souvent *it***

● Tu continues à fumer. C'est irritant.
You keep smoking. **It** is annoying.

> **NOTEZ BIEN**
> L'emploi de ***this*** ou ***that*** implique une insistance sur ce à quoi on renvoie.
> I didn't want to hurt his feelings. **That's** why I lied to him.
> Je ne voulais pas le blesser, c'est pourquoi je lui ai menti.
> ▸ *THIS ET THAT P. 93*

C'EST... QUI

▬ **pour insister → ∅**

● C'est Stephen / C'est lui qui a apporté les fleurs.
Stephen / He brought the flowers.

> **NOTEZ BIEN**
> Le nom ou pronom est souligné à l'écrit; il est accentué à l'oral.

▬ **pour insister fortement → *It is... who***

● C'est Ian qui mérite le prix.
It's Ian **who** deserves the prize.

> **NOTEZ BIEN**
> C'est moi (lui / elle...) qui...
> I am (He / She is) **the one who...**
> C'est moi qui ai cassé le vase.
> **I am the one who** broke the vase.
> [*It was me who broke the vase* est également possible.]

CAS (AU CAS OÙ, POUR LE CAS OÙ)

- N'oublie pas de prendre ton GPS, **au cas où** tu te **perdrais**.
  Don't forget to take your GPS, **in case** you **(should) get** lost.

- Il a une voiture toute neuve, **au cas où** tu **n'aurais** pas **remarqué**.
  He's got a brand new car, **in case** you **did not notice.**

NOTEZ BIEN
En français on trouve «au cas où» + conditionnel mais jamais en anglais. Employer le **présent** ou le **prétérit**.
au cas où tu oublierais : in case you **forget**
au cas où tu aurais oublié : in case you **forgot**

▸ SI (CONDITION) P. 164

CE DONT

➡ annonce ce qui suit → *what*

- **Ce dont** il a besoin, c'est de partir un moment.
  What he needs is to go away for a while.

- **Ce dont** je suis fier, c'est du résultat.
  What I'm proud **of** is the result.

➡ reprend ce qui précède → *, which...* (+ préposition)

- Elle a gagné la coupe, **ce dont** elle n'est pas peu fière.
  She has won the cup, **which** she is quite proud **of.**

- Je vais visiter le nouveau Guggenheim, **ce dont** je rêve depuis longtemps.
  I'm going to visit the New Guggenheim, **which** I have been dreaming **of** for a long time.

NOTEZ BIEN
La **virgule** est **obligatoire** devant *which* dans ce cas.

➡ tout ce dont → *all (that)...* (+ proposition)

- **Tout ce dont** nous avons discuté est top secret.
  All (that) we've been discussing is top secret.

- **Tout ce dont** il se plaint est de la pure invention.
  All (that) he is complaining **about** is pure invention.

CE QUE

➡ la / les chose(s) que → *what*

- Je ne crois pas **ce qu'**il dit.
  I don't believe **what** he says.

- Ce que je veux, c'est qu'on me laisse tranquille.
  What I want is to be left alone.

➤ tout ce que (globalement) → *all* ∅

- Tout ce que je sais, c'est qu'il est parti à 5 heures.
  All I know is that he left at 5.

➤ chaque chose que → *everything* ∅

- Elle approuve tout ce qu'il dit.
  She agrees with **everything** he says.

➤ pour reprendre toute une proposition → *, which*

- Il m'a envoyé une gerbe de roses, ce que j'ai beaucoup apprécié.
  He sent me a bunch of roses, **which** I enjoyed a great deal.

CE QUI

➤ la (les) chose(s) qui → *what*

- Ce qui me plaît le plus chez elle, c'est qu'elle est toujours
  de bonne humeur.
  What I like most about her is that she's always
  good-humoured.

➤ tout ce qui (globalement) → *all that*

- Tout ce qui brille n'est pas d'or.
  All that glitters is not gold.

➤ chaque chose qui → *everything that*

- Tout ce qui s'est passé doit rester secret.
  Everything that happened must remain secret.

➤ pour reprendre toute une proposition → *, which*

- Il a dit qu'il n'avait pas d'argent, ce qui est faux.
  He said he had no money, **which** is wrong.

▸ *WHAT / WHICH* P. 161

CHANCE

➤ « bonne fortune » → *luck*

- Quel coup de chance !
  What a stroke of **luck**!

➤ avoir de la chance → *be lucky*

- Tu as de la chance d'habiter à la campagne.
  You're **lucky** to be living in the country.

➡ « probabilité » → *chance of* + nom / V-*ing*

● Quelles sont nos **chances** de succès ?
What are our **chances** of success ?

● Elle n'a aucune **chance** d'avoir de l'avancement.
She doesn't stand **a chance of** being promoted.

▸ Occasion p. 371

CHAQUE

➡ si chaque élément est important → *each* + sg

● **Chaque** minute qui passe nous rapproche du but.
With **each** minute, we are drawing closer to the goal.

➡ pour exprimer la fréquence ou la totalité → *every* + sg

● Je le vois **chaque** semaine.
I see him **every** week.

▸ Totalité p. 104

CHERCHER, FAIRE DES RECHERCHES

➡ chercher qqn / qqch. → *look for, search for, try to find*

● Il faut **chercher** une autre solution.
We have to **look for (search for)** a different solution.

● Qu'est-ce que tu cherches dans ce tiroir ?
What are you **look**ing **for (try**ing **to find)** in this drawer ?

➡ chercher à faire qqch. → *try to* + verbe

● Ils **cherchent** à garder des prix bas.
They **try to** keep low prices.

➡ faire des recherches intellectuelles → *do research, carry out research*

● Diane Fossey a passé sa vie à faire **des recherches** sur les gorilles.
Diane Fossey spent her life carrying out **research** on gorillas.

Notez bien
« Recherche scientifique » se dit *research*, « opération de recherche »
search for.
Les **recherches** contre le cancer s'accélèrent.
Cancer **research** is speeding up.
Les **recherches** pour retrouver l'enfant disparu ont commencé immédiatement.
The **search** for the missing child started immediately.

CHEZ (LIEU)

► chez + lieu où l'on est → *at*

- Il est **chez** son amie.
  He is **at** his girlfriend's (house / flat / place).
- Je suis restée deux jours **chez** lui.
  I spent two days **at his place**.

> **NOTEZ BIEN**
> (Rester, être) chez soi → *at home*
>
> Il aime rester **chez** lui.
> He likes staying **at home**.
>
> Faites comme **chez** vous.
> Make yourself **at home**.

► chez + lieu où l'on va → *to*

- J'allais **chez** le dentiste quand je l'ai rencontré.
  I was going **to** the dentist's (surgery) when I met him.
- J'irai **chez** les Martin en voiture.
  I'll drive **to** the Martins' (house / flat / place).

> **NOTEZ BIEN**
> (Aller, rentrer) chez soi → ∅ *home*
>
> Nous sommes rentrés **chez** nous à deux heures du matin.
> We went back **home** at two o'clock in the morning.
>
> Si tu n'es pas content, rentre **chez** toi.
> If you're not pleased, go **home**.

► chez + lieu d'où l'on vient → *from*

- Ça m'a pris trois heures d'aller **de chez** Terry à l'aéroport.
  It took me three hours to go **from** Terry's (place) to the airport.

> **NOTEZ BIEN**
> (Venir, être loin) de chez soi → *from home*
>
> Je me sens loin **de chez** moi.
> I feel a long way **from home**.   ► **PRÉPOSITIONS DE LIEU P. 64**

CHEZ (AUTRES CAS)

► dans le pays où l'on est → *in this country*

- **Chez** nous, ce serait interdit.
  In this country, it would be prohibited.

➡ « dans le pays de » → *in* + nom de pays

- Chez les Espagnols, on dîne très tard.
  In Spain, they have dinner very late.

➡ « parmi » + groupe → *among*

- Chez les Aborigènes, posséder de la terre ne veut rien dire.
  Among the Aborigines, owning land does not mean anything.

➡ « dans l'œuvre de » → *in*

- As-tu remarqué l'importance des ciels chez Constable ?
  Did you notice the importance of skies **in** Constable?

➡ « dans l'attitude / l'allure de... » → *about*

- Il y a quelque chose de bizarre chez elle.
  There's something weird **about** her.

COMBIEN ?

➡ caractéristique → *how* + adjectif

- Combien pèse ce chargement ?
  How heavy is this load?

- Combien y a-t-il entre New York et Los Angeles ?
  How far is it from New York to L.A.?

- Combien mesure le plus haut gratte-ciel du monde ?
  How tall is the world's tallest skyscraper?

- Tu as attendu **combien de temps** ?
  How long did you wait?

➡ quantité → *how much* + sg

- Combien (d'argent) as-tu dépensé ?
  How much (money) did you spend?

- Je me demande **combien** de lait il faut dans cette recette.
  I wonder **how much** milk is needed for this recipe.

- Tu as besoin de **combien** de temps encore ?
  How much more time do you need?

➡ nombre → *how many* + pl.

- Combien de cartouches d'encre doit-on acheter ?
  How many ink cartridges should we buy?

- Combien de fois faut-il que je le répète ?
  How many times do I have to repeat it?

➤ fréquence → *how often*

- **Tous les combien** vas-tu la voir ?
  How often do you visit her ?

COMME + NOM

➤ «semblable à», «tel que» (comparaison) → *like* + nom / pronom

- Elle parle **comme** sa sœur (**comme** elle).
  She talks **like** her sister (**like** her).

➤ pour introduire un exemple → *like, such as* + nom / V-*ing*

- De nombreux multimillionnaires, **comme** Bill Gates, parrainent des organisations caritatives.
  Many multimillionaires, **like (such as)** Bill Gates, sponsor charities.

- Il aime les passe-temps simples **comme** observer les oiseaux.
  He likes simple pastimes, **like (such as)** birdwatching.

➤ «en tant que» (un parmi d'autres) → *as a(n)* + nom / pronom

- **Comme** ancien étudiant de cette université, je peux te dire que tu ne vas pas avoir le temps de t'ennuyer.
  As a former student of this college, I can tell you that you won't have time to get bored.

➤ «en tant que» (fonction unique) → *as* + nom

- **Comme** chef de département, je suis heureux de vous accueillir.
  As head of department I am glad to welcome you.
  [pas d'article après *as* + fonction unique]

COMME + PROPOSITION

➤ «ainsi que» → *as* + proposition

- **Comme** je l'ai dit, nous partirons demain.
  As I said, we'll leave tomorrow.

  NOTEZ BIEN
  On entend de plus en plus : *Like I said…*

➤ «étant donné que» → *as* + proposition

- **Comme** c'est la fin du mois, je ne peux pas te prêter d'argent.
  As it's the end of the month, I can't lend you any money.

- comme si... → *as if, as though* + proposition
  - Il s'est comporté **comme s'il** ne me connaissait pas.
    He behaved **as if (as though)** he didn't know me.
  - **Comme si** on ne t'avait pas prévenu !
    As if you hadn't been warned !

  > **NOTEZ BIEN**
  > À l'oral, on utilise souvent *like* à la place de *as if, as though*.
  > He behaved **like** he didn't know me.

- comme... ! → *how* + adjectif / adverbe, *how much* + proposition
  - **Comme** c'est gentil de m'avoir emmené !
    How nice to have given me a lift !
  - **Comme** il écrit mal !
    How badly he writes !
  - Tu ne peux pas savoir **comme** elle me manque !
    You can't know **how much** I miss her.   ▸ EXCLAMATION P. 148

COMMENT ?

- pour interroger sur la manière / le moyen → *how* + phrase interrogative
  - **Comment** leur expliquer ça ?
    How can I possibly explain that to them ?
  - **Comment** allez-vous ?
    How are you ?

- proposition + comment + infinitif → proposition + *how to* + verbe
  - Je ne sais pas **comment** trouver son adresse.
    I don't know **how to** find his address.
  - Est-ce qu'il t'a dit **comment** appeler le Japon ?
    Did he tell you **how to** call Japan ?

- pour faire préciser → *what?*
  - **Comment** s'appelle-t-il ?
    What's his name ?
  - **Comment** dit-on « un distributeur » en anglais ?
    What's the English for "un distributeur" ?

- pour solliciter un jugement → *what... like?*
  - **Comment** est le nouveau roman de Margaret Atwood ?
    What is Margaret Atwood's new novel **like** ?

- Je me demande **comment** sera la version doublée.
  I wonder **what** the dubbed version will be **like**.

NOTEZ BIEN

Dans la **réponse** à une telle question, on emploie *be* + adjectif.

"What's your new English teacher like?" "He **is** very strict."
« Il est comment, ton nouveau prof d'anglais ? – Il est très sévère. »

➡ **Comment!** ➡ *What!*

- **Comment!** Ils n'ont pas encore fini ?
  What! They haven't finished yet!

CONSEILLER

➡ **conseiller de** ➡ *advise sb to* + verbe

- Je lui ai **conseillé de** le rappeler.
  I have **advised her to** call him back.

➡ **conseiller de ne pas** ➡ *advise against* + V-*ing*

- Je lui ai **conseillé de ne pas** rappeler.
  I have **advised him against** calling back.

DANS (LIEU)

➡ **lieu / situation où l'on se trouve** ➡ *in / inside*

- Elle vit **dans** une petite maison, **dans** un petit village du Yorkshire.
  She lives **in** a cottage, **in** a small Yorkshire village.

- Ils sont **dans** une situation catastrophique.
  They are **in** dire straits.

- Le chèque était **dans** une enveloppe adressée à Brian.
  The cheque was **inside** an envelope addressed to Brian.
  [*inside* = idée de fermeture]

➡ **« vers »** ➡ *to / into*

- Va **dans** la salle de bains pour te laver les mains.
  Go **to** the bathroom to wash your hands.

- Je l'ai vu se précipiter **dans** le pub.
  I've seen him rush **into** the pub.
  [*into* = idée de mouvement vers l'intérieur d'un lieu]

▸ **ENTRER (MONTER) DANS P. 346**

DANS (TEMPS)

● **dans + moment à venir → *in***

- Je le recevrai **dans** deux heures.
  I'll see him **in** two hours.

- Elle devrait être ici **dans** quelques minutes.
  She should be here **in** a few minutes.

● **dans + période de temps → *in, during***

- Cette chanson était très à la mode **dans** les années 90.
  This song was all the rage **in (during)** the 90s.

● **dans + délai → *within***

- Tu devrais recevoir les résultats **dans** les 24 heures.
  You should get the results **within** 24 hours.

DANS LES... (APPROXIMATION)

- Ça doit coûter **dans les** cent euros.
  It must cost **about** a hundred euros.

- Il faut compter **dans les** deux semaines.
  We'll have to allow **some (about / something like)** two weeks.

DE, DE LA, DU, DES

● **une certaine quantité / un certain nombre → *some* (phrases affirmatives et parfois interrogatives)**

- Il faut que je retire **de** l'argent avant de partir.
  I must withdraw **some** money before leaving.

- Tu veux **des** frites ?
  Would you like **some** chips ?

> **NOTEZ BIEN**
> Quand « de, de la, du, des » ne signifie pas « une certaine quantité / un certain nombre », on n'emploie pas *some*.
>
> Je mange **des** pommes tous les jours.
> I eat apples every day.
>
> J'ai oublié d'acheter **de la** lessive.
> I've forgotten to buy washing powder.
>
> Il a eu **du** courage dans cette situation.
> He's shown courage in the circumstances.

▬➤ **une certaine quantité / un certain nombre** → *any* **(phrases interrogatives)**

- Vous avez **des** questions ؟
  Do you have **any** questions ؟
  [pluriel obligatoire avec un nom dénombrable : ~~Do you have any question?~~]

▸ *SOME* ET *ANY* P. 100

▬➤ **pas de** → *no* / *not... any* + nom

- Ils n'ont **pas de** point de vente à New York.
  They have **no** retail outlet in New York.

- Je n'ai **pas d'**avis (pas le moindre avis) sur cette question.
  I do **not** have **any** views on the matter.

▸ *NO / NOT ... ANY* P. 96

DE (PRÉPOSITION)

▬➤ **origine** → *from*

- J'ai rapporté ce whiskey **du** Tennessee.
  I've brought back this whiskey **from** Tennessee.

▬➤ **cause** → verbe + *of / with...* (selon le verbe)

- J'ai pensé mourir **d'**ennui.
  I thought I would die **of** boredom.

- Ils tremblaient tous **de** peur.
  They were all trembling **with** fear.

▬➤ **agent ou créateur (avec un verbe au passif)** → *by*

- Il n'a été vu **de** personne.
  He hasn't been seen **by** anyone.

- Cette toile **de** (peinte par) Turner n'est pas à la Clore Gallery.
  This painting (painted) **by** Turner is not at the Clore Gallery.

▬➤ **mise en relation de deux noms** → *of* / *'s* / nom composé

- C'est la fin **de** la route.
  This is the end **of** the road.

- La décision **de** Mme Hubbard a été contestée.
  Mrs Hubbard**'s** decision was contested.

- Ces produits **de** luxe sont des contrefaçons.
  These **luxury goods** are counterfeits.

Lorsque «de» extrait une partie d'un tout, seul *of* est possible.

Elle boit souvent un verre de lait avant d'aller se coucher.
She often drinks a glass **of** milk before going to bed.

La femme de Carl Sandburg avait un troupeau de chèvres.
Carl Sandburg's wife had a flock **of** goats.

▸ **GÉNITIF P. 113, NOMS COMPOSÉS P. 83**

➡ avec un superlatif → *in* + lieu / *of* + groupe

- Lucky Luke est le tireur le plus rapide de l'Ouest.
  Lucky Luke is the fastest shot **in** the West.

- Réglisse est le plus gentil **des** chats.
  Liquorice is the nicest **of** cats.

DÉCIDER

➡ décider de + infinitif → *decide to* + verbe

- Il a **décidé** de démissionner.
  He has **decided** to resign.

➡ décidé (adjectif) → *determined*

- Elle a l'air très **décidé** !
  She looks very **determined**!

- Il semble **décidé** à se battre.
  He seems **determined** to fight.

DÉJÀ

➡ «dès maintenant» → *already*

- Il est **déjà** onze heures.
  It's **already** eleven. [Je suis en retard !]

➡ « auparavant » → *already, before, yet*

- Tu as **déjà** dit ça.
  You've **already** said that.

- Elle était sûre de l'avoir **déjà** vue.
  She was sure that she had seen her **before** (that she had **already** seen her).

- Le dîner est **déjà** prêt, hein ?
  Is dinner ready **yet** ?

▦ **« à un moment quelconque du passé » dans une question → *ever***

- Est-ce que tu as **déjà** mangé du crocodile ?
  Have you **ever** eaten crocodile?

▦ **pour demander de répéter → *again***

- Quel est son nom, **déjà** ?
  What's her name, **again**?

DEPUIS

▦ **depuis + lieu → *from***

- Ce concert sera retransmis en direct **depuis** Londres.
  This concert will be broadcast live **from** London.

▦ **depuis... jusqu'à → *from... to***

- Ils vendent des livres **depuis** deux **jusqu'à** plus de 500 euros.
  They sell books **from** two **to** more than 500 euros.

▦ **depuis + date / moment → *since***

- Je ne l'ai pas vue **depuis** le 6 mai.
  I have not seen her **since** May 6th.

▦ **depuis + durée de l'action → *for***

- Le photocopieur ne marche pas **depuis** une semaine.
  The photocopier has been out of order **for** a week.

- Elle travaillait dans cette entreprise **depuis** dix ans lorsqu'elle a décidé de changer de cap.
  She had been working for this firm **for** ten years when she decided to change course. ▸ *SINCE* ET *FOR* P. 26 ET 29

DEPUIS COMBIEN DE TEMPS ?

- Depuis combien de temps est-il hospitalisé ?
  How long has he **been** in hospital?
  [verbe au present perfect]

- Depuis combien de temps vivait-il en Chine lorsqu'il a émigré ?
  How long had he **been living** in China when he emigrated?
  [verbe au past perfect]

NOTEZ BIEN

On trouve aussi *How long is it since* + verbe d'action au **prétérit**.
Depuis combien de temps Kennedy est-il mort ?
How long is it since Kennedy **died** ?

▸ *HOW LONG* P. 26 ET 29

DEPUIS QUE

- Il est grognon **depuis qu'**il est sorti du lit.
  He has been grumpy **since** he **got** out of bed.
  [*since* + verbe au prétérit : action terminée]

- Elle se sent beaucoup mieux **depuis qu'**elle vit à la campagne.
  She has felt far better **since** she **has been** living in the country.
  [*since* + verbe au present perfect : action inachevée]

▸ *SINCE* P. 26

DERNIER

- en hauteur → *top*
  - Tu aimerais vivre au **dernier** étage ?
    Would you enjoy living on the **top** floor ?

- en profondeur / en rang → *back*
  - Il était assis au **dernier** rang.
    He was sitting in the **back** row.

- le (la) (mois, année...) dernier(ère) → ∅ *last*
  - Je l'ai appelée la semaine **dernière**.
    I called her **last** week.

  - L'année **dernière**, ils sont allés marcher dans le pays de Galles.
    Last year, they went hiking in Wales.

- les deux / trois derniers... → *the last two / three...*
  - Le nombre de commandes a augmenté au cours des **trois derniers** mois.
    The number of orders has increased over **the last three** months.

  > **NOTEZ BIEN**
  > Attention à l'ordre des mots.
  > Les quelques **derniers** clients faisaient la queue à la caisse.
  > The **last** few customers were queuing at the cash desk.

- « final » → *last, final*
  - Dans les **dernières** années de sa vie, il s'était coupé du monde.
    In **the last (final)** years of his life, he cut himself off from the world.

  - C'est ton **dernier** mot ?
    Is this your **last** word ?

➡ « le plus récent » → *the latest*

- Son **dernier** film a été un échec.
  His **latest** film was a flop.
- C'est la **dernière** tendance.
  It is the **latest** trend.

➡ « le moindre » → *the least (of my worries / troubles / concerns)*

- C'est le **dernier** de mes soucis.
  It's **the least** of my worries. ▸ *THE LATTER* P. 133

DÈS (QUE)

➡ point de départ → *from* + nom / *as soon as* + proposition

- **Dès** son enfance, il a aimé la musique.
  From childhood he has loved music.
- J'ai commencé à m'ennuyer **dès** que la pièce a commencé.
  I started getting bored **as soon as** the play started.

➡ point de départ d'une action qui va continuer → *from... onwards*

- La nouvelle boutique sera ouverte **dès** Noël.
  The new shop will be open **from** Christmas **onwards**.

➡ « au plus tard » → *by*

- J'y serai **dès** huit heures.
  I'll be there **by** eight.
- Pouvez-vous remettre un compte-rendu **dès** demain ?
  Can you hand in a report **by** tomorrow ?

➡ dès que → *as soon as*

- Il lui dira **dès** qu'il la verra.
  He'll tell her **as soon as** he sees her.
  [pas *will* après les conjonctions de temps]

DEVANT

➡ dans l'espace → *in front (of sb / sth)*

- La voiture de **devant** a brûlé le feu rouge.
  The car **in front** has gone through the red light.
- Je n'ai rien vu parce qu'il était assis **devant** moi.
  I could not see anything because he was sitting **in front of** me.

Notez bien

«Devant» au sens de «à l'extérieur de» se dit *outside*.

La voiture est **devant** la maison.
The car is **outside** the house.

➡ «à l'avant (de)» → *in / at the front (of)*

- Va t'asseoir **devant** (à l'avant de la voiture).
  Go and sit **in the front** (of the car).

- J'entendais bien, j'avais une place **devant**.
  I could hear very well, I had a seat **at the front**.

➡ avec idée de déplacement → *past*

- Je passe en voiture **devant** chez lui tous les jours.
  I drive **past** his house every day.

➡ «en tête» → *ahead (of sb / sth)*

- Elle est **devant** dans les sondages.
  She is **ahead** in the polls.

- Nous sommes loin **devant** nos concurrents.
  We are far **ahead of** our competitors.

➡ «confronté à» → *faced with, in the face of*

- **Devant** la violence, il restait toujours de marbre.
  Faced with violence, he always remained impassive.

- Qu'est-ce que je pouvais faire **devant** tant de mauvaise foi ?
  What could I do **in the face of** such dishonesty ?

DEVENIR

➡ «acquérir un statut / une qualité» → *become*

- Est-ce qu'il **deviendra** vétérinaire ?
  Will he **become** a vet ?

Notez bien

Devant un adjectif, on emploie *become* ou *get*. *Get* est plus familier.

Ça **devient** de plus en plus difficile.
It's **becoming / getting** increasingly difficult.

➡ « changer de couleur» → *go, turn*

- Le ciel est **devenu** noir et l'orage a éclaté.
  The sky **went (turned)** black and the storm broke.

▧ « changer d'état physique ou psychique » → *go*

- Beethoven est **devenu** sourd très jeune.
  Beethoven **went** deaf at an early age.

- Tu penses qu'il va **devenir** fou quand il apprendra ça ?
  Do you think he'll **go** mad when he hears about it ?

DEVOIR

▧ « avoir une dette » → *owe*

- Combien est-ce que je vous **dois** ?
  How much do I **owe** you ?

▧ « avoir pour cause » → *be due to*

- Le retard est **dû** aux intempéries.
  The delay **is due to** the bad weather.

▧ pour exprimer un conseil → *should / ought to / had better* + verbe

- Tu **devrais** aller voir cette pièce, c'est génial.
  You **should** (You ought to) go and see this play, it's great.

- Il est trop fatigué, il ne **devrait** pas conduire.
  He is too tired, he **shouldn't** drive.

- Votre rendez-vous est à onze heures, vous **devriez** (feriez mieux de) partir maintenant.
  Your appointment is at eleven, you**'d (had) better go** now.
  ▸ *SHOULD ET OUGHT TO P. 43-44, HAD BETTER P. 48*

▧ pour exprimer une interdiction → *must not* + verbe

- On ne **doit pas** se garer à cet endroit.
  You **mustn't** park here.

▧ pour exprimer une obligation → *must* + verbe / *have to* + verbe

- Vous **devez** attacher votre ceinture.
  You **must** (You **have to**) fasten your seatbelt. ▸ *MUST P. 41*

▧ pour exprimer une probabilité → *must / should / ought to* + verbe

- On **doit** être en train de survoler l'Écosse.
  We **must** be flying over Scotland.

- Ne t'inquiète pas, tout **devrait** bien se passer.
  Don't worry, everything **should** be alright.
  ▸ *SHOULD ET OUGHT TO P. 43-44, MUST P. 41*

➡️ «c'est prévu» / «c'est fatal» → *be + to* + verbe

- Je ne peux pas le voir demain, je **dois** assister au conseil d'administration.
  I can't see him tomorrow, I **am to** sit at the board of directors.
- Il est né à Salzburg en 1756 et **devait** mourir à Vienne à 35 ans.
  He was born in Salzburg in 1756 and **was to** die in Vienna aged 35.

DIRE

➡️ «prononcer des paroles» (l'interlocuteur n'est pas mentionné) → *say*

- «Asseyez-vous, je vous en prie», **dit**-elle.
  "Do sit down," she **said.**
- Ils ont **dit** que ça pouvait attendre.
  They **said** it could wait.

➡️ dire à qqn → *say to sb*

- Alors, Fred **dit à** Mary : «Tu peux toujours essayer.»
  Then, Fred **said to** Mary: "You can always try."

➡️ dire à qqn que → *tell sb (that) / say to sb (that)*

- Il **lui** a **dit que** ça valait la peine d'y aller.
  He **told** her (that) it was worth going. [plus fréquent]
  He **said to** her (that) it was worth going.

➡️ dire à qqn de (ne pas) → *tell sb (not) to*

- Le médecin **lui** a **dit de** rester au lit trois jours.
  The doctor **has told him to** have total bed rest for three days.
- **Dis-leur de ne pas** venir à l'improviste la prochaine fois.
  Tell them not to drop in unexpectedly next time.

▶ **DISCOURS DIRECT, INDIRECT P. 168**

➡️ dire (expressions)

dire bonjour **say** hello	dire n'importe quoi **say** anything	dire un secret **tell** a secret
dire au revoir **say** goodbye	dire quelques mots **say** a few words	dire l'heure **tell** the time
dire merci **say** thank you	dire la vérité **tell** the truth	dire une plaisanterie **tell** a joke
dire quelque chose **say** something	dire des mensonges **tell** lies	

- C'est difficile à **dire.**
  It's hard to **tell.**

DIRE (ON DIT)

➤ **on m'a dit que** → *I was told (that) / they told me (that)*

- On m'avait **dit que** ce serait long.
  I was told it would be long.

- On vous **dira** sans doute qu'il n'est jamais trop tard.
  They will certainly **tell** you that it's never too late.

▸ **PASSIF P. 30**

➤ **à ce qu'on dit...** → *they, people say that*

- À ce qu'on dit, il mène une vie trépidante.
  They (People) say that he leads a hectic life.

➤ **on dit / disait de qqn que** → *sb is / was said to*

- On **disait d'eux** qu'ils étaient les meilleurs.
  They were said to be the best.

➤ **on dirait du...** → *be / look / sound / taste / feel like* + nom

- On **dirait** du velours.
  It **feels (looks) like** velvet.

- On **aurait dit** un rêve.
  It **was like** a dream.

DONC

➤ **« par conséquent »** → *so*

- Elle a fait la grasse matinée et **donc** le travail n'a pas avancé.
  She had a lie-in, **so** the work hasn't progressed.

➤ **« dans ce cas »** → *then*

- Vous déménagez? Donc vous allez vendre votre maison?
  You're moving out? You're going to sell your house, **then**?
  [Remarquez la place de *then* en fin de phrase.]

DONT

➤ **complément d'un verbe ou d'un adjectif** → ∅ / *that / which / whom*

- Donne-moi les ciseaux **dont** j'ai besoin.
  [avoir besoin **de** → *need* ∅ *sth*]
  Give me the scissors **(which / that)** I need.

- As-tu rencontré l'homme **dont** je t'ai parlé?
  [parler **de** → *tell about*]
  Have you met the man **(whom)** I told you **about**?

- C'est une erreur **dont** ils ne sont pas responsables.
  [responsable **de** → *responsible* **for**]
  It's a mistake **(which / that)** they are not responsible **for**.

NOTEZ BIEN
L'emploi de la préposition dépend du verbe ou de l'adjectif.

▸ **PROPOSITIONS RELATIVES P. 160**

▸ **lien entre deux noms → nom +** *whose* **+** ∅ **+ nom**

- Est-ce que tu connais la personne **dont** la voiture est garée à ma place ?
  Do you know the person **whose** car is parked on my parking space ?

- L'Australie est un pays **dont** j'aime les vins.
  Australia is a country **whose** wines I like.

▸ **pour désigner une partie d'un groupe de personnes →** *of whom*

- Mary a trois filles **dont deux** vivent au Guatemala.
  Mary has three daughters, **two of whom** live in Guatemala.

- J'ai guidé des touristes **dont certains** étaient Japonais.
  I have guided tourists, **some of whom** were Japanese.

▸ **pour désigner une partie d'un ensemble inanimé →** *of which*

- Ils ont renvoyé les pièces **dont plusieurs** étaient abîmées.
  They've sent back the items, **several of which** were damaged.

EN + NOM

▸ **en + localisation dans l'espace / le temps →** *in / into / within*

- L'ornithorynque vit **en** Australie.
  Platypuses live **in** Australia.

- L'Eurostar en provenance de Londres entre **en** gare.
  The Eurostar from London is coming **into** the station.
  [*into* = à l'intérieur de]

- Tu peux faire ça **en** deux jours ?
  Can you do this **within** two days ?
  [*within* = dans un délai de]

▸ **en + matière → mot composé**

- Cette monture **en** titane est très légère.
  This **titanium frame** is very light.

en + moyen → *by*

- Il aime voyager **en** train.
  He likes travelling **by** train. ▸ À P. 302-303, DANS P. 329

EN + PARTICIPE PRÉSENT

pour exprimer le moyen → *by* + V-*ing*

- Vous apprendrez beaucoup **en** lisant.
  You'll learn a lot **by** read**ing**.

pour exprimer la manière → ∅ + V-*ing*

- Il est entré dans mon bureau **en** hurlant.
  He came into my office **screaming**.

> **NOTEZ BIEN**
> Avec les verbes de mouvement, la manière est très souvent rendue par un verbe suivi d'une particule ou d'une préposition.
>
> Ne descends pas l'escalier en courant!   Il traversa la rue en titubant.
> Don't **run down** the stairs!   He **staggered across** the street.
> ▸ VERBES + PARTICULE P. 63

« quand » → *when* + V-*ing*

- Il s'est brûlé la main **en** sortant le plat du four.
  He burnt his hand **when** tak**ing** the dish out of the oven.

« pendant que » → *while* + V-*ing*

- Tu peux écouter de la musique **en** travaillant ?
  Can you listen to music **while** work**ing** ?

- **En** attendant son tour, elle a lu un magazine.
  While wait**ing** her turn, she read a magazine.
  ▸ PENDANT P. 376

EN (PRONOM)

pour désigner une quantité, un nombre non précisés → *some / not... any*

- J'adore les cerises. Tu m'**en** donnes ?
  I love cherries. Would you give me **some** ?

- « Je voudrais du riz complet. – Désolé, nous n'**en** avons pas. »
  "I'd like brown rice, please." "Sorry, we have**n't** got **any**."
  ▸ *SOME* ET *ANY* DANS LES QUESTIONS P. 100

pour désigner un nombre précis → ∅ + nombre (*of* + pronom)

- « Combien de réponses ? – J'**en** ai eu cinquante. »
  "How many answers?" "I got fifty."

- Il y **en** a trois qui n'écoutent pas.
  Three of them are not listening.

■► **complément d'un verbe → préposition + adverbe / pronom**

- J'**en** viens.
  I've just come **from there.**
- On **en** reparlera plus tard.
  We'll talk **about it** later.
- J'ai perdu ma montre, j'**en** pleurerais !
  I've lost my watch, I could cry (**over it**)!

► **VERBES + PRÉPOSITION P. 60**

■► **complément d'un adjectif → préposition + pronom**

- Sa fille est née hier ; il **en** est très fier.
  His daughter was born yesterday; he is very proud **of her.**
- « Que pensez-vous de nos ventes ? – J'**en** suis très satisfaite. »
  "What do you think of our sales?" "I'm very satisfied **with them.**"
- Il n'a pas pu venir ; il **en** a été désolé.
  He couldn't come; he was very sorry **about it.**

► **ADJECTIFS + PRÉPOSITION P. 127**

EN FACE

■► **d'en face → opposite, across the street**

- Il vit dans l'immeuble **d'en face.**
  He lives in the building **opposite** (**across the street**).
  [*Opposite* est ici adverbe.]

- La poste est sur le trottoir **d'en face.**
  The post office is on the **opposite** side of the street
  (is **across the street**).
  [*Opposite* est ici adjectif.]

■► **en face de → opposite sb / sth**

- Tu peux t'asseoir **en face de** Terry ?
  Can you sit **opposite** Terry ?

■► **être en face de → face (verbe)**

- Sa chambre est **en face du** château.
  Her room **faces** the castle.
- L'illustration (qui est) **en face de** la page 70 est un bouche-trou.
  The picture **facing** page 70 is a gap filler.

- Il s'est trouvé **face à** des difficultés insurmontables.
He was **faced with** insuperable difficulties.

▸ DEVANT P. 335

ENCORE (TEMPS)

« toujours » (action qui se prolonge) → *still*

- Il se souvient **encore** du jour où ils se sont rencontrés.
He **still** remembers the day when they met.
- Est-ce qu'il vit **encore** chez ses parents ?
Does he **still** live with his parents?

« pas encore » / **« toujours pas »** → *not... yet / still... not*

- « Il a donné signe de vie ? – Non. **Pas encore.** »
"Has he given sign of life?" "**Not yet.**"
- Elle n'est **pas encore** arrivée.
She has **not** arrived **yet**.
- Je vois bien que tu n'as **pas encore** (toujours pas) compris.
I can see you **still** haven't understood. [*still not* = nuance d'exaspération]

« de nouveau » (répétition) → *again / once more*

- J'ai **encore** eu une contravention ce matin.
I got a ticket **again** this morning.
- Vous êtes **encore** en retard.
You're late **once more**.

ENCORE (QUANTITÉ)

« davantage » (approximation) → *quantifieur + more (+ nom)*

- Tu en veux **encore** ?
Do you want some **more**?
- Il me faut **encore** quelques minutes.
I need a few **more** minutes.

« de plus » (nombre précis) → *another*

- Il nous faut **encore** dix chaises.
We need **another** ten chairs.
- Il reste **encore** sept kilomètres.
We have **another** seven kilometres to go.

« quelque chose / quelqu'un d'autre » → *else*

- Tu veux **encore** quelque chose ?
Do you want anything **else**?

NOTEZ BIEN
Cette tournure est employée dans les phrases interrogatives essentiellement.

- encore plus + adjectif → *even* + comparatif
  - Elle est **encore** plus sauvage que son frère.
  She is **even** more unsociable than her brother.
  - Patricia est **encore** plus mince que toi.
  Patricia is **even** slimmer than you.

ENFIN

- « à la fin », « finalement » → *finally / at last*
  - Ils sont **enfin** tombés d'accord.
  They **finally** agreed. / **Finally**, they agreed.
  They agreed **at last**. / **At last**, they agreed.
  - **Enfin** ! Te voilà !
  At last! You're here! [*At last* exprime souvent un soulagement, une satisfaction.]

- « en dernier lieu » → *finally, lastly*
  - ... et **enfin**, je voudrais dire comme j'ai apprécié votre entrain.
  ... **finally**, I'd like to tell you how much I appreciated your pep.
  - D'abord, c'est trop petit, et puis c'est très cher, et **enfin**, je n'en ai pas besoin.
  Firstly, it's too small, secondly, it's very expensive and **lastly** I don't need it.

ENNUYER, S'ENNUYER

- « préoccuper » → *worry*
  - Il n'est pas encore rentré. Ça m'**ennuie**.
  He is not back yet. It **worries me**.
  - Le fait qu'elle parte seule à l'étranger **ennuie** ses parents.
  Her parents are **worried** about her going abroad on her own.

- « déranger » → *bother*
  - Si ça ne t'**ennuie** pas trop, tu peux me montrer comment ça marche ?
  If it doesn't **bother** you too much, can you show me how it works ?

➥ « harceler » → *pester*

- Jimmy, arrête d'**ennuyer** ta sœur !
  Jimmy, stop **pestering** your sister!

➥ « interrompre » → *disturb*

- Désolé de vous **ennuyer** maintenant mais j'ai besoin d'utiliser votre ordinateur.
  Sorry to **disturb** you now, but I need to use your computer.

➥ « gêner » → *sb minds sth / minds + V-ing / minds if*

- Le froid ne m'**ennuie** pas, en fait j'aime plutôt ça.
  I don't **mind** the cold, in fact, I quite like it.

- Ça t'**ennuie** si j'ouvre la fenêtre ?
  Do you **mind** me opening the window (if I open the window)?

➥ s'**ennuyer** → *be / get bored*

- Je ne m'**ennuie** jamais quand je suis à la campagne.
  I **am** never **bored** when I am in the country.

- Ça l'**ennuie** de faire la cuisine tous les jours.
  He **gets bored** with cooking every day.

> **NOTEZ BIEN**
> *Boring* (adjectif) → ennuyeux
> J'ai trouvé ce film ennuyeux.
> I found this film **boring**.   ▸ FAUX AMIS : *ANNOYING* P. 413

ENTRE

➥ intervalle entre deux ou quelques éléments → *between*

- Je viendrai **entre** deux et quatre heures.
  I'll come **between** two and four.

- Les quatre filles parlaient **entre** elles.
  The four girls were talking **between** themselves.

- Il est **entre** la vie et la mort.
  He is **between** life and death.

➥ « parmi » → *among*

- Il se sentait mieux : il savait qu'il était **entre** amis.
  He felt better: he knew he was **among** friends.

- Les invités parlaient **entre** eux de la dernière exposition de la Tate Modern.
  The guests were talking **among** themselves of the latest exhibition at the Tate Modern.

pour donner les raisons d'une situation particulière → *what with*

- **Entre** les soucis d'argent et le manque de sommeil, elle n'est vraiment pas en forme.
  What with financial worries and lack of sleep, she really is in a bad shape.

ENTRER (MONTER) DANS

entrer dans → *enter sth*

- Vous ne devez pas **entrer dans** son bureau sans frapper.
  You must not **enter** his office without knocking.

NOTEZ BIEN
Ne jamais dire *enter in*.

entrer dans → *go into, get into / come into sth*

- Vous ne devez pas **entrer dans** mon bureau sans frapper.
  You must not **go (get) into** my office without knocking.
  [Celui qui parle est à l'extérieur.]
  You must not **come into** my office without knocking.
  [Celui qui parle est à l'intérieur.]

monter dans (train / voiture / autobus) → *get into*

- Est-ce qu'il est **monté dans** le bus ?
  Did he **get into** the bus ?

ESSAYER (DE)

essayer qqch. → *try sth*

- As-tu **essayé** cette nouvelle marque de café ?
  Have you **tried** this new brand of coffee ?

« faire l'expérience de » → *try + V-ing*

- Est-ce que tu as **essayé** de l'appeler à son travail ?
  Did you **try** call**ing** him at work ?

- Elle a **essayé** de changer les piles mais ça ne marche toujours pas.
  She **tried** chang**ing** the batteries but it still doesn't work.

« tenter de faire qqch. » (avec effort) → *try (not) to + verbe*

- **Essaie** de prendre les choses du bon côté.
  Try to look on the bright side of things.

- J'ai **essayé** de ne pas faire de bruit.
  I **tried not to** make any noise.

- Il a **essayé** de son mieux de lui plaire.
  He **tried** his best **to** please her.

ÉTRANGER

➡ « inconnu » → *stranger* (nom) / *unknown* (adjectif)

- « Tu ne le connais pas ? – Non, il m'est complètement **étranger**. »
  "Don't you know him?" "No, he's a complete **stranger** to me."
- Son visage m'est **étranger**.
  Her face is **unknown** to me.

➡ « qui habite dans un autre pays » → *foreigner* (nom) / *foreign* (adjectif)

- Elle parle tellement bien le français qu'on ne croirait pas qu'elle est **étrangère**.
  She speaks French so well that you wouldn't believe she is a **foreigner**.
- Combien de langues **étrangères** apprennent-ils ?
  How many **foreign** languages do they learn?

➡ à l'étranger → *abroad*

- Il va à l'**étranger** deux fois par mois.
  He goes **abroad** twice a month.

ÊTRE PARTI

➡ « être absent » (état) → *be gone*

- Tu ne pourras pas la voir : elle **est partie**.
  You won't be able to see her: she **is gone**.

➡ « être parti » (action) → *have (has) left, gone / left, went away*

- « Où est-elle ? – Elle **est partie** se coucher. »
  "Where is she?" "She **has gone** to bed."
- Ils **sont partis** sans laisser d'adresse.
  They **left** without leaving an address.
- Elle **est partie** il y a deux jours (depuis deux jours).
  She **left** (**went away**) two days ago.

EXCUSE, S'EXCUSER

➡ « raison » → *excuse*

- Il avait une bonne **excuse** pour ne pas venir.
  He had a good **excuse** for not coming.

- « regrets » → *apology*
  - Acceptez mes **excuses**.
    Please accept my **apology**.

- s'excuser → *apologize*
  - Il **s'est excusé** de s'être emporté.
    He **apologized** for losing his temper.

EXCUSEZ-MOI

- « pardonnez-moi » → *excuse me (for), I'm sorry*
  - **Excusez-moi** d'être en retard.
    Excuse me for being late. / **I'm sorry** I'm late.

- pour attirer l'attention → *excuse me*
  - **Excusez-moi**, vous pouvez me dire comment aller à l'aéroport?
    Excuse me, please, can you tell me the way to the airport?

- pour faire répéter → *pardon, I'm sorry*
  - **Excusez-moi**, vous pouvez répéter?
    I'm sorry, could you repeat that, please?

FAIRE

- idée d'activité / d'effet → *do*
  - Que **fais**-tu ce soir?
    What are you **do**ing tonight?
  - Il faudrait **faire** quelque chose pour l'aider.
    We should **do** something to help him.
  - Une semaine de vacances te **fera** du bien.
    A week's holiday will **do** you good.

- faire → *do*

faire de son mieux **do** one's best	**faire** les courses **do** the shopping	**faire** des affaires **do** business
faire la cuisine **do** the cooking	**faire** du sport **do** sport	**faire** une faveur **do** a favour
faire la vaisselle **do** the dishes	**faire** du bien / du mal **do** good / harm	**faire** 80 km à l'heure **do** 80 km an hour
faire son devoir **do** one's duty	**faire** un exercice **do** an exercise	

◗ **idée de production / de construction → *make***

- Cette société **fait** seulement des produits haut de gamme.
  This company **makes** only top-of-the-range products.
- J'ai bien peur que tu aies **fait** une erreur.
  I'm afraid you've **made** a mistake.

◗ **faire → *make***

faire un effort	**faire** des progrès	**faire** du thé
make an effort	**make** progress	**make** some tea
faire un lit	**faire** un discours	**faire** de l'argent
make a bed	**make** a speech	**make** money
faire un geste	**faire** du feu	**faire** des histoires
make a gesture	**make** a fire	**make** a fuss
faire un voyage	**faire** du bruit	**faire** la paix
make a journey	**make** a noise	**make** peace

FAIRE + VERBE À SENS ACTIF

◗ *make sb do sth*

- Il ne me **fait** plus rire.
  He no longer **makes** me **laugh.**
- Cela te **fera** changer d'avis.
  This will **make** you **change** your mind.

◗ *be made to* + verbe (si le sujet est « on »)

- On les **faisait travailler** comme des esclaves.
  They **were made to** work like slaves.

◗ *have sb do sth*

- Il m'a **fait faire** la vaisselle avant de partir.
  He **had** me **do** the dishes before leaving.
- Faites-la entrer s'il vous plaît.
  Have her **come in,** please.
  [*Have* s'emploie pour donner des ordres ou des instructions.]

◗ *get sb to do sth*

- Je n'ai jamais pu lui **faire ranger** ses affaires.
  I've never been able to **get** him **to put** his things away.
- Ne vous inquiétez pas, je vous **ferai** aider par un ami.
  Don't worry, I'll **get** a friend **to help** you.
  [*Get* exprime une idée de persuasion.]

autres équivalents de «faire + verbe»

faire attendre qqn	faire démarrer qqch.	faire savoir qqch. à qqn
keep sb waiting	start sth	let sb know sth
faire cuire qqch.	faire entrer / sortir qqn	faire venir qqn
cook sth	let sb in / out	call (get) sb in / call (send) for sb

FAIRE + VERBE À SENS PASSIF

have sth + participe passé

- Je dois **faire vérifier** les freins.
  I must **have** the brakes **checked**.

get sth + participe passé

- Elle a **fait réaménager** son bureau et c'est moins bien qu'avant.
  She **got** her office **refurbished** and it's not as nice as it was.

- Quand vas-tu **faire réparer** le toit ?
  When are you going to **get** the roof **repaired** ?

FAIRE (SE FAIRE + VERBE)

have sth + participe passé

- Il s'est **fait voler** sa carte bancaire hier.
  He **had** his credit card **stolen** yesterday.

make oneself + participe passé (heard / understood / obeyed / respected)

- Comment est-il arrivé à **se faire comprendre** ?
  How did he manage to **make himself understood** ?

passif

- Ils se sont fait avoir.
  They have been had.

- Elle s'est fait renvoyer.
  She was sacked.

FALLOIR (IL FAUT, FAUDRAIT, FALLAIT + NOM)

il faut qqch. → sth is (was...) needed

- Est-ce qu'**il faut** un visa ?
  Is a visa **needed** ?

- Il **faudra** quelqu'un pour réparer l'ordinateur.
  Somebody **will be needed** to repair the computer.

➡ **il me / te... faut → *sb needs sth***

● Il te faut encore combien de temps?
How much more time **do you need?**

● C'était tout ce qu'il lui fallait.
That **was** all **she needed.**

● Il leur faudrait un appartement plus grand.
They'd (would) need a larger flat. ► BESOIN P. 318

FALLOIR (IL FAUT, FAUDRAIT, FALLAIT QUE)

➡ **il faut (que) → *sb must / have (got) to* + verbe**

● Il faut rentrer avant minuit.
We / You must be back by midnight.

● Il faut qu'ils se lèvent à six heures.
They have to get up at six.

● Il ne faut pas que vous l'appeliez maintenant.
You must not call him now.

● À quelle heure faudra-t-il que nous soyons à l'aéroport?
What time shall we **have to** be at the airport?
► *MUST* ET *HAVE TO* P. 41

➡ **il faudrait (que) → *sb should* + verbe**

● Il faudrait que tu te bouges un peu.
You should get moving.

● Tu crois qu'il faudrait l'appeler?
Do you think we **should** call him?

➡ **il fallait, il aurait fallu (que) → *sb should have* + participe passé**

● Il fallait que (Il aurait fallu que) tu partes plus tôt.
You **should have** left earlier.

● Est-ce qu'il aurait fallu lui en dire un mot?
Should we **have** mentioned it to him?

FINIR

➡ **«s'achever» → *finish, end***

● Quand est-ce que les cours finissent?
When do the classes **finish?**

● Les vacances finissent dans une semaine.
The holidays **end** in one week.

- « terminer de » → *finish + V-ing*

  - Je ferai une pause lorsque j'aurai **fini** d'écrire cette lettre.
    I'll take a break when I've **finished writing** this letter.
  - Ont-ils **fini de** payer leur maison ?
    Have they **finished paying** for their house ?

- « cesser de » → *stop + V-ing*

  - Il **finira de** travailler en 2030.
    He will **stop working** in 2030.

- pour finir (≠ pour commencer) → *to finish with (≠ to start, to begin with)*

  - **Pour finir**, je voudrais citer Shakespeare.
    To finish with, I'd like to quote Shakespeare.

- finir par → *end up + V-ing / finally, eventually*

  - Elle a **fini par** se faire prendre.
    She **ended up** getting caught.
  - Est-ce qu'il va **finir par** se rendre à l'évidence ?
    Will he **eventually (finally)** face the facts ?

GAGNER

- « être le vainqueur » → *win*

  - Tu penses qu'elle peut **gagner** la prochaine élection ?
    Do you think she can **win** the next election ?

- gagner par hasard → *win*

  - Il a **gagné** 2 000 livres à la loterie.
    He **won** 2,000 pounds on the lottery.

- gagner par son travail → *earn*

  - Elle **gagne** bien sa vie.
    She **earns** a good living.

- « acquérir une qualité » → *gain*

  - Ce stage vous permettra de **gagner** de l'expérience.
    This course will allow you to **gain** experience.

- « épargner » → *save*

  - On **gagnera** beaucoup de temps si on prend le métro.
    We'll **save** a lot of time if we take the underground.

GRAND

➡ **en hauteur → *tall***

● Maintenant il est aussi **grand** que son père.
Now he is as **tall** as his father.

➡ **en taille → *large, big***

● Elle a une **grande** piscine dans son jardin.
She has a **large** (**big**) swimming pool in her garden.

● Je voudrais un **grand** verre d'eau.
I'd like a **large** (**big**) glass of water.

➡ **en nombre, en quantité → *large, great***

● Un **grand** nombre de gens boivent de l'eau au repas.
A **large** number of people drink water at meals.

● La **grande** majorité des employés est en grève.
The **great** majority of the employees are on strike.

➡ **en qualité → *great***

● Je suis sûre que tu vas passer un **grand** moment.
I'm sure you'll have a **great** time.

● Erdös était un **grand** mathématicien.
Erdös was a **great** mathematician.

● Il a fait preuve d'un **grand** courage.
He showed **great** courage.

HABITUDE (AVOIR L'HABITUDE DE)

➡ **avoir l'habitude de qqch. → *be used (accustomed) to sth***

● Je n'ai pas l'habitude de ce logiciel.
I **am not used to** this software.

● Est-ce que tu as l'habitude des longs voyages en avion ?
Are you **used to** long flights ?

➡ **avoir l'habitude de + verbe → *be used to + V-ing***

● Il a l'habitude d'arriver en avance.
He **is used to** arriving early.

● Elles n'ont pas l'habitude de conduire à gauche.
They **are** not **used to** driving on the left.

Au passé, on préfère *would* à *was / were used to*.
Maman **avait l'habitude de** me réveiller en jouant du piano.
Mum **would** wake me up by playing the piano.

▸ *WOULD* ET *USED TO* P. 47

➠ **s'habituer à → *get used to* + nom / V-*ing***

- Je **m'habitue à** son rythme de travail.
I **am getting used to** his working pace.

- Penses-tu que tu vas **t'habituer** à vivre seule ?
Do you think you'**ll get used to** living on your own ?

HEURE

➠ **mesure de temps → *hour***

- Elle devrait être là dans **une demi-heure / une heure et demie.**
She should be here **in half an hour / in an hour and a half.**

- Ça représente quinze **heures** de travail.
It represents fifteen **hours** of work.

➠ **division de la journée / moment fixé → *time***

- Quelle **heure** est-il à Pékin ?
What **time** is it in Beijing ?

- Je crois que c'est l'**heure** d'y aller.
I think it's **time to** go now.

- Pour une fois, son avion était juste à l'**heure.**
For once his plane was just **on time.**

➠ **dire l'heure (voir p. 274)**

ICI / LÀ / Y

➠ **lieu où l'on est (ici / là / y) → *here***

- Dépêche-toi, viens **ici / là.**
Hurry up, come **here**!

- Il restera **là / ici** combien de temps ?
How long will he stay **here** ?

- « Je pourrais voir Mark Turner ? – Désolé, il n'est pas **là.** »
"Could I see Mark Turner ?" "Sorry, he is not **here.**"

- J'y suis, j'y reste.
Here I am and **here** I stay.

➥ lieu éloigné de celui qui parle (là / y) → *there*

- « Je pars en Australie. – Tu y resteras combien de temps ? »
"I'm going to Australia." "How long will you stay **there**?"
- « Où est la télécommande ? – Là, sur le fauteuil. »
"Where's the remote control?" "**There**, on the armchair."
- « Il est aux États-Unis. – Il y va souvent ? »
"He is in the United States." "Does he often go **there**?"

IL Y A + NOM

➥ pour poser l'existence de → *there is (are / was / were…) sb / sth*

- Il y a des embouteillages entre 7 heures et 9 heures.
There are traffic jams between 7 and 9.
- Est-ce qu'**il y aura** vraiment cent invités ?
Will **there** actually **be** a hundred guests?
- Il doit **y avoir** des glaçons dans le congélateur.
There must **be** ice cubes in the freezer.

NOTEZ BIEN
Be s'accorde avec le nom qui suit.

➥ pour marquer la distance → *it is… from… to*

- Il y a cinq kilomètres d'ici à Édimbourg.
It is five kilometres **from** here **to** Edinburgh.
- Combien **y a-t-il** de kilomètres jusqu'à la station-service ?
How far **is it to** the filling station?

➥ pour donner un repère dans le passé (comme une date) → durée + *ago*

- Il y a un mois, j'étais à Londres.
A month **ago**, I was in London.
- Il est tombé malade **il y a** quinze jours.
He fell ill two weeks **ago**.   ▸ *AGO* P. 22

IL Y A… QUE

➥ pour donner un repère dans le passé (comme une date) → durée + *ago*

- Il y a trois heures **qu'**il est parti.
He left three hours **ago**.
- Il y a dix ans **qu'**il est mort.
He died ten years **ago**.   ▸ *AGO* P. 22

Question correspondante : *How long ago... ?*

Il y a combien de temps qu'il est arrivé?
How long ago did he arrive?

On peut aussi utiliser la construction *it is... since.*

It is three hours **since** he left.
It's been three hours **since** he left. [US]

➡ **pour marquer la durée d'une action → *for* + durée**

- Il y a trente ans qu'il se sert d'un ordinateur.
  He has been using a computer **for** thirty years.

- Il y avait trois ans que la société perdait de l'argent lorsque
  les affaires ont repris.
  The company had been losing money **for** three years when
  business picked up.

Question correspondante : *How long... ?*

Il y a combien de temps que tu attends?
How long have you been waiting?

▸ *FOR* ET *SINCE* P. 26 ET 29

IMPORTE (N'IMPORTE QUAND / OÙ / QUI / QUOI)

➡ **n'importe quand / où... → *any time / anywhere...***

- On peut partir n'importe quand.
  We can leave **any** time.

- Tu peux poser ça n'importe où.
  You can put it **anywhere**.

➡ **n'importe qui / quoi → *anybody / anything***

- N'importe qui comprendrait ce message.
  Anybody would understand this message.

- Ils mangent n'importe quoi.
  They'll eat **anything**.

IMPORTE (N'IMPORTE QUEL / LEQUEL)

➡ **choix entre plusieurs éléments → *any* + nom / *any of* + pronom**

- N'importe quel jour me convient.
  Any day suits me.

- Il y a plusieurs Eurostars tous les jours. Tu peux prendre **n'importe lequel.**
  There are several Eurostars every day; you can take **any.**
- **N'importe laquelle** d'entre vous devrait connaître la réponse.
  Any of you should know the answer.

➠ choix entre deux éléments → *either* + nom / *either of* + pronom

- «On se voit lundi ou mardi? – **N'importe lequel** des deux jours me convient.»
  "Shall we meet on Monday or Tuesday?" "**Either** day suits me."
- Choisis **n'importe lequel** de ces deux desserts.
  Choose **either of these** desserts.

IMPORTE (PEU M'IMPORTE)

➠ peu importe si (que) → *it doesn't matter whether*

- **Peu importe** qu'il soit d'accord ou pas, il faut prendre une décision maintenant.
  It doesn't matter whether he agrees or not, we must make a decision now.

➠ peu importe quand / qui / où... → *no matter when / who / where...*

- Je l'accueillerai, **peu importe quand** il arrivera.
  I'll welcome him, **no matter when** he arrives.
- Ça doit être fait, **peu importe** comment.
  It must be done, **no matter how** (it doesn't matter how).
- Elle marche deux heures par jour, **peu importe** le temps.
  She walks two hours every day, **no matter what** the weather is like.

▸ QUEL(LE)... QUE P. 390

INTERDIRE, INTERDICTION

➠ interdire → *forbid*

- La loi **interdit** formellement la discrimination.
  The law strictly **forbids** discrimination.

➠ exprimer une interdiction → impératif, *must, have to*

▸ IMPÉRATIF P. 55, *MUST ET HAVE TO* P. 41

JAMAIS

« à aucun moment » → *never (again)*

- C'est le moment ou jamais.
  It's now or **never**.
- Ce distributeur de café **ne** marche jamais.
  This coffee machine **never** works.
- Tu **ne** le verras jamais plus.
  You'll **never** see him **again**.

> **NOTEZ BIEN**
> Si un mot négatif apparaît dans la phrase *(no one, nobody)*, on emploie
> *ever* et non *never*.
> Il ne se passe jamais rien.
> Nothing **ever** happens.   ▶ **ORDRE DES MOTS DANS LES NÉGATIVES P. 138**

« à un moment quelconque » → *ever*

- Si jamais il rappelle, dis-lui que je ne pourrai pas venir.
  If he **ever** calls again, tell him I won't be able to come.
- As-tu jamais (déjà) sauté en parachute ?
  Have you **ever** made a parachute jump?

« jusqu'à présent » → *ever*

- C'est le meilleur ténor que j'aie jamais entendu.
  He is the best tenor I have **ever** heard.
- C'est pire que jamais.
  It's worse than **ever**.

sans jamais → *without ever + V-ing*

- Il fait son travail **sans jamais** demander d'aide.
  He does his work **without ever** asking for help.

presque jamais → *hardly ever, almost never*

- Ils ne se plaignent **presque jamais**.
  They **hardly ever** complain.

JEUNE, LES JEUNES

jeune (adjectif) → *young*

- Il est **jeune** et pourtant il a déjà quelques kilos en trop.
  He is **young** and yet he is already a bit overweight.

▸ un jeune → *a young person (man) / a youth*

- Un jeune a été agressé dans la nuit de samedi à dimanche à la sortie d'une boîte.
  A young man was mugged outside a club last Saturday night.
- Des bandes de **jeunes** ont cassé des devantures.
  Gangs of **youths** have broken shop windows.

NOTEZ BIEN
A youth / youths appartient au vocabulaire journalistique et a une connotation péjorative.

▸ les jeunes en général → *the young / young people*

- Roal Dahl a écrit d'excellents livres pour **les jeunes**.
  Roal Dahl has written excellent books for **the young**.
- **Les jeunes** sont préoccupés par l'avenir.
  Young people are worried about the future.

NOTEZ BIEN
The youth s'emploie surtout suivi de *of*.
Les jeunes d'aujourd'hui / de notre pays sont stressés.
The youth of today / of this country are under stress.

▸ ADJECTIFS SUBSTANTIVÉS P. 124

▸ la jeunesse → *youth*

- Il faut que **jeunesse** se passe.
  Youth must have its fling.

JUSQU'À

▸ jusqu'à + lieu → *to / as far as / up to / down to*

- La levée est dans cinq minutes. Est-ce que tu peux courir **jusqu'à** la poste ?
  The post is collected in five minutes. Can you run **to** the post office ?
- Allez **jusqu'au** prochain pont puis tournez à droite.
  Go **as far as** the next bridge then turn right.
  [jusqu'à et pas plus loin]
- Il est endetté **jusqu'au** cou.
  He is **up to** his ears in debt.
  [souvent mouvement vers le haut]
- On va **jusqu'à** la rivière ?
  Shall we walk **down to** the river ?
  [souvent mouvement vers le bas]

- Jusqu'où es-tu allé?
  How far did you go?

➥ **jusqu'à + temps** ➔ *until, till*

- Le magasin est ouvert **jusqu'à** 20 heures.
  The shop is open **until (till)** 8 p.m.
- **Jusqu'à** récemment, elle ne mangeait pas de viande.
  Until recently, she did not eat meat.
- **Jusqu'à** quand va-t-il travailler?
  Until when is he going to work?

> **NOTEZ BIEN**
> «Jusqu'à maintenant» se dit *up to now, until now, so far.*
> Jusqu'à maintenant ce pub fermait à 11 heures.
> **Up to now,** this pub closed at 11.

➥ **jusqu'à + limite** ➔ *up to / as many as* (nombre) / *as much as* (somme)

- **Jusqu'à** douze personnes peuvent s'asseoir autour de cette table.
  Up to (As many as) twelve people can sit around this table.
- Je peux te prêter **jusqu'à** 1 000 euros.
  I can lend you **up to (as much as)** 1,000 euros.

➥ **jusqu'à + infinitif** ➔ *as far as to* + verbe

- Tu irais **jusqu'à** envoyer ta démission?
  Would you go **as far as to** send in your resignation?

JUSQU'À CE QUE

- J'attendrai **jusqu'à ce que** vous soyez prête.
  I'll wait **until** you're ready.
- Répète **jusqu'à ce qu'**il ait compris.
  Keep on telling him **until** he understands.

LAISSER (QQN / QQCH.)

➥ **laisser qqch. à qqn** ➔ *leave sb sth / sth to sb*

- Il **laissa** toute sa fortune à son fils.
  He **left** his son his whole fortune.
  He **left** his whole fortune to his son.
- Je pense que j'ai **laissé** mon parapluie dans le bus.
  I think I've **left** my umbrella on the bus.

➤ laisser qqch. / qqn + adjectif → *leave sb / sth* + adjectif

● Laisse-moi tranquille!
Leave me **alone**!

● Ne laisse pas la fenêtre ouverte en partant.
Don't **leave** the window **open** when you leave.

LAISSER + VERBE

➤ laisser qqch. / qqn en train de → *leave sb / sth + V-ing*

● Ne laissez pas tourner le moteur quand vous faites le plein.
Don't **leave** the engine runn**ing** when you fill up.

● Ne laisse pas couler le robinet quand tu te brosses les dents.
Don't **leave** the tap runn**ing** while brushing your teeth.

➤ «permettre» → *allow sb to, let sb* + verbe

● Ils la laissent regarder la télévision comme elle veut.
They **allow** her **to** watch TV as she likes.

● Tu ne devrais pas le laisser répondre de manière aussi impolie.
You shouldn't **let** him **answer** so rudely.

● Laisse refroidir avant de goûter.
Let it (**Allow** it **to**) cool before tasting.

➤ laisser + verbe de mouvement → *let sb* + particule

● Laissez-moi passer.
Let me **through**.

● Tu peux laisser entrer le chat.
You can **let** the cat **in**.

LONGTEMPS

➤ «longue période de temps» → *a long time / long* (interrogations ou négations)

● Ils vivront encore longtemps!
They'll live (for) **a long time** yet!

● Ça prendra longtemps?
Will it take **long**?

● Je n'en ai pas pour longtemps.
I won't be **long**.

➤ depuis longtemps (il y a longtemps que) → *for a long time*

● Je le connais depuis longtemps.
I have known him **for a long time**.

- Il y a longtemps qu'ils ne se parlent plus.
  They haven't been on speaking terms **for a long time.**
  [verbe au present perfect]

➤ **il y a longtemps** → *long ago, a long time ago*

- Elle l'a laissé tomber il y a longtemps.
  She dumped him **long ago** (a long time ago).
  [verbe au prétérit]

➤ **pas longtemps / pas pour longtemps** → *not... for long*

- Cela ne fait **pas longtemps** qu'elle est ici.
  She has**n't** been here **for long.**

- Je ne serai **pas** là **pour longtemps.**
  I wo**n't** be here **for long.**

> **NOTEZ BIEN**
>
> assez longtemps : long enough
> si longtemps : so long
> trop longtemps : too long
> longtemps avant / après : long before / after

MAISON

➤ **bâtiment / lieu d'activités** → *house*

- Il possède une jolie **maison** dans le Kent mais il vit à Londres.
  He owns a beautiful **house** in Kent but he lives in London.

- Elle a ouvert une nouvelle **maison** de couture à New York.
  She has opened a new fashion **house** in New York.

➤ **lieu où l'on habite** → *home*

- Son fils a quitté **la maison** à vingt ans.
  His son left **home** at twenty.

- Veux-tu que je te ramène à **la maison** ?
  Would you like me to take you **home** ? ▸ CHEZ P. 325

MANQUER

➤ **« rater »** → *miss*

- Tu l'as **manqué** de cinq minutes.
  You **missed** him by five minutes.

➤ **« sauter volontairement » (un repas, une réunion)** → *skip*

- Il a **manqué** la réunion pour partir plus tôt.
  He **skipped** the meeting in order to leave earlier.

◗ **x manque à y → y *misses* x**

- Tu me **manques**.
  I **miss** you.
- Nos longues promenades dans la campagne me **manquent**.
  I **miss** our long country walks.

MANQUER DE

◗ **manquer de + qualité → *lack, be lacking in***

- Il est intelligent mais il **manque** d'ambition.
  He is bright but he **lacks** ambition.
- Il **manque de** charme et de tact.
  He's **lacking in** charm and tact.

◗ **manquer de + notion concrète (idée de pénurie) → *be short of***

- Ce rapport est incomplet. Je dois dire que j'ai **manqué de** temps.
  This report is incomplete. I must say I was **short of** time.
- Il ne **manque** jamais d'argent à la fin du mois.
  He is never **short of** money at the end of the month.

MÊME

◗ **pour marquer une insistance (adverbe) → *even***

- Il n'a **même** pas dit bonjour.
  He didn't **even** say hello.
- **Même** lui a compris.
  Even he understood.

◗ **« précis » (adjectif) → *very***

- Ce motel est l'endroit **même** où il a été assassiné.
  This motel is the **very** spot where he was murdered.
- Ce fait **même** prouve qu'il se sent mal à l'aise.
  This **very** fact proves that he feels ill at ease.

◗ **moi-même / toi-même... → *myself / yourself*...**

- Elle ne pourra pas venir, c'est **elle-même** qui me l'a dit.
  She won't be able to come, she told me so **herself**.
- Est-ce qu'il a fait tout le travail **par lui-même** ?
  Did he do the whole job **by himself** ?

▸ **PRONOMS RÉFLÉCHIS P. 121**

même si → *even if, even though*

- Il faudra bien qu'ils parviennent à un accord **même si** l'idée leur déplaît.
  They will have to come to an agreement, **even if** they don't like the idea.

MÊME (LE MÊME)

le / la / les même(s) → *the same*

- Je rencontre souvent **les mêmes personnes** en allant promener mon chien.
  I often meet **the same** people when I walk my dog.
- Elle a acheté une nouvelle tablette, je voudrais **la même**.
  She's bought a new tablet, I'd like (to have) **the same**.

le / la / les même(s)... que → *the same... as*

- Je ne savais pas qu'il habitait dans **la même** rue **que** moi.
  I didn't know he lived on **the same** street **as** me.
- Donnez-moi **la même** chose **que** la dernière fois.
  Give me **the same as** last time.

MIEUX

mieux (que) → *better (than)*

- Il se sent beaucoup **mieux** qu'hier.
  He feels much **better** than yesterday.
- Les choses vont de **mieux** en **mieux**.
  Things are getting **better** and **better**.
- **Mieux** vaut tard que jamais.
  Better late than never.

le mieux → *(the) best*

- **Le mieux** que tu puisses faire, c'est de revenir sur ta position.
  The best you can do is back down.
- Ils ont fait de **leur mieux** mais ils n'y sont pas arrivés.
  They did **their best** but they didn't make it.

d'autant mieux que → *all the better as / since / because*

- Il se sent **d'autant mieux que** l'affaire est bouclée.
  He feels **all the better as** the deal is settled.

MIEUX (AIMER, FAIRE, VALOIR MIEUX)

➧ aimer mieux (préférer) → *I / he would ('d) rather* + verbe

- Ted (Il) **aimerait mieux** partir que rester.
  Ted **would rather** (He'**d rather**) go than stay.

- Tu **aimerais mieux** avoir une chambre à l'hôtel **ou** venir chez moi ?
  Would you **rather** have a room in a hotel **or** stay at my place ?

➧ faire mieux de → *I / he had ('d) better* + verbe

- Tu **ferais mieux** de demander d'abord au patron.
  You'**d better** ask the boss first.

➧ valoir mieux → *it's better to* ou *I / he had ('d) better* + verbe

- Il **vaut mieux** partir tôt.
  It's better to leave early.
  We / You'**d better** leave early.

- Il **vaudrait mieux** que tu prennes une assurance.
  You **had better** take out an insurance policy.

MOINS (QUE / DE)

➧ moins... que → *less... than*

- Nous gaspillons **moins que** dans les années 60.
  We waste **less than** in the sixties.

- Il a été **moins** catégorique que la dernière fois.
  He was **less** adamant **than** last time.

> **Notez bien**
> Très souvent « moins + adjectif » se traduit par *not as (so)... as* ou par le comparatif de supériorité.
> C'est **moins** facile que ça n'en a l'air.
> It's **not as** easy (**so** easy) as it looks.
> C'est **moins** compliqué que je ne pensais.
> It's **simpler than** I expected.   ▸ **Comparatifs p. 131**

➧ moins de... (que) → *less* + sg ou pl. / *fewer* + pl. (*than*)

- On avait **moins de** temps libre autrefois.
  People used to have **less** spare time.

- **Moins de** gens partaient en vacances à l'étranger.
  Fewer (Less) people went abroad for the holidays.

MOINS (LE MOINS)

➤ le moins + adjectif → *the least* + adjectif

● J'ai acheté le téléviseur **le moins** cher que j'aie trouvé.
I've bought **the least** expensive (the cheapest) TV set I found.

NOTEZ BIEN
Quand il n'y a que deux éléments comparés, l'anglais préfère souvent *the less* + adjectif.
Des deux sœurs, Lisa est **la moins** douée.
Lisa is **the less** gifted of the two sisters.

➤ verbe + le moins → *least*

● Il est arrivé quand je m'y attendais **le moins**.
He arrived when I **least** expected it.

MOINS (LE MOINS POSSIBLE)

➤ verbe + le moins possible → *as little as possible*

● Il se déplace **le moins possible** en avion.
He travels by plane **as little as possible** (as little **as he can**).

➤ le moins de... possible → *as little* + sg ou pl. / *as few* + pl. *as possible*

● Ils dépensent **le moins d'**argent possible.
They spend **as little** money as possible (**as they can**).

● Lorsque nous avons construit la maison, nous avons abattu **le moins d'**arbres possible.
When we built our house, we felled **as few** trees **as** possible (**as** we could).

MOINS (DE MOINS EN MOINS)

➤ verbe + de moins en moins → *less and less*

● On dit que les adolescents lisent **de moins en moins**.
Teenagers are said to read **less and less**.

➤ de moins en moins de → *less and less* + sg / *fewer and fewer* + pl.

● Elle essaie de consommer **de moins en moins de** sucre.
She tries to eat **less and less** sugar.

● **De moins en moins** de magasins sont fermés le lundi.
Fewer and fewer shops are closed on Mondays.

MOINS... MOINS

- Moins tu parles anglais, **moins** tu progresses.
  The less you speak English, **the less** progress you make.

- Moins les gens liront la presse à sensation, **moins** elle se vendra.
  The less people read the gutter press, **the less** it will sell.

▸ COMPARATIFS PARTICULIERS P. 133

MONDE (LE MONDE)

➡ le monde en général → *people*

- Il n'y avait pas beaucoup de **monde** au centre commercial ce matin.
  There **weren't many people** at the mall this morning.

NOTEZ BIEN
People est invariable dans ce sens et s'accorde au pluriel. Le pronom de reprise est *they*.

➡ tout le monde (tout un chacun) → *everybody, everyone*

- **Tout le monde** sait qu'il n'y a pas de fumée sans feu.
  Everybody knows that there's no smoke without fire.

- Est-ce que **tout le monde** s'est amusé ?
  Did **everybody** enjoy themselves?

MORT

➡ la mort → *death*

- La plupart des hommes ont peur de **la mort**.
  Most men fear **death**.

NOTEZ BIEN
Death s'emploie au pluriel pour désigner « les cas de mort ».
Le nombre de **morts** sur la route a beaucoup diminué.
The number of traffic **deaths** has decreased considerably.

➡ mort (adjectif) → *dead*

- Je ne savais pas qu'il était **mort**.
  I didn't know he was **dead**.

➡ les morts, un mort → *the dead, a dead person (man / woman)*

- Parmi **les morts** se trouve un des pilotes.
  Among **the dead** is one of the pilots.

- Le mort n'avait pas fait de testament.
  The dead man had not made a will.

- **être mort (passé composé de « mourir »)** → *sb died* + date

  - Elle **est morte** il y a vingt ans.
    She **died** twenty years ago.

  - Quand **est-il mort**?
    When **did** he **die**?

NE... PAS

- **porte sur le verbe** → auxiliaire / modal + *not* + verbe

  - Je **ne** l'ai **pas** encore contacté.
    I have**n't** (have **not**) contacted him yet.

  - Tu **ne** dois **pas** t'inquiéter.
    You must **not** worry.

- **porte sur le nom** → *no* + sg / pl.

  - Cette voiture **n'**a **pas de** climatisation.
    This car has **no** air conditioning.

  - Il **n'**y a **pas de** bus le dimanche.
    There are **no** buses on Sundays. ▸ *NO* + NOM P. 96

NE... PERSONNE / RIEN / NULLE PART

- *nobody / nothing / nowhere*

  - **Personne ne** m'a dit qu'il fallait arriver à 7 heures.
    Nobody told me I was supposed to be here at 7.

  - Il **n'**a **rien** fait d'intéressant aujourd'hui.
    He's done **nothing** interesting today.

  - Elle **n'**avait **nulle part** où aller.
    She had **nowhere** to go.

➥ *not... anybody / anything / anywhere*

● Ne le dis à **personne**.
Do**n't** tell **anybody**. [à qui que ce soit]

● Elle était sûre qu'elle n'avait **rien** vu.
She was sure she had**n't** seen **anything**. [pas la moindre chose]

● J'ai cherché mes clefs partout. Je ne les ai trouvées **nulle part**.
I looked for my keys everywhere. I did**n't** find them **anywhere**.
[à aucun endroit possible]

NOTEZ BIEN
Le verbe est à la forme **négative**. Ces tournures sont moins abruptes
que les précédentes.

NE... PLUS

➥ porte sur le verbe → *no longer / not any more / not any longer*

● Il **ne** regarde **plus** la télévision.
He **no longer** watches TV. / He does**n't** watch TV **any more**.

NOTEZ BIEN
Le verbe est à la forme **affirmative** avec *no longer*, à la forme **négative**
avec *any more*. ▸ *NOT ANY MORE, NO MORE* P. 97

➥ porte sur le nom → *not any more* + nom

● Je ne veux **plus de** vin, merci.
I do**n't** want **any more** wine, thank you.

NOTEZ BIEN
No + nom + *left* met en relief le fait qu'il ne reste plus de...
Il n'y a **plus de** places pour le concert de jeudi.
There are **no** seats **left** for Thursday's concert.

NÉ (ÊTRE NÉ)

● L'homme **est né** libre.
Man **is born** free.

● Quand est-il **né**⸮
When **was** he **born**⸮

● Elle **est née** le 8 décembre 2003.
She **was born on** December 8th 2003.

● L'Angleterre est le pays où le rugby **est né**.
England is the country where the sport of rugby **was born**.

NOTEZ BIEN

«Être né» décrit le plus souvent une action que l'on peut classer dans le passé à l'aide d'une date. *Be born* est donc le plus souvent conjugué au prétérit.

NI

➧ ni... ni... → *neither... nor* (verbe à la forme affirmative)

- Il ne boit ni thé ni café.
  He drinks **neither** tea **nor** coffee.

- Ni Tom ni Fred ne se doutent qu'il se prépare quelque chose.
  Neither Tom **nor** Fred thinks (think) that there is something in the wind.

- Je ne veux ni ne peux le faire.
  I am **neither** willing **nor** able to do it.

➧ ni l'un, ni l'autre → *neither* + sg / *neither of* + déterminant + pl. / *neither of* + pronom

- Ni l'une, ni l'autre (de ces deux dates) ne me convient.
  Neither (date) suits me.

- Les imprimantes ne marchent ni l'une ni l'autre.
  Neither of the printers works (work).

- Nous ne voulons essayer ni l'un ni l'autre.
  Neither of us wants (want) to try.

NON PLUS

➧ moi / Paul non plus → *neither* + auxiliaire affirmatif + pronom / nom

- «Je ne sais pas où il est. – Moi non plus.»
  "I don't know where he is." "**Neither do I.**"

- «Elle ne se souvient pas de son nom. – Eux non plus.»
  "She can't remember his name." "**Neither can they.**"

- Il n'est pas venu, ni elle non plus.
  He didn't come and **neither did she.**

- Fred n'a pas beaucoup travaillé. Sa sœur non plus.
  Fred hasn't worked very hard. **Neither has** his sister.

◗ ne... non plus → verbe à la forme négative + *either*

- Il n'a pas compris **non plus** pourquoi elle ne venait pas.
He **didn't** understand **either** why she was not coming.
- Je **ne** l'ai jamais rencontrée **non plus**.
I have **never** met her **either**.

OBLIGER

- Ne l'**oblige** pas à répéter la même chose.
Don't **make** her repeat the same thing.
- On l'a **obligé** à payer dans les deux mois.
He **was made to** pay within two months.
- Tu n'es pas **obligé** de crier !
You **don't have to** shout! ▸ DEVOIR P. 337, IL FAUT P. 350

OCCASION

◗ circonstance → *occasion*

- Je l'ai appelée à plusieurs **occasions** cette semaine.
I called her on several **occasions** this week.

◗ «circonstance favorable» → *chance, opportunity*

- Il ne manque jamais l'**occasion** de faire savoir son opinion.
He never misses the **chance** to make his opinion known.
- Je profiterai de l'**occasion** pour lui rendre visite.
I'll take the **opportunity** to visit her.

◗ «bonne affaire» → *bargain*

- J'en ai acheté deux, c'est vraiment une **occasion**.
I bought two of them, it's a real **bargain**.

◗ d'occasion → *secondhand*

- Il a décidé d'acheter une voiture **d'occasion**.
He's decided to buy a **secondhand** car.

OCCUPER (S'OCCUPER DE)

⬤ « se charger de » → *take care of | deal with | attend to*

- Ne t'inquiète pas, je **m'occuperai** de tout.
  Don't worry, I'll **take care of** everything.

- Nous **nous** sommes déjà occupés de ce problème.
  We've already **dealt with** this problem.
  [*Deal with est surtout suivi de problem / issue / matter / question.*]

- Il faut que je **m'occupe** de deux ou trois choses avant de partir.
  I've got two or three things to **attend to** before leaving.

⬤ « s'occuper d'un client » → *attend to, serve*

- Est-ce qu'on **s'occupe** de vous ?
  Are you being **served**?
  Are you being **attended to**?

⬤ « se mêler de » → *mind*

- **Occupe-toi** de tes affaires.
  Mind your own business!

⬤ « surveiller » → *take care of, look after*

- Qui **s'occupera** des enfants pendant les vacances ?
  Who will **take care of (look after)** the children during the holidays?

ON

⬤ « aucune personne précise » → tournure passive

- **On** lui a demandé de partir tout de suite.
  He was asked to leave at once.

- **On** dit qu'elle travaille 15 heures par jour.
  She is said to work 15 hours a day.

⬤ « personne dont l'identité est inconnue » → *somebody, someone*

- **On** t'a appelé de Tokyo.
  Someone has called you from Tokyo.

- Peut-**on** m'expliquer pourquoi il était de mauvaise humeur ?
  Can **someone** explain why he was in such a bad mood?

⬤ « les gens en général » → *one / people*

- **On** n'est jamais trop prudent.
  One can never be too careful.
  [proverbe / expression très générale]

- On dit qu'il va bientôt démissionner.
  People say he will resign soon.

➡ «ils» → *they*

- Comment célèbre-t-on le nouvel an au Canada?
  How do **they** celebrate New Year's Day in Canada?

➡ « nous» → *we*

- Dépêche-toi, on part dans cinq minutes.
  Hurry up! **We**'re leaving in five minutes.

OSER

➡ oser + infinitif → *dare (to)* + verbe

- Il a **osé** lui dire.
  He **dared** (to) tell him.

- Comment a-t-il **osé** publier ce texte?
  How **did** he dare (to) publish this text?

- Elle n'**ose** pas chanter.
  She **doesn't** dare (to) sing.

> **NOTEZ BIEN**
> Le verbe *dare* peut se conjuguer comme un modal, sans changer de sens.
> Il n'**ose** pas conduire la voiture de sa femme.
> He **daren't** drive his wife's car.
> Comment **oses**-tu?
> How **dare** you?
> **Ose** donc!
> I **dare** you!

OU... OU... (SOIT... SOIT...)

- **Ou** tu pars, **ou** tu restes.
  Either you stay **or** you go.

- J'irai **soit** en Alaska **soit** au Mexique.
  I'll go **either** to Alaska **or** to Mexico.

- **Ou** il est malade **ou** il est idiot.
  He's **either** sick **or** stupid. / **Either** he is sick **or** he is stupid.

> **NOTEZ BIEN**
> *Either... or...* se placent devant le mot ou groupe de mots sur lequel ils portent.

OUBLIER

➤ « ne pas se souvenir » → *forget*

- J'ai **oublié** son adresse.
  I have **forgotten** his address.

➤ en parlant d'un événement à venir → *forget to* + verbe

- N'**oublie** pas de fermer la porte à clé.
  Don't **forget to** lock the door.

➤ en parlant d'un événement passé → *forget* + V-*ing*

- Je n'**oublierai** jamais mon survol de l'Everest.
  I'll never **forget** fly**ing** over Mount Everest.

➤ oublier qqch. quelque part → *forget sth / leave sth behind*

- Il a **oublié** son portefeuille.
  He has **forgotten** his wallet.
  He has **left** his wallet **behind.**

PARLER

➤ « s'exprimer » → *speak*

- Ils **parlent** chinois couramment.
  They **speak** Chinese fluently.

- Pouvez-vous **parler** plus lentement ?
  Can you **speak** more slowly ?

➤ « s'adresser à qqn » → *speak (to sb)*

- Pourrais-je **parler** au directeur, s'il vous plaît ?
  Could I **speak** to the manager, please ?

➤ « échanger des paroles » → *talk (to)*

- Je n'ai rien compris lorsqu'ils ont commencé à **parler** (en) chinois.
  I didn't understand a word when they started **talking** (in) Chinese.

- J'en ai assez qu'ils **parlent** politique lorsque l'on déjeune.
  I'm fed up with their **talking** politics at lunch.

PARLER DE

➤ « échanger des paroles à propos de » → *talk about*

- Tout le monde **parle de** son dernier livre.
  Everybody **talks about** his latest book.

- Il est tard, on **en parlera** demain.
  It's late, we'll **talk about** it tomorrow.

➡ «informer de» → *tell about*

- Parle-moi **de** tes projets.
  Tell me **about** your plans.

- Il vaut mieux ne pas lui **en parler** maintenant.
  It's better not to **tell** him **about** it now.

➡ «avoir pour sujet» → *be about, deal with*

- De quoi **parle** cet article ?
  What **is** this article **about**?
  What does this article **deal with**?

PAYER

➡ régler une facture, un employé... → *pay (paid / paid)*

- Est-ce qu'ils **paient** tes frais de déplacement ?
  Do they **pay** your travelling expenses?

- Vous souhaitez **payer** en liquide ou par carte ?
  Will you **pay** cash or by credit card?

- On m'a **payé** cinquante euros pour laver les vitres.
  I was **paid** fifty euros to clean the window panes.

➡ payer qqch. que l'on achète → *pay for sth*

- Combien as-tu **payé** ces places ?
  How much did you **pay for** these seats?

- C'est pour cela qu'on les **payait**.
  That's what they were **paid for**.

➡ payer qqch. à qqn → *buy sb sth (sth for sb), offer sb sth (sth to sb)*

- Il lui **paie** une nouvelle voiture tous les ans.
  He **buys** (**offers**) her a new car every year.
  He **buys** a new car **for** her every year.

➡ se payer qqch. → *buy oneself sth / treat oneself to*

- Tu devrais **te payer** un écran plat, ça vaut la peine.
  You should **buy yourself** a flat screen, it's really worth it.

- Payons-nous un bon dîner pour changer.
  Let's **treat ourselves to** a good meal for a change.
  [Avec *treat*, on exprime une idée de plaisir.]

PEINE (VALOIR LA PEINE)

■ *it is (was...) worth + V-ing*
- Cela **valait la peine** d'en parler.
  It **was worth** talk**ing** about it.
- C'est près d'ici. Ça ne **vaut pas la peine** de prendre la voiture.
  It's a short distance from here. **It isn't worth** go**ing** by car.

■ *sth is (was...) worth + V-ing*
- Ça **vaut la peine** de visiter ce musée.
  This museum **is worth** visit**ing**.
- Ça **vaudrait la peine** de mentionner ce fait.
  This fact **would be worth** mention**ing**.
- Ça ne **vaut pas la peine** de garder ces vieilles revues.
  These old magazines **are not worth** keep**ing**.

▸ À PEINE (QUE) P. 304

PENDANT (QUE)

■ « au cours de » → *during*
- Il y a eu un orage **pendant** la nuit.
  There was a storm **during** the night.

■ pendant + durée d'une action → *for*
- Je t'ai attendu **pendant** des heures.
  I waited for you **for** ages.
- Laissez la soupe mijoter **pendant** une heure.
  Allow the soup to simmer **for** an hour.

■ pendant combien de temps ? → *how long?*
- **Pendant combien de temps** a-t-il vécu à Madrid ?
  How long did he live in Madrid ?

■ pendant que → *while*
- Son portable a sonné trois fois **pendant que** nous déjeunions.
  His mobile rang three times **while** we were having lunch.

PENSER

■ penser à → *think of, about*
- Est-ce que tu as déjà **pensé à** changer de travail ?
  Have you ever **thought of (about)** changing jobs ?
- Je **pense à** elle de temps en temps.
  I **think about (of)** her now and then.

➥ « réfléchir à » → *think about*

- À quoi **penses**-tu⸮
  What are you **thinking about**⸮
- J'ai **pensé** à votre proposition.
  I've **thought about** your proposal. [J'y ai réfléchi.]

➥ **penser qqch. de** → *think of*

- « Qu'est-ce que tu **penses** de son dernier film⸮ – Je n'en **pense** rien. »
  "What do you **think of** his latest film⸮" "I **think** nothing **of** it."

> **NOTEZ BIEN**
> Ne **pas** employer *about* dans ce cas.

➥ « croire » → *believe, suppose*

- La police **pense** que ça s'est passé vers minuit.
  The police **believe (suppose)** it happened around midnight.
- On **pense** que ce château est hanté depuis 1536.
  It is **believed** that this castle has been haunted since 1536.

➥ **Je pense que oui / non.** → *I think so. / I don't think so.*

- « Tu viendras⸮ – Je **pense que oui.** »
  "Will you come⸮" "I **think so.**"
- « Il viendra avec nous⸮ – Je **pense que non.** »
  "Will he join us⸮" "I **don't think so.**"

► *I THINK SO* P. 145

PERMETTRE, PERMISSION

➥ « autoriser » → *allow to* + verbe

- Les lois fédérales **permettent** aux Indiens d'exploiter des casinos sur leurs réserves.
  Federal laws **allow** Indians to operate casinos on their reservations.

➥ « donner / avoir la permission de » → *give / have permission*

- On lui a **donné la permission** de photographier dans le musée.
  He was **given permission** to take photos in the museum.

➥ « demander / accorder une permission »

► *MAY, CAN, BE ALLOWED TO, COULD* + VERBE P. 37 ET 40

PERSONNE

▶ une personne → *a person* (*people* au pluriel)

- C'est **une personne** très sympathique.
  She is a very pleasant **person.**

- Plusieurs **personnes** m'ont dit qu'elle allait se marier.
  Several **people** told me that she was going to marry.

▶ personne... ne / ne... personne → *nobody (no one) / not... anybody (not... anyone)*

- **Personne** n'est parfait.
  Nobody is perfect. [verbe à la forme affirmative]

- Je n'ai rencontré **personne** que je connaisse.
  I have**n't** seen **anybody** (**anyone**) I know. [verbe à la forme négative]

▶ sans personne → *without anybody (anyone)*

- Il l'a fait **sans** l'aide de **personne.**
  He did it **without anybody's** (**anyone's**) help.

▶ COMPOSÉS EN *NO* P. 97

PETIT

▶ en taille / en importance → *small, short*

- Ridgewood est une **petite** ville du New Jersey.
  Ridgewood is a **small** town in New Jersey.

- Il faudra faire quelques **petits** changements.
  We'll have to make a few **small** changes.

- Je suis assez petit mais beau garçon.
  I'm quite **short** but handsome.

▶ en taille (souvent avec une nuance subjective) → *little*

- *Le **Petit** Prince* est un récit de Saint-Exupéry.
  *The **Little** Prince* is a story by Saint-Exupéry.

- Ils ont acheté une jolie **petite** maison dans les Cotswolds.
  They've bought a nice **little** house in the Cotswolds.

> **NOTEZ BIEN**
> *Little* est le plus souvent utilisé en épithète (*little* + nom). On le rencontre assez souvent après des adjectifs tels que *pretty, nice, poor...*

▶ « cadet(te) » → *little*

- J'aimerais avoir une **petite** sœur.
  I wish I had a **little** sister.

➡ « court » (distance / récit...) → *short*

- C'est à une très **petite** distance du bureau.
It's a very **short** distance from the office.

PEU

➡ pour désigner une quantité faible → *little, not... much* + sg

- Il a **peu** de liberté.
He has **little** free time. / He doesn't have **much** free time.

➡ pour désigner un nombre faible → *few, not... many* + pl.

- **Peu** de gens veulent faire ce travail.
Few (Not many) people want to do this job.

➡ un peu de → *a little* + sg

- Il y a encore **un peu de** thé.
There's **a little** tea left.   ▸ *LITTLE* ET *FEW* P. 98

➡ un peu plus / moins → *a little* + comparatif

- J'ai besoin d'**un peu plus** de temps.
I need **a little more** time.

- Elle va **un peu mieux** que la semaine dernière.
She's **a little better** than last week.

- Il est **un peu moins** ambitieux que son frère.
He is **a little less** ambitious than his brother.

PLACE

➡ « position » / « endroit » → *place*

- S'il te plaît, remets ce livre à sa **place**.
Please, put this book back in its **place**.

➡ « emplacement » → *space*

- Il y a 1 000 **places** de parking gratuites dans ce centre commercial.
There are 1,000 free parking **spaces** in this mall.

➡ « place assise » → *seat*

- Tu peux réserver des **places** sur Internet.
You can book **seats** online.

➡ « espace libre » → *room, space*

- Est-ce que tu as la **place** de mettre ça dans ta valise ?
Do you have **room** for this in your suitcase ?

- Mes livres prennent beaucoup de **place** dans mon bureau.
  My books take up a lot of **space** in my study.

PLUPART (LA PLUPART)

➡ **la plupart (expression d'une généralité) →** *most +* ∅ *+ nom*

- **La plupart** des Américains ne travaillent pas le jour
  de Thanksgiving.
  Most Americans do not work on Thanksgiving Day.

➡ **la plupart + nom déterminé / pronom →** *most of*

- **La plupart** du temps, elle passe le week-end à la campagne.
  Most of the time, she spends her weekends in the country.

- **La plupart** de ses amis ne fument pas.
  Most of his friends do not smoke.

- Il faudra refaire **la plupart** de ces calculs.
  Most of these calculations will have to be done all over again.

- **La plupart** d'entre eux avaient l'air satisfait.
  Most of them looked pleased.

➡ **pour la plupart →** *for the most part*

- Ces jouets sont fabriqués en Chine **pour la plupart**.
  These toys are made in China **for the most part.**

PLUS (QUE / DE)

➡ **plus... (que) →** *-er... (than) / more... (than)*

- Je suis allée me coucher **plus** tôt **que** d'habitude.
  I went to bed earli**er than** usual.

  ▸ COMPARATIFS DE SUPÉRIORITÉ P. 132

➡ **plus de... (que) →** *more + nom... (than)*

- Il y a **plus** d'embouteillages **qu**'autrefois.
  There are **more** traffic jams **than** there used to be.

➡ **(pas) plus que →** *(no) more than*

- Il s'entraîne **plus que** moi.
  He trains **more than** I do.

- Je n'aime **pas plus** ce genre de musique **que** toi.
  I like this kind of music **no more than** you do.

➥ **deux / trois fois plus que** → *twice / three times as... (as)*

- Elle gagne **deux fois plus** d'argent que lui.
  She earns **twice as** much money **as** him.

- Ça coûtera **cinq fois plus** cher si tu voyages en classe affaire.
  It will cost **five times as** much if you travel business class.

PLUS (LE PLUS)

➥ **le plus + adjectif** → *the* + adjectif + *-est / the most* + adjectif

- C'est la personne **la plus habile** que je connaisse.
  She is **the cleverest** person I know.

➥ **verbe + le plus** → *most*

- La nourriture qu'ils mangent **le plus**, ce sont des hamburgers.
  The food they eat **most** is hamburgers. ▸ **SUPERLATIFS P. 135**

PLUS (LE PLUS... POSSIBLE)

➥ *as* **+ adjectif / adverbe +** *as possible*

- Faites ça le plus vite possible.
  Do it **as** fast **as possible** (as fast as you can).

➥ *as much* **+ sg /** *as many* **+ pl. +** *as possible*

- Mangez **le plus de** fruits et de légumes **possible**.
  Eat **as much** fruit and **as many** vegetables **as possible**.
  ▸ **COMPARATIFS D'ÉGALITÉ P. 131**

PLUS (DE PLUS EN PLUS)

➥ **verbe + de plus en plus** → verbe + *more and more*

- Est-ce qu'il travaille vraiment **de plus en plus**⸮
  Does he actually work **more and more**⸮

➥ **de plus en plus + adjectif** → *more and more* + adjectif / *-er and -er*

- Elle devenait **de plus en plus** impatiente.
  She was getting **more and more** impatient.

- Tu trouveras ça **de plus en plus** facile.
  You'll find it easi**er and** easier.
  ▸ **FORMATION DES COMPARATIFS DE SUPÉRIORITÉ P. 132**

➥ **de plus en plus de** → *more and more* + nom

- Nous avons **de plus en plus de** commandes pour ce produit.
  We have **more and more** orders for this product.

PLUS... PLUS...

- Plus je le connais, **plus** je l'apprécie.
  The more I know him, **the more** I like him.
  ► **COMPARATIFS PARTICULIERS P. 133**

POUR (QUE)

▶ pour + nom / pronom → *for*

- Il part demain **pour** Pékin **pour** deux semaines.
  He is leaving **for** Beijing tomorrow **for** two weeks.
  ► **D'APRÈS (MOI) P. 308**

▶ pour + verbe → *to, in order to, so as to* + verbe

- Je mets de l'argent de côté **pour** aller au Canada.
  I'm saving money (in order) **to** go to Canada.

- Il se leva très tôt **pour ne pas** rater son rendez-vous.
  He got up very early **not to (in order not to / so as not to)**
  miss his appointment.

▶ pour que → *so that*

- Parlez plus fort **pour que** tout le monde puisse vous entendre.
  Speak louder **so that** everybody can hear you.

- Hier, il m'a prêté sa voiture **pour que** je n'aie pas à aller à pied au
  bureau.
  Yesterday, he lent me his car **so that** I would not have to walk
  to the office. ► **CONJONCTIONS DE BUT P. 164**

POUVOIR

▶ «se débrouiller pour» → *manage to*

- Il n'avait pas ses clefs mais il **a pu** rentrer.
  He didn't have his keys but he **managed to** get in.

▶ pour exprimer une capacité → *can / could / be able to* + verbe

- C'est un très bon nageur : il **peut** faire trois longueurs en 1' 30".
  He is a very good swimmer: he **can** do three lengths in 1'30".
  ► **CAN, COULD, BE ABLE TO P. 36**

▶ pour exprimer une probabilité → *may / might / could* + verbe

- Il se **peut** que j'aie tort.
  I **may** be wrong.

- Il se **pourrait** que ce soit une bonne solution.
  It **might (could)** be a good solution.
  ► *MAY, MIGHT* ET LE POSSIBLE P. 39

➡ pour demander / donner une permission → *may / be allowed to / can / could* + verbe

• « **Puis**-je prendre votre assiette ? – Oui, merci. »
"**May** I take your plate?" "Yes, you **can**. Thank you."

• Ils ne **peuvent** pas veiller tard le soir.
They **are** not **allowed to** sit up late.

• Est-ce que je **pourrais** vous emprunter votre appareil photo ?
Could I borrow your camera?

▸ *MAY, BE ALLOWED TO* ET *COULD* P. 40

PRÉFÉRER

➡ préférer + nom → *like... better (than), prefer... to*

• Il **préfère** la plongée au ski.
He **likes** scuba diving **better than** skiing.
He **prefers** scuba diving **to** skiing.

• Qu'est-ce que tu **préfères**, San Francisco ou Los Angeles ?
Which do you **prefer**, San Francisco or Los Angeles?

➡ préférer + infinitif → *prefer to* + verbe... *rather than, prefer* + V-*ing* + *to* + V-*ing*

• Je **préfère** aller au cinéma que regarder les films à la télévision.
I **prefer to go** to the cinema **rather than** (to) watch films on TV.
I **prefer** going to the cinema **to** watching films on TV.

➡ je préférerais / il préférerait... + infinitif → *I (he...) would ('d) prefer to, would ('d) rather* + verbe

• Si ça ne te fait rien, je **préférerais** conduire.
If you don't mind, I**'d prefer to** (I**'d rather**) drive.
[presque toujours *'d* après un pronom]

• Jane **préférerait** ne pas prendre de risques.
Jane **would prefer not to** (**would rather not**) take risks.

➡ préférer que → *'d rather* + prétérit

• Je **préfère que** tu ne lises pas cette lettre.
I**'d rather** you **didn't** read this letter.

• Est-ce que tu **préférerais** que je lui dise ?
Would you **rather** I **told** her?

PRESQUE

➤ dans une phrase ne comprenant pas de mot négatif → *almost, nearly, practically*

- Il m'appelle **presque** tous les jours.
  He calls me **almost** (**nearly**, **practically**) every day.
- Tu fais **presque** toujours la même faute.
  You **almost** always make the same mistake.

➤ dans une phrase comprenant un mot négatif → *almost, practically* + mot négatif / *hardly* + mot positif

- Cet enfant ne se plaint **presque jamais**.
  This child **almost never** complains.
  He **hardly ever** complains.
- Tu n'as **presque rien** mangé.
  You've **hardly** eaten **anything**.
  You've eaten **almost nothing**.

▸ À PEINE P. 304

PROBABLE

➤ «vraisemblable» → *probable, likely*

- La cause la plus **probable** de son comportement est la jalousie.
  The most **probable (likely)** cause for his behaviour is jealousy.

➤ il est (était) probable que → *it is (was) likely that*

- Il est **probable** qu'ils arriveront demain.
  It is **likely** that they'll arrive tomorrow.
- Il était **probable** qu'il échouerait.
  It was **likely** that he would fail.

> **NOTEZ BIEN**
> On peut aussi commencer la phrase par un **nom** ou un **pronom personnel,** suivi de *be likely to.*
> It was likely that **he** would fail. → **He** was likely **to** fail.

PROBABLEMENT

➤ probablement → *probably*

- Son avion aura **probablement** du retard.
  His plane will **probably** be delayed.

🔹 probablement en train de → *must be* + V-*ing*

- Ne l'appelle pas maintenant ; il est **probablement** en train de travailler.
  Don't call him now, he **must be** working (he's **probably** working).

🔹 probablement + action passée → *must have* + participe passé / *must have been* + V-*ing*

- Il a **probablement** eu très peur.
  He **must have been** awfully scared.
- J'étais **probablement** en train de rêver.
  I **must have been** dreaming. / I was **probably** dreaming.
  ▸ *MUST* ET LA PROBABILITÉ P. 42

PROCHAIN

🔹 « suivant » → *next*

- La **prochaine** réunion aura lieu en octobre.
  The **next** meeting will take place in October.
- Les trois **prochains** mois vont être très chargés.
  The **next** three months will be hectic.
  [L'ordre des mots est : *next* + numéral + nom.]

🔹 la semaine, l'année… prochaine → ∅ *next*

- On se voit la semaine **prochaine** ou le mois **prochain** ?
  Shall we meet **next** week or **next** month?

🔹 la prochaine fois → ∅ *next time*

- Je ferai mieux la **prochaine fois**.
  I'll do better **next time**.

🔹 la prochaine fois que → *(the) next time*

- N'oublie pas de lui dire la **prochaine fois que** tu la verras.
  Don't forget to tell her **(the) next time** you see her.

PROPOSER, SUGGÉRER

🔹 « offrir (de) » → *offer (to)*

- On lui a **proposé** un très gros salaire.
  He was **offered** a huge salary.
- Est-ce qu'il t'a **proposé** de te raccompagner ?
  Did he **offer to** take you home?

- « suggérer qqch. à qqn » → *propose, suggest sth to sb*

  - Je **propose** une autre stratégie.
    I **suggest (propose)** another strategy.
  - Il m'a **proposé** une nouvelle solution.
    He has **proposed (suggested)** a new solution to me.

- « suggérer de faire qqch. » → *suggest + V-ing*

  - Il **propose** de le rencontrer dans un mois.
    He **suggests** meet**ing** him in a month.

- « suggérer que » → *suggest (that) sb should + verbe*

  - Elle a **proposé** que M. Blake soit présent à la réunion.
    She **suggested (that)** Mr Blake (**should**) **be** present at the meeting.

    ▸ SUBJONCTIF P. 56

  NOTEZ BIEN
  Si on mentionne la personne à laquelle la suggestion est faite, on emploie *suggest that...*
  Il m'a proposé de changer d'ordinateur.
  He has suggested that I (should) change my computer.

- faire une proposition → *shall we + verbe / we might + verbe*

  - Je **suggère** que nous revenions plus tard.
    Shall we come back later? / We **might** come back later.

    ▸ ET SI ... ? P. 400

QUAND

- quand ? → *when?*

  - Quand est-elle née ?
    When was she born?
  - Quand lui demanderas-tu ?
    When will you ask him?
  - Je me demande **quand** il se décidera.
    I wonder **when** he will make up his mind.

- « lorsque » → *when*

  - On partira quand tu voudras.
    [quand + futur → when + présent]
    We'll go **when** you **want** to.
  - Il a dit qu'il le lui dirait quand il la verrait.
    [quand + conditionnel → when + prétérit]
    He said that he would tell her **when** he **saw** her.

● Est-ce que tu pourrais m'emmener à la gare **quand** tu **auras fini**?
[quand + futur antérieur → when + present perfect]
Could you take me to the station **when** you **have finished**?

● Elle a dit qu'il pourrait la remplacer **quand** elle **aurait terminé**.
[quand + conditionnel passé → when + past perfect]
She said he could replace her **when** she **had finished**.
► CONJONCTIONS DE TEMPS P. 163

● «à chaque fois que» → *whenever*

● **Quand** je le rencontre, il a toujours l'air pressé.
Whenever I meet him, he looks as if he were in a hurry.

QUE (QUAND, COMME... ET QUE...)

● Lorsqu'il est seul et qu'il a besoin de détente, il joue du piano.
When he is alone and (**when he**) needs to relax, he plays the piano.

● Comme je t'attendais depuis une heure et que tu n'arrivais pas, j'ai mangé toutes les huîtres.
As I had been waiting for you for an hour and **as** you were not coming, I ate all the oysters.

QUE (DIRE, PENSER QUE)

● après un verbe exprimant une opinion → *that* / ∅

● Il a dit qu'il louerait une voiture.
He said (**that**) he would rent a car.

● Je pense **que** tu as raison.
I think (**that**) you're right.

● Il a suggéré **que** nous lui demandions son avis.
He suggested (**that**) we should ask for his opinion.
► SUBORDONNÉES EN *THAT* P. 158

● après un verbe exprimant une volonté, une préférence
→ *sb* / *sth* *to* + verbe

● Je veux **que** tu m'appelles dès que tu arriveras.
I want **you to** call me as soon as you arrive.

● Il préférerait **que** son nom ne soit pas mentionné.
He would prefer **his name not to** be mentioned.
► VERBES + INFINITIF AVEC *TO* P. 150

- **trouver + adjectif + que → *believe (consider / think) it* + adjectif + *that* + verbe**
  - Je trouve indispensable qu'ils révisent les plans.
    I consider **it** essential **that** they (**should**) revise the plans.
- **Je pense / Je crois... que oui / non. → *I think so. / I don't think so.***
  - « Tu crois qu'il sera d'accord ? – Je pense que oui / non. »
    "Do you think he will agree?" "I think **so. /** I don't think **so.**"

QUE (PLUS, MOINS, AUSSI... QUE)

- C'est beaucoup plus cher que je ne pensais.
  It's far more expensive **than** I expected.
- Il y a eu moins d'accidents que l'année dernière.
  There have been fewer accidents **than** last year.
- Elle est aussi douée que son frère ?
  Is she as gifted **as** her brother?
- Le prix est le même que l'année dernière.
  The price is the same **as** last year.   ▸ COMPARATIFS P. 131

QUE (RELATIF)

- **antécédent animé → *who / that* / ∅ / *whom* (registre formel)**
  - L'homme qu'elle aimait était célèbre.
    The man (**whom / that**) she loved was famous.
- **antécédent inanimé → *which / that* / ∅**
  - Le jouet qu'elle préfère est un élan en peluche.
    The toy (**which / that**) she likes best is a cuddly moose.
- **le seul que / le dernier que → *the only / the last (that)***
  - La seule chose que je sais, c'est que tu me manques.
    The only thing (**that**) I know is that I miss you.
  - La dernière fois que je l'ai vu, je l'ai trouvé bizarre.
    The last time (**that**) I saw him, I found him weird.
        ▸ PROPOSITIONS RELATIVES P. 160

QUE ?

- Que fait-il ? (Qu'est-ce qu'il fait ?)
  What's he doing?
- Je n'ai su que dire.
  I didn't know **what** to say.

QUE !

Que c'est bête de sa part !
How stupid of him ! [how + adjectif]

Que d'histoires !
What a fuss ! [what + nom]

▸ **EXCLAMATION P. 148**

QUEL(LE) ?

pour interroger sur l'identité → *who* ou *what* + nom

Quelle est cette jeune femme ?
Who is this young woman ?

Je ne me rappelle pas **quel acteur** jouait le rôle de Macbeth.
I can't remember **what actor** played the role of Macbeth.

pour interroger sur l'identité d'une chose → *what*

Quel est le problème ?
What's the problem ?

Quel est son métier ?
What is his job ?

pour proposer un choix → *which / what*

De ces trois jeans, **quel** est le moins cher ?
Which pair of jeans is the cheapest of the three ? [choix limité]

Quel est ton musicien préféré ?
What's your favourite musician ? [choix non limité]

pour interroger sur une caractéristique → *how* + adjectif

Quelle est la **hauteur** de la Sears Tower à Chicago ?
How tall is the Sears Tower in Chicago ?

À **quelle distance** sommes-nous de York ?
How far is it to York ?

Quel âge avait-il lorsqu'il est mort ?
How old was he when he died ?

dans quelle mesure → *how* + adjectif

Je me demande **dans quelle mesure** il est sérieux.
I wonder **how serious** he is.

QUEL(LE) !

Quelle fête merveilleuse !
What a lovely party !

Quel soulagement !
What a relief !

Quelle honte !
What a shame !

Quel courage !
What courage !

▸ **EXCLAMATION P. 148**

QUEL(LE)... QUE

▶ pour désigner une personne → *whoever* (+ *may* / *might* + verbe)

- Ne me dérangez pas, **quelle que soit** la personne qui appelle.
Don't disturb me, **whoever** calls.

▶ pour désigner une idée, un objet → *whatever* (+ *may* / *might* + verbe)

- **Quelle que** soit sa décision, je veux la connaître.
Whatever his decision (may be) I want to know it.

- **Quelles qu'**aient pu être ses raisons, elle n'aurait pas dû accepter.
Whatever her reasons (may / might have been) she should not have accepted.

QUELQU'UN / QUELQUE CHOSE DE

▶ affirmation → *somebody (someone)* / *something* + adjectif

- **Quelqu'un d'**efficace pourrait résoudre ce problème.
Somebody (Someone) efficient could solve this problem.

- Il y a **quelque chose de** bizarre chez lui.
There's **something odd** about him.

▶ question → *anybody (anyone)* / *anything* + adjectif

- **Quelqu'un d'**important assistera-t-il à la réunion ?
Will **anyone important** attend the meeting ?

- Y a-t-il **quelque chose de** nouveau ?
Is there **anything new** ?

▶ *SOME* DANS LES PHRASES INTERROGATIVES P. 100

QUELQU'UN / QUELQUE CHOSE D'AUTRE

▶ affirmation → *somebody (someone) else* / *something else*

- **Quelqu'un d'autre** pourra te le dire.
Somebody (Someone) else will be able to tell you.

- **Quelque chose d'autre** m'inquiète.
Something else worries me.

▶ question → *anybody (anyone) else* / *anything else*

- Est-ce que **quelqu'un d'autre** veut du champagne ?
Does **anyone (anybody) else** want some champagne ?

- Vous désirez **quelque chose d'autre** ?
Do you want **anything else** ?

▶ *SOME* DANS LES PHRASES INTERROGATIVES P. 100

QUELQUE(S)

➡ « une certaine quantité / un certain nombre » (affirmation)
→ *some* + nom

- Il me faudra **quelque** temps pour m'y habituer.
  I'll need **some** time to get used to it.
- Mrs Dalloway a acheté **quelques** fleurs.
  Mrs Dalloway has bought **some** flowers.

➡ « une certaine quantité / un certain nombre » (question)
→ *some / any* + nom

- Est-ce que tu veux manger **quelque** chose ?
  Would you like **some**thing to eat?
- Est-ce que je peux faire **quelque** chose pour t'aider ?
  Can I do **any**thing to help you?
  ▸ *SOME* ET *ANY* DANS LES QUESTIONS P. 100

➡ « un petit nombre » → *a few* + pl.

- Il a changé de voiture il y a **quelques** jours.
  He changed his car **a few** days ago.   ▸ *A LITTLE* ET *A FEW* P. 98

➡ « environ » → *some, around, about*

- Il vit à **quelque** 20 km d'ici.
  He lives **some (about / around)** 20 km away from here.

➡ « quelque peu » → *somewhat, rather*

- J'ai été **quelque peu** surprise qu'il arrive si tôt.
  I was **somewhat (rather)** surprised that he came so early.

QUI ?

➡ qui ? → *who?*

- Qui t'a dit ça ?   Qui a-t-elle contacté ?
  Who told you that?   **Who** did she contact?
- De qui parlais-tu ?
  Who were you talking **about**?   ▸ *INTERROGATION* P. 139

➡ à qui est (appartient)... ? → *whose... ?*

- À qui sont ces clés ?
  Whose keys are these? [Attention : *whose* + ∅ + nom + *be*.]
  Whose are these keys?

QUI (RELATIF)

▶ antécédent animé + qui → *who*

- Ceux **qui** n'étaient pas d'accord sont partis.
  Those **who** disagreed left.

▶ antécédent inanimé + qui → *which, that*

- Est-ce que tu as lu le courriel **qui** vient d'arriver ?
  Have you read the email **which (that)** has just arrived ?

▶ préposition + qui → ∅ + sujet + verbe + préposition

- Le délégué **pour qui** j'ai voté est très intègre.
  The representative I voted **for** is very upright.

- Les gens **avec qui** je travaille sont très compétents.
  The people I work **with** are very capable.

▶ **PROPOSITIONS RELATIVES P. 160**

▶ « quiconque » → *whoever*

- Donne ces livres à **qui** en veut.
  Give these books to **whoever** wants them.

QUI QUE CE SOIT (QUI)

▶ qui que ce soit → *anyone (anybody)*

- Je défie **qui que ce soit** de faire mieux.
  I challenge **anyone (anybody)** to do better.

- Il a interdit à **qui que ce soit** de le déranger.
  He has forbidden **anyone (anybody)** to disturb him.

▶ qui que ce soit qui → *whoever, no matter who*

- **Qui que ce soit qui** a dit cela a eu tort.
  Whoever (**No matter who**) said that was wrong.

QUOI QUE

▶ quoi que → *whatever, no matter what*

- Elle reste calme, **quoi qu**'il arrive.
  She keeps calm, **whatever** (**no matter what**) happens.

- **Quoi que** vous en pensiez, je le trouve très efficace.
  Whatever (**No matter what**) you may think, I find him very efficient.

➥ **quoi que ce soit** → *anything*
- Il faut me le dire si tu as besoin de **quoi que** ce soit.
  Do tell me if you need **anything.**

NOTEZ BIEN
Ne pas confondre «quoi que» et «quoique» (*though / although*).

RAPPELER

➥ **«faire penser à qqn»** → *remind sb of sth*
- Il me **rappelle** mon père.
  He **reminds** me **of** my father.

➥ **«rappeler qqch. à qqn»** → *remind sb about sth / to do sth*
- Est-ce que tu lui as **rappelé** notre rendez-vous ?
  Did you **remind** him **about** our appointment?
- Rappelle-lui d'acheter des timbres.
  Remind him **to** buy stamps.

RÉALISER

➥ **un rêve, une ambition, un espoir** → *achieve, fulfill*
- Elle a finalement **réalisé** son but qui était de devenir cantatrice.
  She eventually **achieved (fulfilled)** her goal of becoming
  a professional singer.

➥ **un exploit** → *achieve*
- Il a été le premier à **réaliser** un tel exploit.
  He was the first man to **achieve** such a feat.

➥ **un projet** → *carry out*
- Ces recherches ont été **réalisées** par une équipe française.
  This research was **carried out** by a French team.

▸ FAUX AMIS : *REALIZE* P. 413

RECOMMANDER

➥ **recommander à qqn de** → *recommend that sb (should) + verbe*
- Je leur **recommande** d'aller voir ce film.
  I **recommend that** they **(should)** see the film.

recommander de → *recommend + V-ing*

- Ce programme de mise en forme **recommande de** marcher deux heures tous les jours.
  This fitness programme **recommends** walking two hours every day. ▸ PROPOSER P. 385

REGARDER

regarder qqch. → *look (at sth)*

- Arrête de **regarder** ta montre !
  Stop **looking at** your watch!

être spectateur → *watch*

- Combien de temps as-tu **regardé** la télévision hier soir ?
  How long did you **watch** TV last night?

> **NOTEZ BIEN**
> « Regarder » est un verbe de perception volontaire. Ne pas le confondre avec « voir » (*see*), verbe de perception involontaire.

REGRETTER

« éprouver un manque » → *miss sth / V-ing*

- Je **regrette** nos promenades sur la plage.
  I **miss** our walks along the beach.

- Est-ce qu'elle **regrette** de ne plus travailler avec lui ?
  Does she **miss** working with him?

« se repentir de » → *be sorry (+ proposition)*

- Elle **regrette** d'avoir fait un tel scandale.
  She **is sorry for** (She regrets) making such a fuss.

- Je **regrette** d'être en retard.
  I**'m sorry** I'm late.

- Il **regrette** de lui avoir dit.
  He **regrets** telling her about it.

> **NOTEZ BIEN**
> Les tournures comprenant *sorry* sont plus courantes que *regret*.

« exprimer un regret » → *wish + prétérit / past perfect*

- Ils **regrettent** qu'elle soit si lente.
  They **wish** she **were not** so slow.

● Elle **regrette** de ne pas pouvoir assister à la réunion.
She **wishes** she **could** attend the meeting.

● Nous **regrettons** d'être venus.
We **wish** we **hadn't** come.

NOTEZ BIEN
Wish veut dire « souhaiter ». Donc :
« regretter » + verbe à la forme affirmative → *wish* + verbe à la forme négative ;
« regretter » + verbe à la forme négative → *wish* + verbe à la forme affirmative

▸ *WISH* P. 22

RENDEZ-VOUS

◗ en général → *an appointment*

● Consultations seulement sur **rendez-vous**.
Consultations are by **appointment** only.

◗ avec son (sa) petit(e) ami(e) → *a date*

● Elle a un **rendez-vous** avec Frank demain soir. (Elle sort avec…)
She has a **date** with Frank tomorrow night.

◗ prendre rendez-vous (contexte professionnel)
→ *make an appointment with*

● Il faut que je **prenne rendez-vous** chez le dentiste.
I must **make an appointment** with the dentist.

◗ se donner rendez-vous (contexte amical) → *arrange to meet*

● Ils s'étaient donné **rendez-vous** chez elle.
They **arranged to meet** at her place.

REPROCHE

◗ reprocher qqch. à qqn → *reproach sb for sth, criticize sb for sth*

● Elle lui a **reproché** sa négligence.
She **reproached** him **for** his negligence.
She **criticized** him **for** his negligence.

◗ reprocher de → *reproach for + V-ing*

● Ils lui ont **reproché** d'être en retard.
They **reproached** him **for** be**ing** late.

● Elle lui a **reproché** de ne pas être venu.
She **reproached** him **for** not com**ing**.

RESSEMBLER

➡ **ressembler physiquement à** → *look like*

- Tu **ressembles** à ta sœur.
  You **look like** your sister.

- À quoi **ressemble** leur nouvelle maison?
  What does their new house **look like**?

➡ **se ressembler** → *look alike / be alike*

- Ces jumeaux ne **se ressemblent** pas du tout.
  These twins do not **look alike** at all. [ressemblance physique]

- Tous les consommateurs ne **se ressemblent** pas.
  Not all consumers **are alike**. [autre type de ressemblance]

RESTER

➡ **rester dans un lieu / dans un état** → *stay, remain*

- Elle est **restée** à Chicago un an pour étudier.
  She **stayed (remained)** in Chicago for a year to study.

- Je suis **resté** éveillé jusqu'à trois heures du matin.
  I **stayed (remained)** awake till 3 o'clock in the morning.

➡ **« subsister »** → *be left, remain*

- C'est tout ce qui **reste** de l'ancienne chapelle.
  This is all that **is left (remains)** of the ancient chapel.

➡ **il reste** → *there is... left / I (you...) have... left*

- Il **reste** des places à l'arrière.
  There are some seats **left** at the back.

- Est-ce qu'**il reste** du café?
  Is there any coffee **left**?

- Il me **reste** très peu d'argent.
  I **have** very little money **left**.

➡ **il reste à + infinitif** → *remain + infinitif passif*

- Il **reste** beaucoup à faire.
  Much **remains** to be done.

➡ **il me / te... reste à** → *I (you...) still have to + verbe*

- Il te **reste** encore un courriel à envoyer.
  You **still have** (You**'ve still got**) one more email to send.

RÉUSSIR (À)

▬ réussir → *succeed, be successful*

- Elle a très envie de **réussir** en politique.
  She has a strong desire to **succeed** in politics.

- Bill Gates a **réussi** dans tout ce qu'il a entrepris.
  Bill Gates **has been successful** in all his undertakings.

▬ réussir à → *manage to + verbe, succeed in + V-ing*

- Il n'a pas **réussi** à les convaincre.
  He didn't **manage to** convince them.
  He did not **succeed in convincing** them. [moins courant]

SAUF (SI)

▬ sauf → *except, but*

- Il aime tout, **sauf** les épinards.
  He likes everything, **except** spinach.

- Ils ont tous voté pour, **sauf** lui.
  Everybody **except (but)** him voted for it.

▬ sauf si → *unless, except if*

- Je n'irai pas, **sauf si** tu y vas.
  I won't go, **unless (except if)** you go.

SAVOIR

▬ savoir qqch. → *know*

- Tu **sais** l'heure qu'il est ?
  Do you **know** what time it is ?

- Je ne **sais** rien de cette affaire.
  I **know** nothing about this business.

▬ savoir + infinitif → *can / could + verbe / know how to + verbe*

- Je ne **sais** pas me passer de montre.
  I **cannot** do without a watch. [être capable de]

- Elle **savait** nager à quatre ans.
  She **could** swim when she was four. [être capable de]

- Il **sait** très bien se servir d'un ordinateur.
  He **knows** very well **how to** use a computer. [savoir faire]

SE + VERBE

● pronom réfléchi → verbe + *myself, yourself*

- Nous **nous** sommes bien amusés.
  We enjoyed **ourselves** a great deal.

> **NOTEZ BIEN**
> Certains verbes sont réfléchis en français mais pas en anglais :
> **se** concentrer → *concentrate*, s'habiller → *dress, get dressed*,
> **se** sentir bien, mal... → *feel good, ill...*, s'ennuyer → *get bored*,
> **se** préparer → *get ready*, **se** détendre → *relax*, **se** souvenir → *remember*,
> **se** raser → *shave*, **se** réveiller → *wake up*.

> ▸ **PRONOMS RÉFLÉCHIS P. 121**

● se + verbe + partie du corps → verbe + déterminant possessif + nom

- Tu t'es lavé les mains ?
  Did you wash **your** hands ?

● pronom réciproque → verbe + *each other (one another)*

- Mes chats **se** haïssent et **se** lancent souvent des regards furieux.
  My cats hate **each other (one another)** and often look daggers
  at **each other (one another)**.

> **NOTEZ BIEN**
> Certains verbes anglais incluent l'idée de réciprocité :
> **se** battre → *fight*, s'embrasser → *kiss*, **se** fâcher → *fall out*,
> **se** marier → *marry*, **se** rencontrer → *meet*, **se** quereller → *quarrel*,
> **se** rassembler → *gather*, **se** réconcilier → *make up*, **se** séparer → *part*...

> ▸ **PRONOMS RÉCIPROQUES P. 122**

● sens passif

- Ce vin blanc **se** sert frappé.
  This white wine **is served** chilled.

- Ce modèle **se** vend bien.
  This model **sells** well.

- Ça **se** lit vite.
  It **reads** fast.

● tournures impersonnelles

- Il **se** peut qu'il y arrive.
  He **may** succeed.

- Il **se** pourrait qu'elle le laisse tomber.
  She **might** dump him.

● Il **se** trouve que je le connais.
I **happen** to know him.

SEUL(E)

◗ non accompagné → *alone, on one's own, by oneself*

● Je n'aime pas voyager **seul**.
I don't like travelling **alone** (on my own / by myself).

> **NOTEZ BIEN**
> *Alone* s'emploie seulement en position d'attribut.
> Il y avait beaucoup d'hommes **seuls** en classe affaire.
> There were many **men on their own (by themselves)** in business class.

◗ qui éprouve un sentiment de solitude → *lonely, lonesome*

● Il avait peu d'amis dans cette ville et se sentait souvent **seul**.
He had few friends in that city and often felt **lonely**.

◗ « unique » → *only*

● La **seule** chose que je sais, c'est qu'il portait des bottes noires.
The **only** thing I know is that he was wearing black boots.

◗ « seul et unique » → *single*

● Je ne peux pas faire ça en un **seul** jour.
I can't do this in a **single** day.

◗ le seul qui existe, exclusif → *sole*

● Son cousin est leur **seul** héritier.
His cousin is their **sole** heir.

● C'est le **seul** distributeur (distributeur exclusif) pour le Brésil.
They are the **sole** agent for Brazil.

SI + ADJECTIF / NOM

◗ si + adjectif / adverbe → *so*

● Elle chante **si** bien !
She sings **so** well!

◗ si + nom → *such (a / an)*

● Je n'ai jamais lu un **si** bon livre.
I have never read **such** a good book. ▸ EXCLAMATION P. 148

SI + PROPOSITION

si (condition) → *if*

- Appelle-moi **si** tu rentres tard.
  Call me **if** you come back late.　　　　　► Condition p. 164

  NOTEZ BIEN
  Si j'étais à ta place / À ta place... → *If I were..., I would (not)* + verbe.
  (Si j'étais) à ta place, je jouerais cartes sur table.
  If I were you, I would lay my cards on the table.

si (interrogation indirecte) → *if, whether*

- Je me demande **si** quelqu'un se souvient de lui.
  I wonder **if** anyone remembers him.

- Il a demandé **si** je voulais prendre le train ou l'avion.
  He asked **whether** I wanted to go by train or by plane.
  [*Whether* est d'un style soutenu et implique souvent un choix entre deux propositions.]

si... que (conséquence) → *so... (that)*

- Il parlait **si** vite **que** personne ne le comprenait.
  He spoke **so** fast that nobody could understand him.

si (concession) → *however* + adjectif / adverbe

- **Si** brillant **qu'**il soit, il trouvera ça difficile.
  However brilliant he is, he will find it difficult.

pas si (aussi)... que → *not as... as*

- Ce n'est **pas si** facile **que** ça en a l'air.
  It's **not as** easy **as** it looks.

que si / sauf si → *unless / except if*

- Tu **ne peux** conduire une moto **que si** tu portes un casque.
  You can't ride a motorbike **unless** you wear a helmet.

et si ... ? → *what about* + V-*ing*, *why* + interro-négation, *what if*

- **Et si** on allait au bord de la mer pour changer ?
  What about going (**Why don't we go**) to the seaside
  for a change?

- Et s'il l'avait revue ? Tu crois qu'il serait tombé amoureux ?
  What if he had seen her again? Do you think he'd have fallen
  in love?　　　　　► Proposer p. 385

SI SEULEMENT

━▶ si seulement + imparfait → *if only, I wish* + prétérit

- Si seulement je connaissais la réponse !
  If only (I wish) I knew the answer!

━▶ si seulement + plus-que-parfait → *if only, I wish* + past perfect

- Si seulement tu me l'avais dit !
  If only (I wish) you had told me!

━▶ si seulement tu voulais / il voulait bien → *if only, I wish you / he would* + verbe

- Si seulement elle **voulait bien** arrêter de se plaindre !
  I wish she **would** stop complaining!

- Si seulement ma voiture **voulait bien** démarrer quand il gèle !
  If only my car **would** start when it freezes!

SOUHAITER (QUE)

━▶ « exprimer des vœux » → *wish sb sth*

- Il m'a **souhaité** bonne chance.
  He **wished** me good luck.

━▶ « désirer » → *wish for sth*

- Elle **souhaite** vraiment l'impossible.
  She really **wishes for** the impossible.

━▶ je souhaite / souhaiterais + infinitif → *I wish / I would like to* + verbe

- Je **souhaite** (**souhaiterais**) parler à Monsieur Green.
  I **wish** (**'d like**) **to** speak to Mr Green.

- Elle **souhaiterait** discuter de cette affaire avec le patron.
  She **wishes** (**would like**) **to** discuss this matter with the boss.

- À quelle heure **souhaitait**-il partir ?
  What time did he **wish to** leave ?

━▶ « espérer que » → *hope (that)*

- Je **souhaite** que tu te remettes très vite.
  I **hope (that)** you'll recover very soon.

━▶ « désirer que » → *wish sb / sth* + prétérit, *would like* + proposition infinitive

- Il **souhaite** (**souhaiterait**) que je ne travaille pas.
  He **wishes** I didn't work. / He'**d like** me not to work.

▸ **PRÉTÉRIT APRÈS *WISH* P. 22**

SOUVENIR

➡ image gardée dans la mémoire → *memory*

- Elle a de bons **souvenirs** de son séjour aux États-Unis.
  She has happy **memories** of her stay in the United States.
- Ce n'est qu'un mauvais **souvenir**.
  It's just a bad **memory**.

➡ fait de se souvenir → *recollection*

- J'ai un vague **souvenir** de mon arrière-grand-mère.
  I have a vague **recollection** of my great-grandmother.

➡ objet à valeur sentimentale → *keepsake*

- Ce collier est juste un **souvenir** pour ne pas nous oublier.
  This necklace is just a **keepsake** to remember us by.

➡ objet touristique → *souvenir*

- «Où as-tu acheté ça ? – Dans la meilleure boutique de **souvenirs** de Sydney.»
  "Where did you buy that?" "From the best **souvenir** shop in Sydney."

SOUVENIR (SE SOUVENIR DE)

➡ se souvenir de qqn / de qqch. → *remember sb / sth*

- Je me **souviens** de ma sœur enfant.
  I **remember** my sister as a child.
- Je n'arrive pas à me **souvenir** du titre de son dernier roman.
  I can't **remember** the title of her latest novel.

➡ se souvenir d'avoir fait quelque chose → *remember doing sth*

- Te **souviens**-tu d'avoir fermé la porte à clé ?
  Do you **remember** lock**ing** the door?

➡ « ne pas oublier de » → *remember to + verbe*

- S'il te plaît, **souviens**-toi de nourrir les chats avant de partir.
  Please, **remember to** feed the cats before going.
- Je me suis **souvenu** (Je n'ai pas oublié) de l'appeler.
  I **remembered** to call him.

➡ se souvenir de qqch. avec effort → *recall, recollect sth / doing sth*

- Tout ce dont il se **souvenait**, c'était de la couleur de ses yeux.
  All he **recalled** (**recollected**) was the colour of her eyes.

● Vous **souvenez**-vous l'avoir vu sortir du pub ?
Do you **recall (recollect)** see**ing** him go out of the pub?

SÛR

▬▬▶ sûr de → *sure of, certain of*

● Êtes-vous **sûr** du diagnostic ?
Are you **sure (certain) of** the diagnosis?

▬▬▶ sûr de + verbe / sûr que → *sure, certain (that)*

● Je ne suis pas **sûre** de pouvoir venir.
I'm not **sure** I can come.

● Ils sont **sûrs que** leur projet réussira.
They feel **sure that** their project will succeed.

▬▬▶ il est sûr que qqn... → *sb is (was...) sure to + verbe*

● C'est **sûr que** Fred va épouser Mary.
Fred is **sure to** marry Mary.

● Il n'est pas **sûr** qu'elles soient d'accord.
They are not **sure to** agree.   ▸ *BE LIKELY / SURE TO* P. 49

▬▬▶ bien sûr → *certainly / sure*

● « On se voit demain à dix heures ? – **Bien sûr.** »
"Shall we meet tomorrow at 10?" "**Certainly. / Sure.**"
[*sure = familier*]

TANT, TELLEMENT (DE)... QUE

▬▬▶ tant / tellement + verbe → *verbe + so much (that)*

● Il a **tant (tellement)** insisté que je n'ai pas pu dire non.
He insisted **so much that** I couldn't refuse.

▬▬▶ tant / tellement de + nom → *so much + sg / so many + pl. (that)*

● Il gagne **tellement d'**argent qu'il peut bien en donner un peu.
He earns **so much** money **that** he can give some away.

● J'ai lu ce poème **tellement de** fois que je le connais par cœur.
I've read this poem **so many** times that I know it by heart.
▸ *MUCH, MANY* P. 102

TANT QUE

▬▬▶ « aussi longtemps que » → *as long as*

● Garde ce livre **tant que** tu veux.
Keep this book **as long as** you like.

- Nous ne pourrons pas embaucher **tant que** la crise durera.
  We won't be able to take on new staff **as long as** the crisis
  lasts. [tant que + futur → *as long as* + présent]

« pendant que » → *while*

- Sortons **tant qu'**il ne pleut pas.
  Let's go out **while** it's not raining.

TEL

pour exprimer un degré → *such (a)* + sg / *such* + pl.

- Comment as-tu pu croire une **telle** histoire / de **tels** mensonges ?
  How could you possibly believe **such** a story / **such** lies?

pour comparer → *like*

- **Telle** mère, **telle** fille.
  Like mother, **like** daughter.

il n'y a rien de tel → *there's no such thing*

- Il n'y a rien de **tel** (Ça n'existe pas) en Angleterre.
  There's **no such** thing in England.

TEL QUE

pour comparer → *like* + nom / *as* + proposition

- *Rien de tel que le Soleil* est un roman d'Anthony Burgess.
  Nothing Like the Sun is a novel by Anthony Burgess.

- La situation est **telle** que je l'avais imaginée.
  The situation is **as** I had imagined.

pour exprimer une conséquence → *such (that)* / *such (a / an)* + nom...
that

- Les conditions étaient **telles** que nous avons dû renoncer.
  The conditions were **such that** we had to give up.

- Elle a montré une **telle** détermination qu'il l'a encouragée.
  She showed **such** determination **that** he encouraged her.

tel(les) quel(les) → *as* + pronom + *be* conjugué

- Tu peux laisser tout **tel quel**.
  You can leave everything **as it is**.

- Je renvoie la marchandise **telle quelle**.
  I'm sending back the goods **as they are**.

TOUJOURS

« sans cesse » → *always / all the time*

- Elle était en avance, comme **toujours**.
  She was early, as **always**.

- Tu dis **toujours** ça !
  You say that **all the time**!
  [*all the time* = nuance d'irritation]

pour toujours → *forever*

- J'aurais voulu qu'ils restent **(pour) toujours** avec moi.
  I'd have liked them to stay with me **forever**.

depuis toujours → *always*

- Il vit à New York **depuis toujours**.
  He's **always** lived in New York.

- Il aime la musique **depuis toujours**.
  He's **always** been keen on music.

« encore » → *still*

- Il est **toujours** vivant ?
  Is he **still** alive ?

ne... toujours pas → *not... yet / still... not*

- Je n'ai **toujours pas** reçu leur réponse.
  I **haven't** received their answer **yet**.
  [*not... yet* = je pense que ça va se faire]

- Et tu n'as **toujours pas** compris !
  You **still** have**n't** understood, have you ?
  [*still... not* = nuance d'irritation]

TOUT (QUANTIFIEUR OU ADJECTIF)

ensemble en bloc → *all* (+ déterminant) + nom

- **Tous** les clients avaient l'air satisfait.
  All the customers looked pleased.

- La nuit, **tous** les chats sont gris.
  By night, **all** cats are grey.

NOTEZ BIEN

« Tous / toutes » + nombre → *all* + nombre + *of* + pronom objet.
Ils se sont trompés **tous les trois**.
All three of them were wrong.

- chaque élément a une propriété commune → *every* + sg
  - Tu lui téléphones vraiment **tous** les jours ?
    Do you really call him **every** day ?

> **NOTEZ BIEN**
> *Everyday* écrit en un seul mot est un adjectif.
> La vie de **tous** les jours est monotone.
> **Everyday** life is dull.

- tous / toutes + fréquence → *every* + numéral + pl.
  - Ils livrent **tous** les cinq jours.
    They deliver **every five days**.

- « en entier » → *the* ou possessif + *whole* + sg
  - Elle a passé **toute** sa vie en Allemagne.
    She lived her **whole** life in Germany.
  - **Tout** le bâtiment a été détruit.
    The **whole** building was destroyed.

- « n'importe quel(le) » → *any* + sg
  - Aux États-Unis, vous pouvez faire des courses à **toute** heure du jour ou de la nuit.
    In the United States, you can go shopping at **any** hour of the day or night.
  - Ça peut arriver à **tout** moment.
    It can happen **any** time.

TOUT (PRONOM)

- « tout le monde » / tous → *everybody, everyone / all*
  - Est-ce que **tout le monde** est prêt ?
    Is **everybody (everyone)** ready ?
  - Ils sont **tous** d'accord avec elle.
    They **all** agree with her.
    [*all* = tout le monde d'une manière globale]

- tout (toutes les choses) → *everything / all*
  - **Tout** va bien pour l'instant.
    Everything is fine at the moment.
  - **Tout** est bien qui finit bien.
    All's well that ends well.
    [*All* correspond ici à un registre soutenu.]

➥ **tout ce que / ce qui → *all / everything (that)***

- Dis-moi **tout ce que** tu sais.
  Tell me **all / everything (that)** you know.

NOTEZ BIEN
On n'emploie jamais ~~all what~~.

TOUT (ADVERBE)

➥ **tout + nom → *the very + nom***

- Elle m'a dit **tout** le contraire hier.
  She told me **the very** opposite yesterday.

➥ **tout + adjectif / adverbe → *very, extremely, quite***

- Il se sentait **tout** embarrassé.
  He felt **very (extremely)** awkward.

➥ **tout en + participe présent → *while + V-ing***

- Il lisait un journal **tout en** faisant la queue.
  He was reading a newspaper **while** queuing up.

TRAVAIL

➥ **action de travailler / activités → *work***

- Maintenant éteins la télévision et mets-toi au **travail**.
  Now switch off the TV and get down to **work**.

- Ça prendra des semaines de **travail**.
  It will take weeks of **work**.

NOTEZ BIEN
Work dans le sens de « travail » est un indénombrable. Il n'est jamais
précédé de *a*. En revanche, on peut dire *a work* au sens de « une œuvre ».

➥ **lieu où l'on travaille → *work***

- Il quitte son **travail** à cinq heures.
  He leaves **work** at five.

➥ **tâche / métier → *job***

- Il cherche du **travail** comme informaticien.
  He is looking for a **job** as a computer specialist.

- C'est son **travail** de s'assurer que leur **travail** est terminé à temps.
  It's her **job** to make sure that their **work** is finished on time.

TRÈS

▶ *very / most* + adjectif

- Je suis **très** inquiète de sa santé.
  I am **very** worried about his health.

- C'est **très** gentil à vous d'avoir répondu si vite.
  It's **most** kind of you to have answered so fast. [formel]

▶ *(very) much* + participe passé

- Il est **très** aimé et **très** respecté de ses collègues.
  He is **much** loved and **much** respected by his colleagues.

▶ *very much / deeply* + préposition

- Vous êtes-vous senti **très** en danger ?
  Did you feel **very much** in danger ?

- Elle est **très** amoureuse de lui.
  She's **deeply** in love with him.

TROP

▶ verbe + trop → *too much*

- J'ai **trop** travaillé, je suis morte de fatigue.
  I've worked **too much,** I'm dead tired.

▶ trop + adjectif / adverbe → *too* + adjectif / adverbe

- Il fait **trop** froid pour dîner dans le jardin.
  It's **too** cold to have dinner in the garden.

- Il a poussé la plaisanterie **trop** loin.
  He carried the joke **too** far.

▶ nom + trop + adjectif → *too* + adjectif + *a(n)* + nom

- Ce fut un séjour **trop** court.
  It was **too** short a stay.

TROP DE

▶ trop de + nom → *too much* + sg / *too many* + pl.

- Tu bois **trop de** café.
  You drink **too much** coffee.

● Il y avait **trop** de choses à voir dans cette exposition.
There were **too many** things to see in this exhibition.

➡ trop peu de + nom → *too little* + sg / *too few* + pl.

● Il reste **trop peu de** temps pour aller la voir.
There's **too little** time left to go and visit her.

● **Trop peu de** touristes visitent cet endroit.
Too few tourists visit this place.

➡ de trop → somme + *too much* / nombre + *too many*

● C'est cinq euros **de trop**.
It's five euros **too much**.

● Il y a une chaise **de trop**.
There's one chair **too many**.

VENIR DE

➡ je viens / il vient de... → *I have / he has just* + participe passé

● Je **viens de** l'appeler.
I**'ve just** called him.

● Il **vient de** terminer.
He **has just** finished.

NOTEZ BIEN
Sous l'influence de l'anglais américain, on emploie de plus en plus le prétérit avec *just* : *I just called him. He just finished.*

➡ je venais / il venait de... → *I / he had just* + participe passé

● Elle **venait de** raccrocher quand je suis arrivé.
She **had just hung up** when I arrived.

VOICI / VOILÀ

➡ voici / voilà... → *here / there / this is...*

● **Voici** mon frère. [Je te présente mon frère qui est près de nous.]
Here's (**This** is) my brother.

● **Voilà** mon frère. [Tu peux l'apercevoir là-bas.]
There's (**That**'s) my brother.

● **Voici / Voilà** où je suis né. [On est devant.]
This is where I was born.

● **Voici** la réponse à ta question... [Je vais donner la réponse.]
Here is the answer to your question...

- Voilà la réponse à ta question. [Je conclus mon explication.]
  There is the answer to your question.

■ voici / voilà pourquoi / comment... → *this / that is why / how...*
- Voici pourquoi je ne t'ai pas répondu... [Je vais donner l'explication.]
  This is why I didn't answer...
- Voilà pourquoi je ne t'ai pas répondu. [Je conclus mon explication.]
  That's why I didn't answer.

■ voici / voilà (il y a) → prétérit + durée + *ago*
- Il a déménagé voici quatre ans.
  He moved **four years ago**.
- Elle m'a appelée voilà un moment.
  She called me **a while ago**.

■ voici / voilà (cela fait)... que → present perfect + *for* + durée
- Voici / Voilà plus de 40 ans que je suis mariée.
  I've been married **for more than 40 years**.
- Voilà trois ans qu'il est au chômage.
  He's been unemployed **for three years**.

▸ *SINCE* ET *FOR* P. 26

VOULOIR

■ « exiger » → *want*
- Il **veut** une réponse rapide.
  He **wants** a prompt reply.
- Il **voulait** toujours plus.
  He always **wanted** more.

■ je voudrais / il voudrait → *I / he would like ('d like)*
- Nous **voudrions** une chambre double, s'il vous plaît.
  We'**d like** a double room, please.

> **NOTEZ BIEN**
> *Want* + nom est employé à la forme interrogative pour offrir ou suggérer.
> Qui **veut** du café ?
> Who **wants** some coffee?
>
> *Would like* + nom est employé pour offrir poliment quelque chose.
> Tu **voudrais** boire quelque chose ?
> **Would** you **like** a drink?

● vouloir + infinitif → *want to / would like to* + verbe

- J'ai toujours **voulu** aller au Japon.
  I've always **wanted to** go to Japan.
- Il **voudrait** savoir pourquoi elle n'a pas répondu.
  He **would like to** know why she didn't answer.

● ne pas vouloir + infinitif → *will not / do not want to* + verbe

- Cet enfant est malade. Il ne **veut** rien manger.
  This child is ill; he **won't** eat anything (doesn't want to eat anything).
- Elle était malade. Elle ne **voulait** rien manger.
  She was ill; she **wouldn't** eat anything.

● dans une réponse → *I / you... want to / would like to*

- « Pourquoi ne vend-il pas sa maison ? – Il **ne veut pas**. »
  "Why doesn't he sell his house?" "He **doesn't want to**."
- « Est-ce que tu aimerais venir avec moi ? – Oui, je **voudrais** bien. »
  "Would you like to come with me?" "Yes, I'**d like to** very much."

VOULOIR QUE

● « ordonner que » → *want sb to* + verbe

- Ils **veulent que** nous soyons rentrés à six heures.
  They **want us to** be back by 6.
- Tu **veux que** je t'aide ?
  Do you **want me to** help you?

NOTEZ BIEN
Attention ! Jamais ~~want that~~.

● je voudrais / il voudrait que → *I / he would like sb to* + verbe

- Il **voudrait que** nous venions le chercher à l'aéroport.
  He **would like us to** pick him up at the airport.

ZÉRO

● numéro de téléphone / de carte de crédit → *oh / zero*

- En Angleterre, les numéros de portables commencent par **07**.
  In England cell phone numbers start with **"oh seven"** (**"zero seven"**).

- **températures / graduations** → *zero*
  - Il faisait quatre degrés au-dessous de **zéro** la nuit dernière.
    It was four degrees below **zero** last night.
  - Je n'avais pas remarqué que le compteur d'essence était à **zéro**.
    I hadn't noticed that the petrol gauge was at **zero**.

- **mathématiques** → (GB) *nought* / (US) *zero*
  - Combien y a-t-il de **zéros** après 1 pour écrire un milliard ?
    How many **zero(e)s** are there after 1 to write one billion ?
  - L'inflation a été de 0,8 % cette année.
    Inflation was **nought point** eight per cent this year.

- **scores** → (GB) *nil* / (US) *nothing* / (au tennis) *love*
  - Liverpool bat Manchester par trois buts à **zéro**.
    Liverpool beats Manchester by three goals to **nil**.
  - On les a battus par quatre à **zéro**.
    We beat them by four goals to **nothing**.

FAUX AMIS

abuse: insulter

abuser: exaggerate / overexploit / misuse

accommodate: loger

s'accommoder de: put up with

(an) account: (un) compte bancaire

(un) acompte: (a) deposit

achieve: accomplir

achever: complete / finish off

actual: réel, véritable

actuel: present-day

actually: en fait

actuellement: at the moment

(the) agenda: (l') ordre du jour

(un) agenda: a diary

annoying: irritant

ennuyeux: boring

anxious to do sth: désireux de faire qqch.

anxieux, inquiet: anxious about sth, worried about sth

(be) apt to: avoir tendance à

être apte à: be capable of

assist: aider

assister à: attend sth

assurance: conviction, promesse

(une) assurance: insurance, an insurance policy

brave: courageux

brave, bon: nice / decent

candid: franc, sincère

candide: naive

claim: prétendre

clamer: proclaim / protest / shout out

command: la maîtrise, la possession

(une) commande: (an) order

(a) commodity: (une) denrée

(la) commodité: convenience

comprehensive: détaillé, d'ensemble

compréhensif: understanding

confidence: la confiance

(faire) une confidence: tell sb a secret, confide in sb

consistent: cohérent, constant

consistant: substantial / solid

control: maîtriser

contrôler: check

current: actuel

courant: common / ordinary / present

deceive: tromper

décevoir: disappoint

definitely: vraiment, catégoriquement

définitivement: for good / permanently

demand: exiger

demander: ask

dispose (of): se débarrasser (de)

disposer de: have

(a) dispute: (un) conflit

(une) dispute: (a) row / (an) argument

distraction: inattention, folie

(une) distraction: a form of entertainment

effectively: efficacement

effectivement: actually / really / indeed

(an) emission: (une) émission de substances chimiques

(une) émission: (a) programme

(an) emphasis: (une) mise en relief / en évidence

(l')emphase: pomposity

engaged: fiancé, occupé [ligne téléphonique]

engagé: committed

eventually: finalement

éventuellement: if necessary / possibly

evidence: des preuves

(une) évidence: sth obvious

fabric: du tissu

(une) fabrique: a factory

facilities: équipements, installations

(des) facilités: abilities

(a) figure: (un) chiffre, (une) silhouette

(la) figure: (the) face

fix: réparer

fixer: fasten / set / decide on

(a) fool: (un) imbécile

(un) fou: (a) madman

gentle: doux, paisible

gentil: nice

harass: tourmenter, harceler

harasser: exhaust / wear out

(a) hazard: (un) danger, (un) risque

(le) hasard: chance

heritage: (le) patrimoine

(un) héritage: (an) inheritance

history: l'histoire [étude du passé]

(une) histoire: (a) story

impeach: mettre en accusation, blâmer

empêcher (de): prevent (from)

inconvenient: peu pratique, inopportun

(un) inconvénient: (a) disadvantage / (a) drawback

injure: blesser

injurier: insult / abuse

(an) issue: (un) problème général

(une) issue: (an) exit / (an) outlet

large: grand, vaste

large: wide

(a) lecture: (une) conférence

(la) lecture: reading

(a) library: (une) bibliothèque

(une) librairie: (a) bookshop

(a) location: (un) site, (un) endroit

(une) location: (a) rented house / flat

misery: le malheur, la détresse

(la) misère: poverty

(the) morale: le moral [état psychologique]

(la) morale, la moralité: moral(s)

(a) novel: (un) roman

(une) nouvelle: a short story

(a) nurse: (un, une) infirmier(ère)

(une) nurse: (a) nanny

obedience: l'obéissance

(l') obédience: allegiance / persuasion

parking: le stationnement

(un) parking: (a) car park

(a) patron: (un) client

(un) patron: (a) boss

petrol [GB]: de l'essence

pétrole: oil

(a) photograph: (une) photographie

(un) photographe: (a) photographer

(a) place: (un) endroit

de la place: space, (cinéma) (a) seat

politics: la politique en général

(une) politique: (a) policy

(a) prejudice: (un) préjugé

(un) préjudice: harm / damage / loss

pretend: faire semblant

prétendre: claim

prevent: empêcher

prévenir: warn

(a) prize: (un) prix [récompense]

(un) prix (marchand): a price

(a) process: (un) processus, (un) procédé

(un) procès: (a) trial

question: mettre en doute

questionner: ask sb questions

realize: se rendre compte

réaliser: achieve / carry out / fulfil

(a) receipt: (un) reçu, (un) ticket de caisse

(une) recette: (a) recipe

(a) recipient: (un) destinataire

(un) récipient: (a) container

reclaim: mettre en valeur [une terre], recycler

réclamer: demand / claim

regard: considérer

regarder: look

relation: parenté

(une) relation: (an) acquaintance

resent: ne pas apprécier, être contrarié

ressentir: feel

respond: réagir

répondre: answer

rest: se reposer

rester: stay / remain

resume: reprendre, recommencer

résumer: sum up, summarize

retire: prendre sa retraite

retirer: withdraw / take off

rude: impoli

rude: rough / harsh

sensible: sensé

sensible: sensitive

support: encourager, soutenir

supporter: bear / stand

(a) surname: (un) nom de famille

(un) surnom: (a) nickname

susceptible: prédisposé, sensible à

susceptible: touchy / sensitive

sympathetic: compatissant

sympathique: nice / congenial

tentative: provisoire, hésitant

(une) tentative: (an) attempt

terrible: épouvantable

terrible (formidable): terrific

trivial: sans importance, banal

trivial: crude / offensive

utilities: (les) équipements, (les) services

(l') utilité: (the) use / (the) usefulness

versatile: polyvalent

versatile: changeable / fickle

vicious: méchant, brutal

vicieux: depraved / wrong

ANGLAIS BRITANNIQUE ET AMÉRICAIN

▬▶ **Différences de prononciation**

Les différences les plus importantes entre anglais britannique standard et anglais américain standard sont du domaine de la phonétique et de la phonologie. Dans la plupart des cas :

- Le **r** qui suit une voyelle est prononcé en américain alors qu'il ne l'est pas en anglais britannique.

  - deplore   [GB] : /dɪ'plɔː/   [US] : /dɪ'plɔːr/

- Le **t** qui se trouve entre deux voyelles est proche du son **d** en américain.

  - city   [GB] : /'sɪti/   [US] : proche de /'sɪdi/

- Consonne + **ju** se prononce souvent consonne + **u** en américain.

  - new   [GB] : /njuː/   [US] : /nuː/

- **A** long et **a** bref sont confondus en américain.

  - France   [GB] : /frɑːns/   [US] : /fræns/

- Le **o** ouvert de l'anglais britannique n'existe pas en anglais américain. Son équivalent en anglais américain est /ɑː/.

  - hot   [GB] /hɒt/   [US] /hɑːt/
  - shop   [GB] /ʃɒp/   [US] /ʃɑːp/

▬▶ **Différences grammaticales**

- Il existe quelques différences d'ordre grammatical, en particulier dans certaines formes verbales et l'emploi des temps. Par exemple :

  - I've just seen him. [GB]
    I just saw him. [US]

  - It's three years since I went to the US. [GB]
    It's been three years since I went to England. [US]

- L'anglais américain distingue *have got* (avoir) de *have gotten* (obtenir). En anglais britannique, on n'utilise pas *gotten* : « obtenir » se dit *obtain*.

  - She has (got) a new job. [GB/US]
    Elle a un nouvel emploi.

  - She's gotten a new job. [US]
    She has obtained a new job. [GB]
    Elle a obtenu un nouvel emploi.

Différences lexicales

- Les différences dans le lexique sont parfois assez nettes.

AMÉRICAIN	BRITANNIQUE	
an antenna	an aerial	une antenne
an apartment	a flat	un appartement
baggage	luggage	des bagages
a can	a tin	une boîte de conserve
a candy	a sweet	un bonbon
a cookie	a biscuit	un biscuit
a pharmacy	the chemist's	une pharmacie
an elevator	a lift	un ascenseur
the fall	autumn	l'automne
a faucet	a tap	un robinet
a flashlight	a torch	une lampe électrique
a freeway	a motorway	une autoroute
garbage	rubbish	les ordures
gas	petrol	de l'essence
a line	a queue	une file d'attente
a mailman	a postman	un facteur
a car	a carriage	une voiture [train]
the sidewalk	the pavement	le trottoir
a truck	a lorry	un camion
a trunk	a boot	un coffre de voiture
vacation	holiday	les vacances
the windshield	the windscreen	le pare-brise

- Il y a aussi des ambiguïtés.

	BRITANNIQUE	AMÉRICAIN
un billet de banque	a (bank) note	a bill
une addition	a bill	a check
le rez-de-chaussée	the ground floor	the first floor
le premier étage	the first floor	the second floor
des frites	(potato) chips	French fries
des chips	(potato) crisps	chips
le métro	the underground	the subway
un passage souterrain	a subway	an underpass
faire la vaisselle	wash up	wash the dishes
se laver les mains	wash one's hands	wash up

- Attention aux dates.
  - 9/12/19 : [GB] 9 décembre 2019, [US] 12 septembre 2019

Différences orthographiques

L'américain a simplifié l'orthographe de quelques mots.

BRITANNIQUE	AMÉRICAIN
-our : colour	-or : color
-se : analyse	-ze : analyze
-re : centre	-er : center
-ogue : catalogue	-og : catalog
programme	program

Conjugaison

Abréviations utilisées

p. p. : participe passé
he... : *he / she / it*
V : verbe

BE, HAVE, DO

1 BE AU PRÉSENT

AFFIRMATION	NÉGATION	INTERROGATION
am / is / are	*am not / is not / are not*	*am / is / are* + sujet
I **am**	I **am not**	**am** I?
he / she / it **is**	he / she / it **is not**	**is** he / she / it?
we **are**	we **are not**	**are** we?
you **are**	you **are not**	**are** you?
they **are**	they **are not**	**are** they?

Formes contractées très fréquentes : *are not → aren't, is not → isn't*
I am not → I'm not, he / she / it is not → he's not / she's not / it's not, we are not → we're not, you are not → you're not, they are not → they're not

2 BE AU PRÉTÉRIT

AFFIRMATION	NÉGATION	INTERROGATION
was / were	*was not / were not*	*was / were* + sujet
I **was**	I **was not**	**was** I?
he / she / it **was**	he / she / it **was not**	**was** he / she / it?
we **were**	we **were not**	**were** we?
you **were**	you **were not**	**were** you?
they **were**	they **were not**	**were** they?

Formes contractées très fréquentes : *was not → wasn't, were not → weren't*

3 HAVE AUXILIAIRE

Have auxiliaire du present perfect

AFFIRMATION	NÉGATION	INTERROGATION
have / has + p. p.	*have / has not* + p. p.	*have / has* + sujet + p. p.
I **have** worked	I **have not** worked	**have** I worked?
he… **has** worked	he… **has not** worked	**has** he… worked?
we **have** worked	we **have not** worked	**have** we worked?
you **have** worked	you **have not** worked	**have** you worked?
they **have** worked	they **have not** worked	**have** they worked?

Formes contractées très fréquentes : *have not → haven't, has not → hasn't*
I have → I've, he / she / it has → he's / she's / it's, we have → we've, you have → you've, they have → they've

Have auxiliaire du past perfect

AFFIRMATION	NÉGATION	INTERROGATION
had + p. p.	*had not* + p. p.	*had* + sujet + p. p.
I **had** work**ed**	I **had not** worked	**had** I worked?
he... **had** work**ed**	he... **had not** worked	**had** he... worked?
we **had** work**ed**	we **had not** worked	**had** we worked?
you **had** work**ed**	you **had not** worked	**had** you worked?
they **had** work**ed**	they **had not** worked	**had** they worked?

Formes contractées très fréquentes : *had not → hadn't*
I had → I'd, he / she had → he'd / she'd, we had → we'd,
you had → you'd, they had → they'd

---

4 *HAVE* VERBE LEXICAL

Présent

AFFIRMATION	NÉGATION	INTERROGATION
have / has	*do / does not* + *have*	*do / does* + sujet + *have*
I **have** a car	I **do not have** a car	**do** I **have** a car?
he... **has** a car	he... **does not have** a car	**does** he... **have** a car?
we **have** a car	we **do not have** a car	**do** we **have** a car?
you **have** a car	you **do not have** a car	**do** you **have** a car?
they **have** a car	they **do not have** a car	**do** they **have** a car?

Formes contractées très fréquentes : *do not → don't, does not → doesn't*

Prétérit

AFFIRMATION	NÉGATION	INTERROGATION
had	*did not* + *have*	*did* + sujet + *have*
I **had** time	I **did not have** time	**did** I **have** time?
he... **had** time	he... **did not have** time	**did** he... **have** time?
we **had** time	we **did not have** time	**did** we **have** time?
you **had** time	you **did not have** time	**did** you **have** time?
they **had** time	they **did not have** time	**did** they **have** time?

Formes contractées très fréquentes : *did not → didn't*

HAVE GOT

AFFIRMATION	NÉGATION	INTERROGATION
have / has got	*have / has not + got*	*have / has + sujet + got*
I **have got** it	I **have not got** it	**have** I **got** it?
he… **has got** it	he… **has not got** it	**has** he… **got** it?
we **have got** it	we **have not got** it	**have** we **got** it?
you **have got** it	you **have not got** it	**have** you **got** it?
they **have got** it	they **have not got** it	**have** they **got** it?

Formes contractées très fréquentes : *have not got → haven't got, has not got → hasn't got*
I have got → I've got, he / she / it has got → he's / she's / it's got, we have got → we've got, you have got → you've got, they have got → they've got

HAVE TO ET HAVE GOT TO

Have to

AFFIRMATION	NÉGATION	INTERROGATION
have / has to	*do / does not + have to*	*do / does + sujet + have to*
I **have to** go	I **do not have to** go	**do** I **have to** go?
he… **has to** go	he… **does not have to** go	**does** he… **have to** go?
we **have to** go	we **do not have to** go	**do** we **have to** go?
you **have to** go	you **do not have to** go	**do** you **have to** go?
they **have to** go	they **do not have to** go	**do** they **have to** go?

Formes contractées très fréquentes : *do not → don't, does not → doesn't*

Have got to

AFFIRMATION	NÉGATION	INTERROGATION
have / has got to	*have / has not + got to*	*have / has + sujet + got to*
I **have got to** go	I **have not got to** go	**have** I **got to** go?
he… **has got to** go	he… **has not got to** go	**has** he… **got to** go?
we **have got to** go	we **have not got to** go	**have** we **got to** go?
you **have got to** go	you **have not got to** go	**have** you **got to** go?
they **have got to** go	they **have not got to** go	**have** they **got to** go?

Formes contractées très fréquentes : ce sont les mêmes que pour *have got.*

7 *DO* VERBE LEXICAL

Présent

AFFIRMATION	NÉGATION	INTERROGATION
do / does	*do not / does not* + do	*do / does* + sujet + do
I **do** it	I **don't do** it	**do** I **do** it?
he... **does** it	he... **doesn't do** it	**does** he... **do** it?
we **do** it	we **don't do** it	**do** we **do** it?
you **do** it	you **don't do** it	**do** you **do** it?
they **do** it	they **don't do** it	**do** they **do** it?

Formes contractées très fréquentes : *do not* → *don't, does not* → *doesn't*

Prétérit

AFFIRMATION	NÉGATION	INTERROGATION
did	*did not* + do	*did* + sujet + do
I **did** it	I **did not do** it	**did** I **do** it?
he... **did** it	he... **did not do** it	**did** he... **do** it?
we **did** it	we **did not do** it	**did** we **do** it?
you **did** it	you **did not do** it	**did** you **do** it?
they **did** it	they **did not do** it	**did** they **do** it?

Formes contractées très fréquentes : *did not* → *didn't*

AUTRES VERBES

8 PRÉSENT SIMPLE

AFFIRMATION	NÉGATION	INTERROGATION
-s à la 3ᵉ pers. du sg	*do / does not* + V	*do / does* + sujet + V
I **play**	I **do not play**	**do** I **play**?
he... **plays**	he... **does not play**	**does** he... **play**?
we **play**	we **do not play**	**do** we **play**?
you **play**	you **do not play**	**do** you **play**?
they **play**	they **do not play**	**do** they **play**?

Formes contractées très fréquentes : *do not* → *don't, does not* → *doesn't*

9 PRÉSENT EN *BE* + *-ING*

AFFIRMATION	NÉGATION	INTERROGATION
am / is / are + -ing	*am / is / are not + -ing*	*am / is / are + sujet + -ing*
I **am** work**ing**	I **am not** working	**am** I work**ing**?
he... **is** work**ing**	he... **is not** working	**is** he... work**ing**?
we **are** work**ing**	we **are not** working	**are** we work**ing**?
you **are** work**ing**	you **are not** working	**are** you work**ing**?
they **are** work**ing**	they **are not** working	**are** they work**ing**?

Formes contractées très fréquentes : *I am not* → *I'm not, are not* → *aren't* ou *'re not, is not* → *isn't* ou *'s not*

10 PRÉTÉRIT SIMPLE

AFFIRMATION	NÉGATION	INTERROGATION
V + -ed	*did not + V*	*did + sujet + V*
I work**ed**	I **did not** work	**did** I **work**?
he... work**ed**	he... **did not** work	**did** he... **work**?
we work**ed**	we **did not** work	**did** we **work**?
you work**ed**	you **did not** work	**did** you **work**?
they work**ed**	they **did not** work	**did** they **work**?

Formes contractées très fréquentes : *did not* → *didn't*

▸ **PRÉTÉRIT DES VERBES IRRÉGULIERS, P. 425-426**

11 PRÉTÉRIT EN *BE* + *-ING*

AFFIRMATION	NÉGATION	INTERROGATION
was / were + -ing	*was / were not + -ing*	*was / were + sujet + -ing*
I **was** work**ing**	I **was not** work**ing**	**was** I work**ing**?
he... **was** work**ing**	he... **was not** work**ing**	**was** he... work**ing**?
we **were** work**ing**	we **were not** work**ing**	**were** we work**ing**?
you **were** work**ing**	you **were not** work**ing**	**were** you work**ing**?
they **were** work**ing**	they **were not** work**ing**	**were** they work**ing**?

Formes contractées très fréquentes : *was not* → *wasn't, were not* → *weren't*

12 PRESENT PERFECT SIMPLE

AFFIRMATION	NÉGATION	INTERROGATION
have / has + p. p.	*have / has not* + p. p.	*have / has* + sujet + p. p.
I **have** work**ed**	I **have not** work**ed**	**have** I work**ed**?
he… **has** work**ed**	he… **has not** work**ed**	**has** he… work**ed**?
we **have** work**ed**	we **have not** work**ed**	**have** we work**ed**?
you **have** work**ed**	you **have not** work**ed**	**have** you work**ed**?
they **have** work**ed**	they **have not** work**ed**	**have** they work**ed**?

Formes contractées très fréquentes : *have worked* ➜ *'ve worked, has worked* ➜ *'s worked* ; *have not worked* ➜ *haven't* ou *'ve not worked, has not worked* ➜ *hasn't* ou *'s not worked*

▸ **PARTICIPE PASSÉ DES VERBES IRRÉGULIERS, P. 425-426**

13 PRESENT PERFECT EN *BE + -ING*

AFFIRMATION	NÉGATION	INTERROGATION
have / has been + *-ing*	*have / has not been* + *-ing*	*have / has* + sujet + *been* + *-ing*
I **have been** work**ing**	I **have not been** work**ing**	**have** I **been** work**ing**?
he… **has been** work**ing**	he… **has not been** work**ing**	**has** he… **been** work**ing**?
we **have been** work**ing**	we **have not been** work**ing**	**have** we **been** work**ing**?
you **have been** work**ing**	you **have not been** work**ing**	**have** you **been** work**ing**?
they **have been** work**ing**	they **have not been** work**ing**	**have** they **been** work**ing**?

Formes contractées très fréquentes : *have been working* ➜ *'ve been working, has been working* ➜ *'s been working*
have not been working ➜ *haven't been* ou *'ve not been working, has not been working* ➜ *hasn't been* ou *'s not been working*

14 PAST PERFECT SIMPLE

AFFIRMATION	NÉGATION	INTERROGATION
had + p. p.	*had not* + p. p.	*had* + sujet + p. p.
I **had** wish**ed**	I **had not** wish**ed**	**had** I wish**ed**?
he... **had** wish**ed**	he... **had not** wish**ed**	**had** he... wish**ed**?
we **had** wish**ed**	we **had not** wish**ed**	**had** we wish**ed**?
you **had** wish**ed**	you **had not** wish**ed**	**had** you wish**ed**?
they **had** wish**ed**	they **had not** wish**ed**	**had** they wish**ed**?

Formes contractées très fréquentes : *had* ➔ *'d, had not* ➔ *hadn't* ou *'d not*

15 PAST PERFECT EN *BE + -ING*

AFFIRMATION	NÉGATION	INTERROGATION
had been + -ing	*had not been + -ing*	*had* + sujet + *been + -ing*
I **had been** show**ing**	I **had not been** show**ing**	**had** I **been** show**ing**?
he... **had been** show**ing**	he... **had not been** show**ing**	**had** he... **been** show**ing**?
we **had been** show**ing**	we **had not been** show**ing**	**had** we **been** show**ing**?
you **had been** show**ing**	you **had not been** show**ing**	**had** you **been** show**ing**?
they **had been** show**ing**	they **had not been** show**ing**	**had** they **been** show**ing**?

Formes contractées très fréquentes : *had* ➔ *'d, had not* ➔ *hadn't* ou *'d not*

PRINCIPAUX VERBES IRRÉGULIERS

(R) signale que la forme peut être régulière. Ainsi, *lean, leant* (R), *leant* (R) signifie qu'on peut trouver *leaned* à la place de *leant*.

INFINITIF	PRÉTÉRIT	P. PASSÉ	
be	was, were	been	être
beat	beat	beaten	battre
become	became	become	devenir
begin	began	begun	commencer
bend	bent	bent	courber
bet	bet (R)	bet (R)	parier
bite	bit	bitten	mordre
blow	blew	blown	souffler
break	broke	broken	casser
breed	bred	bred	élever
bring	brought	brought	apporter
broadcast	broadcast (R)	broadcast (R)	diffuser
build /ɪ/	built	built	construire
burn	burnt (R)	burnt (R)	brûler
buy	bought	bought	acheter
catch	caught	caught	attraper
choose /uː/	chose /əʊ/	chosen /əʊ/	choisir
come	came	come	venir
cost	cost	cost	coûter
cut	cut	cut	couper
deal /iː/	dealt /e/	dealt /e/	distribuer
do	did	done	faire
draw	drew	drawn	dessiner / tirer
dream	dreamt (R)	dreamt (R)	rêver
drink	drank	drunk	boire
drive	drove	driven	conduire
eat	ate /eɪ/	eaten	manger
fall	fell	fallen	tomber
feed	fed	fed	nourrir
feel	felt	felt	ressentir
fight	fought	fought	combattre
find	found	found	trouver
flee	fled	fled	fuir
fly	flew	flown	voler (avec des ailes)
forget	forgot	forgotten	oublier
freeze	froze	frozen	geler
get	got	got / gotten (US)	obtenir
give	gave	given	donner
go	went	gone	aller
grow	grew	grown	pousser
hang	hung	hung	pendre
have	had	had	avoir
hear /ɪə/	heard /ɜː/	heard /ɜː/	entendre
hide /aɪ/	hid /ɪ/	hidden /ɪ/	cacher
hit	hit	hit	frapper
hold /əʊ/	held	held	tenir
hurt /ɜː/	hurt	hurt	faire mal
keep	kept	kept	garder
know /əʊ/	knew	known	savoir / connaître
lay	laid	laid	étendre / poser
lead /iː/	led	led	mener
learn	learnt (R)	learnt (R)	apprendre

leave	left	left	quitter
lend	lent	lent	prêter
let	let	let	laisser / louer
lie	lay	lain	être allongé
lose /uː/	lost /ɒ/	lost /ɒ/	perdre
make	made	made	faire
mean /iː/	meant /e/	meant /e/	vouloir dire
meet /iː/	met /e/	met /e/	rencontrer
pay	paid	paid	payer
put	put	put	poser
read /iː/	read /e/	read /e/	lire
ride	rode	ridden	aller à cheval / à bicyclette
ring	rang	rung	sonner
rise	rose	risen	se lever
run	ran	run	courir
say /eɪ/	said /e/	said /e/	dire
see	saw	seen	voir
sell	sold	sold	vendre
send	sent	sent	envoyer
set	set	set	placer / fixer
shake	shook	shaken	secouer
show	showed	shown (R)	montrer
shoot	shot	shot	abattre
shrink	shrank	shrunk	rétrécir
shut	shut	shut	fermer
sing	sang	sung	chanter
sit	sat	sat	être assis
sleep /iː/	slept /e/	slept /e/	dormir
smell	smelt (R)	smelt (R)	sentir
sow	sowed	sown (R)	semer
speak	spoke	spoken	parler
spell	spelt (R)	spelt (R)	épeler
spend	spent	spent	passer / dépenser
spill	spilt (R)	spilt (R)	renverser
split	split	split	fendre / séparer
spread /e/	spread	spread	étaler
stand	stood	stood	être debout
steal	stole	stolen	voler / dérober
stick	stuck	stuck	coller / mettre
stink	stank	stunk	sentir mauvais
strike	struck	struck	frapper
swear	swore	sworn	jurer
swim	swam	swum	nager
take	took	taken	prendre
teach	taught	taught	enseigner
tell	told	told	dire / raconter
think	thought	thought	penser
throw /əʊ/	threw /uː/	thrown /əʊ/	lancer
understand	understood	understood	comprendre
upset	upset	upset	bouleverser
wake	woke (R)	woken (R)	réveiller
wear /eə/	wore	worn	porter (vêtement)
weep	wept	wept	pleurer
win	won /ʌ/	won /ʌ/	gagner
withdraw	withdrew	withdrawn	retirer
write /raɪt/	wrote /rəʊt/	written /ˈrɪtən/	écrire

INDEX

LAROUSSE
LA référence des dictionnaires d'ANGLAIS !

Un dictionnaire ultra pratique et complet pour enrichir son vocabulaire et progresser !

LAROUSSE